Philosophies
de la perception

COLLÈGE DE FRANCE

Philosophies de la perception

Phénoménologie, grammaire et sciences cognitives

Sous la direction de
Jacques Bouveresse
et Jean-Jacques Rosat

Avec
L. Allix, J. Benoist, A. Berthoz, C. Chauviré, F. Clementz, J. Dokic,
P. Engel, S. Laugier, J.-M. Monnoyer, É. Pacherie, J. Petitot

Odile
Jacob

Cet ouvrage s'inscrit dans le cadre de la collection
du Collège de France chez Odile Jacob

Ce livre est issu des travaux du séminaire que Jacques Bouveresse
a organisé au Collège de France de février à mai 2002
sur le thème « Approches de la perception : phénoménologie,
grammaire et sciences cognitives ».

© ODILE JACOB, NOVEMBRE 2003
15, RUE SOUFFLOT, 75005 PARIS

www.odilejacob.fr

ISBN : 2-7381-1352-4

Préface

———

À l'exception de ma propre contribution, qui n'était pas prévue initialement et qui porte sur un auteur et un sujet différents de ceux que j'ai abordés, les textes qui ont été réunis dans ce volume sont ceux des conférences qui ont été données au cours de l'année 2001-2002 dans le cadre du séminaire que j'ai dirigé au Collège de France sur le thème *Approches de la perception : phénoménologie, grammaire, sciences cognitives.* Je ne crois pas nécessaire de présenter les conférenciers qui ont été invités à s'exprimer sur cette question, qui appartiennent tous à la catégorie des spécialistes les plus éminents dans leurs domaines de recherche respectifs, et pas non plus d'essayer de résumer leurs contributions, qui, bien qu'elles soient parfois assez techniques, parlent suffisamment par elles-mêmes et pour elles-mêmes.

Le but de ce séminaire était, comme son titre l'indique, de susciter une confrontation entre trois approches différentes du problème de la perception : celle de la phénoménologie, qui continue à représenter pour beaucoup de philosophes la tradition majeure dans le domaine de la philosophie de la perception, celle des partisans du traitement « grammatical » de la question et des questions philosophiques en général à la manière de Wittgenstein, et celle des praticiens des sciences cognitives et des neurosciences. Dans la façon dont les choses sont présentées habituellement, l'approche qui peut être qualifiée de « logique », « conceptuelle » ou « grammaticale » a commencé depuis un certain temps déjà a être menacée sérieusement par sa rivale cognitiviste, qui aurait même, selon certains, réussi à l'évincer à peu près complètement au profit d'un mode de traitement des problèmes qui est à la fois plus empirique, plus respectueux des acquis les plus récents de la science et plus conforme aux exigences du naturalisme. Dans le même temps, des tentatives de rapprochement diverses ont été effectuées, et des alliances parfois surprenantes ont été conclues entre la première et la troisième approche. Ce qu'elles ont de problématique est assez bien résumé dans la question « Peut-on naturaliser la phénoménologie ? », qui indique à la fois où se situe la difficulté principale et de quel côté on peut peut-être espérer effectuer des progrès réels.

C'est sur ce type de question et sur un bon nombre d'autres, d'une importance comparable, que le séminaire se proposait, sinon de faire réellement le point, du moins d'apporter quelques éléments d'information et de réflexion utiles. Le lecteur se rendra compte aisément qu'à peu près tous les problèmes les plus centraux et les plus actuels de la philosophie de la perception, depuis celui de la confrontation entre le réalisme direct et le réalisme indirect jusqu'à celui de la nature conceptuelle ou non conceptuelle du contenu de la perception, en passant par ceux des relations entre la perception et l'imagination, du « voir comme », du genre de propriété qu'est la couleur, etc., y ont été abordés à un moment ou à un autre dans une perspective résolument pluraliste. On peut donc considérer, me semble-t-il, qu'aussi bien par la qualité des contributions obtenues que par celle des échanges réels qui ont eu lieu cette tentative de confrontation un peu risquée entre des courants et des écoles qui ont, de façon générale, plutôt tendance à s'ignorer les uns les autres a été un succès incontestable.

Ni l'organisation du séminaire lui-même ni la publication des exposés auxquels il a donné lieu n'auraient été possibles sans l'aide précieuse qui m'a été apportée par Jean-Jacques Rosat, à qui je dois une fois de plus adresser des remerciements spéciaux. Pour ce qui concerne ce volume, c'est, en fait, à lui qu'a incombé la responsabilité principale de l'organisation du matériau et c'est lui qui a effectué entièrement le difficile travail de mise au point du manuscrit définitif pour la publication. Il me reste pour finir à renvoyer simplement le lecteur au travail des auteurs qui ont bien voulu apporter leur concours à cette entreprise et peut-être aussi, comme l'a fait Goethe, en épigraphe à la *Farbenlehre*, à citer Horace : « *Si quid novisti rectius istis/Candidus imperti ; si non, his utere mecum*[1] *!* » Il se peut que le lecteur ait l'impression que les problèmes posés sont loin d'avoir été résolus et que l'on peut faire beaucoup mieux et bien davantage. Mais il sera, je l'espère, heureux en attendant d'utiliser avec nous ce qui lui est proposé ici.

Jacques BOUVERESSE

---

1. Traduction libre : « Si tu connais quelque chose de plus correct que ceci, fais-le-moi savoir en toute simplicité ; si ce n'est pas le cas, fais avec moi usage de ce qui suit » (Horace, *Épîtres*).

Première partie

Voir la réalité

Image scientifique
et image manifeste du monde

> La chimie moderne ramène la variété des saveurs et
> des parfums à cinq éléments diversement combinés :
> carbone, hydrogène, oxygène, soufre et azote. En dres-
> sant des tables de présence et d'absence, en évaluant
> des dosages et des seuils, elle parvient à rendre compte
> de différences et de ressemblances entre des qualités
> qu'elle aurait jadis bannies hors de son domaine parce
> que « secondes ». Mais ces rapprochements et ces dis-
> tinctions ne surprennent pas le sentiment esthétique :
> ils l'enrichissent et l'éclairent plutôt, en fondant des
> associations qu'il soupçonnait déjà, et dont on
> comprend mieux pourquoi, et à quelles conditions, un
> exercice assidu de la seule intuition aurait déjà permis
> de les découvrir [1].

En 1929, introduisant ses leçons de philosophie populaire *The Nature of the Physical World*, le physicien anglais Eddington écrivait :

Je me suis mis en devoir de rédiger ces leçons et j'ai approché mes chaises de mes deux tables. Deux tables ! Oui ; il y a des doubles de tout objet autour de moi — deux tables, deux chaises, deux stylos. [...]
L'une [des tables] m'a été familière depuis les premières années. C'est un objet commun de cet environnement que j'appelle le monde. Comment dois-je le décrire ? Il a une extension ; il est comparativement permanent ; il est coloré ; par-dessus tout il est *substantiel*. Par substantiel je n'entends pas simplement qu'il ne s'effondre pas quand je m'appuie sur lui ; j'entends qu'il est constitué de « substance » et par ce mot j'essaie de vous communiquer

---

1. Claude Lévi-Strauss, *La Pensée sauvage*, Paris, Plon, 1962, p. 25.

une certaine conception de sa nature intrinsèque. C'est une *chose*; pas comme l'espace, qui est une pure négation ; pas non plus comme le temps, qui est — Dieu sait quoi ! [...]

La table n° 2 est ma table scientifique. C'est une connaissance plus récente et je ne me sens pas familier avec elle. Elle n'appartient pas au monde mentionné précédemment — le monde qui apparaît spontanément autour de moi quand j'ouvre les yeux [...]. Elle fait partie d'un monde qui s'est imposé à mon attention par des chemins plus détournés. Ma table scientifique est faite pour la plus grande part de vide. Répandues de façon clairsemée dans ce vide, on trouve de nombreuses charges électriques qui courent çà et là avec une grande vitesse ; mais leur masse combinée revient à moins d'un billionième de la masse de la table. Malgré sa construction étrange, elle se révèle être une table tout à fait performante. Elle supporte le papier sur lequel j'écris de façon aussi satisfaisante que la table n° 1 ; car quand je pose le papier sur elle, les petites particules électriques avec leur vitesse impétueuse continuent à frapper le dessous de la feuille, de sorte que le papier est maintenu à la façon d'un volant à un niveau à peu près constant. Si je m'appuie sur cette table, je ne passerai pas à travers ; ou, pour être tout à fait exact, la probabilité pour que mon coude scientifique passe à travers ma table scientifique est si excessivement faible qu'elle peut être négligée dans la vie pratique [2].

Cette tirade fameuse semble instaurer une véritable dualité dans notre monde, au point que paraît en résulter purement et simplement un *dédoublement du monde*. Nous aurions affaire d'un côté à un monde qui est celui de la vie de tous les jours et de ce qu'on appelle le sens commun : celui des choses telles qu'elles sont données et nous apparaissent avant d'avoir été critiquées et que nous projetions sur elles un savoir scientifique ; et de l'autre à ce qu'on aurait envie d'appeler « le monde de la science », monde entièrement reconstruit, dans lequel tables, chaises, mais aussi hommes et valeurs disparaissent sous le feu de l'analyse scientifique, au profit d'autres entités, pendant longtemps insoupçonnées.

C'est ce divorce entre « image scientifique » et « image manifeste » du monde, selon les termes introduits par le philosophe américain Wilfrid Sellars dans un article célèbre [3], que nous voudrions interroger. Il nous semble qu'en un sens cette question est la question centrale aujourd'hui, s'il est vrai que cet âge peut être caractérisé comme l'âge de

---

2. Arthur Stanley Eddington, *The Nature of the Physical World*, conférences de 1927, Cambridge, Cambridge University Press, 1929. Nous empruntons ici la traduction donnée dans son cours sur la perception par Jacques Bouveresse.

3. Wilfrid Sellars, « Philosophy and the Scientific Image of Man » (conférences données à Pittsburgh en 1960), repris dans Wilfrid Sellars, *Science, Perception and Reality*, Atascadero, Ridgeview Publishing Company, 1963/1991, p. 1-40.

la science, c'est-à-dire celui dans la constitution duquel la référence à « la science » joue un rôle déterminant.

Inutile de dire que nous ne prétendons pas résoudre la question dans cet espace. Mais nous voudrions, en toute simplicité, essayer d'avancer quelques éléments de réflexion qui contribuent à son intelligibilité.

Sommes-nous réellement, aujourd'hui, dans deux mondes ? Y a-t-il d'un côté « le monde de la science » et de l'autre ce que nous appellerons, par commodité, « le monde phénoménologique », sans que ce terme signifie nécessairement une référence doctrinale précise, c'est-à-dire *le monde tel qu'il apparaît* ?

Certaines philosophies ont dramatisé cette opposition, comme en un sens la phénoménologie *stricto sensu* : rappelons ici ce célèbre manuscrit prisé par Merleau-Ponty où Husserl en appelle à un « renversement anticopernicien[4] », qui nous fait revenir à l'évidence de la Terre telle que nous l'habitons, qui est celle d'un système géocentré — ce que la physique moderne dément.

Alors, comment concilier ces deux données : l'évidence phénoménologique du géocentrisme, des tables, des chaises, des hommes et de bien d'autres réalités autour de nous, avec leurs modes d'être différents, et la vérité, je pense aujourd'hui indiscutable pour la plupart d'entre nous, hommes vivant dans un monde dominé précisément par l'idée de « la science » moderne, de l'héliocentrisme, des atomes et de la constitution ondulatoire et corpusculaire de l'univers ?

Il y a là, croyons-nous, une réelle difficulté et non une simple inquiétude rhétorique. Car le problème est bien celui de l'unité du monde : ce seul et même monde qui est le nôtre, dans lequel nous sommes et qu'en principe, avec la science, nous connaissons. Or, comme le souligne justement Sellars, il y a bien *conflit (clash)* entre les deux conceptions : c'est-à-dire qu'en un sens elles représentent bien *la même chose*, mais avec des propriétés qui sont incompatibles.

C'est cette contradiction que nous essaierons ici de construire et de résoudre au moins partiellement.

Quelles sont les attitudes possibles par rapport à cette dualité des « deux mondes » — dont le problème est qu'à un certain niveau, pourtant, ils n'en font qu'un, ils ne peuvent pas faire autrement que n'en faire qu'un ?

---

4. Edmund Husserl, « L'arche-originaire Terre ne se meut pas » (manuscrit de 1934), tr. fr. Didier Franck dans Husserl, *La Terre ne se meut pas*, Paris, Minuit, 1989, p. 11-29.

A. La première attitude consisterait simplement à les tenir tous les deux également pour vrais, et cela dans le même sens — comment d'ailleurs pourrait-il y avoir plusieurs sens pour le mot « vrai » ?

Telle quelle, certainement cette réponse est insoutenable. Elle conduit en effet littéralement, formellement, à des contradictions.

Ainsi, dans cette hypothèse,

> (i) Le Soleil tourne autour de la Terre,
> (ii) La Terre tourne autour du Soleil

seraient l'un et l'autre vrais, alors que ce sont des contraires et qu'il en résulte donc, nécessairement, contradiction.

On notera ici que, dans l'attitude A, il est clair que les deux « mondes » constituent bien des mondes dans le même sens, avec les mêmes prétentions, et, en toute rigueur — mais c'est précisément ce qui ne va pas, car c'est ce qui porte avec soi toute une série d'incompatibilités —, *le même* monde.

B. Deuxième attitude possible : attribuer au monde « manifeste », celui dans lequel nous vivons, pensons au sens ordinaire du terme et agissons, qui est un monde de choses et d'événements macroscopiques (nous serons moins affirmatifs qu'Eddington quant au fait de savoir s'il est un monde de « substances »), une priorité ontologique. C'est là le vrai monde.

Dans ce cas-là, la question naît immédiatement du statut à accorder audit « monde de la science », celui, pour faire vite, des ondes et des particules.

Celui-ci, en toute rigueur, ne peut plus être « un monde », puisqu'il n'y en a qu'un, celui de ce qu'on appelle parfois aujourd'hui la physique naïve, et non celui de la physique. Alors quel peut bien être le statut de celui de la physique ? — Aucun autre qu'un statut instrumental, symbolique : il contribue à la symbolisation de notre monde de départ (le seul réel) en vue de nous en assurer une certaine maîtrise et, éventuellement, de produire en lui certains effets.

Cette idée peut être soutenue par le caractère intrinsèquement — non seulement extérieurement — mathématique de la physique contemporaine, qui peut nous conduire à mettre en doute que ces *signes* dont elle est faite aient quelque référence que ce soit. Hypnotisé par leur valeur opératoire, on pourrait penser qu'ils sont incapables de donner par eux-mêmes la trame d'un monde, une « image » spécifique du monde. Il n'y aurait en toute rigueur qu'une véritable « image » du monde, l'image « manifeste », *et* son prolongement *artificiel*, la physique mathématique.

C. La troisième option est évidemment l'option inverse, qui revient à placer la vérité du côté de « l'image scientifique ».

Elle prend au sérieux, c'est-à-dire au pied de la lettre, l'intention du discours scientifique. Qu'est-ce qui pourrait en effet définir la science, si ce n'est sa prétention à nous donner « le vrai monde », ou tout au moins la vérité du « monde » ?

Le problème que soulève inévitablement une telle thèse est celui de savoir quoi faire alors du « monde » non scientifique. Tous ces objets qui y sont présents de façon obvie et qui constituent le pain quotidien de notre existence doivent-ils alors être réduits, suivant une suggestion d'Eddington, à l'état de « fantômes » ? Force est de constater qu'à l'échelle de l'analyse atomique de la matière il ne reste pas grand-chose des tables et des chaises. Or la difficulté est la suivante : si la science, ou plutôt le discours des différentes sciences, retire bien une forme de réalité aux objets du sens commun, ne peut pas faire autrement que de la leur retirer (c'est la « rupture épistémologique » sur laquelle a tant insisté Bachelard), elle ne peut la leur retirer entièrement, car, autrement, que serait-elle censée expliquer ? Dénier toute vérité au « monde manifeste », c'est faire perdre aux sciences ce qu'on pourrait appeler leur motivation même, ce qu'elles ont à charge d'élucider. Dans le même sens, s'il fallait dénoncer ce monde « manifeste » comme pur et simple cercle d'apparences, on ne voit pas du tout comment on pourrait en sortir, et la question du « monde de la science » ne pourrait jamais se poser.

On revient toujours au même point : si « deux » mondes il y a (mais ce n'est pas sûr du tout), il faudra envisager un *passage* de l'un à l'autre. Mais, si l'on fait porter toute la charge de la vérité d'un côté ou de l'autre, le passage (avec ses effets de retour éventuels) devient en toute rigueur irreprésentable.

D. La dernière option, logiquement, qui est certainement la plus tentante et probablement la vraie (mais dans quels termes, voilà qui n'est pas clair du tout), consiste à distinguer des niveaux, et à reconnaître à l'un et l'autre monde une certaine vérité, par rapport à « notre » monde. Mais la question demeure alors ouverte de savoir quel est donc celui-là — de quel côté penche-t-il le plus ? en quel sens et à quoi se mesure la « vérité » respective des deux mondes ? Du reste, en dehors de la thèse peut-être trop facile suivant laquelle les deux mondes seraient tout simplement vrais « l'un et l'autre, mais en des sens différents » (resterait alors à préciser en quels sens respectifs, et comment et pourquoi ils sont compatibles) resterait aussi ouverte la possibilité que la notion de « vérité » ne convienne qu'à l'un des deux (le monde « scientifique », qui a tout misé là-dessus), mais non à l'autre, qui ne serait donc pas « faux », mais en deçà du vrai et du faux. Voire qu'il faille purement et simplement renoncer à la notion de vérité, recevant, comme le font certaines variantes de relativismes, les deux mondes pour deux formations culturelles comparables de l'extérieur et qui doivent être désactivées dans leur éventuelle prétention à la vérité. L'option D, qui a pour sens général une *thèse de compatibilité qui réduit ou contourne la contradiction*, est donc très large, et doit être absolument précisée, si nous ne voulons pas rester sur une position fondamentalement ambiguë et qui peut être motivée par des visions du monde précisément parfaitement contradictoires.

Reprenons donc les choses point par point, en essayant d'élucider l'arrière-plan, les tenants et les aboutissants des différentes attitudes.

L'attitude A, semble-t-il, ne mérite pas grande considération, dans la mesure où elle débouche immédiatement sur une contradiction, et est intenable comme telle.

Il faut toutefois remarquer qu'il y aurait bien une solution pour s'en tirer : c'est de dire que les deux mondes sont *réellement* différents, distincts. Dans ce cas-là, apparemment il n'est pas gênant qu'il y ait entre eux contradiction, que dans l'un le Soleil tourne autour de la Terre, et dans l'autre inversement.

Mais, alors, on ne comprend plus très bien ce qu'apporte la science. Pourquoi irions-nous chercher ce monde, s'il est tout simplement complètement différent et distinct du monde manifeste, c'est-à-dire s'il n'a *même pas de lien causal* avec lui ? Admettre le lien causal, c'est déjà en fait reconnaître qu'il y a là un seul et même monde, et, dans ce cas, la difficulté resurgit. Le refuser, comme tout autre lien, c'est faire disparaître la difficulté, mais aussi le sens du problème avec elle, et en fait s'approcher subrepticement, en soutenant haut et fort qu'un monde comme l'autre sont vrais, de la position de certains relativistes pour lesquels au fond ni l'un ni l'autre ne le sont parce que la notion de vérité n'a pas de sens, n'étant plus discriminante. À attribuer trop uniformément le prédicat « vrai », on le démonétise nécessairement, en lui faisant perdre son sens, qui est de faire apparaître certains conflits et de nous obliger à les trancher.

Nous laisserons donc de côté cette option, pour examiner l'option B (la vérité de l'image manifeste et de la *seule* image manifeste), certainement déjà un peu plus crédible, puisqu'elle semble s'entretenir à la force du sens commun.

Le vrai, c'est alors ce qui m'est immédiatement donné, un point, c'est tout.

Telle quelle, cette thèse est difficile à soutenir.

D'une part, il semble bien que les propriétés obvies des choses ne sont pas nécessairement vraies. Ce n'est pas parce que le phasme ressemble à s'y méprendre à une feuille que c'est une feuille, et la science, en principe, est précisément là pour attirer notre attention sur ce genre de phénomènes.

Plus fondamentalement, beaucoup de choses, dans leur apparaître manifeste même, renvoient à des processus cachés.

Réfléchissons, par exemple, à la simple question de savoir ce que cela veut dire que la glace fond. C'est un phénomène évident, manifeste, visible à l'échelle macroscopique. Mais que voit-on, en fait ? Qu'il y avait de la glace, puis qu'il y a de l'eau et, entre les deux états, qu'il y a de moins en moins de glace flottant dans de plus en plus d'eau. À aucun moment, on ne voit à proprement parler « la glace se changer en eau ». Or dire que la glace fond, c'est bien décrire un phénomène manifeste, qui fait partie de « l'image manifeste du monde » — nous n'avons pas d'autres *termes* pour le décrire que ceux suivant lesquels « la glace fond ». Mais la délimitation de ce phénomène, en elle-même, suppose un renvoi implicite à ces processus microscopiques que semble exclure l'image manifeste et qui apparaîtraient dans la seule « image scientifique ».

D'une façon plus théorique, on relèvera, dans l'article de Sellars qui donne son motif à notre propos, un certain flottement lorsqu'il s'agit de définir « l'image manifeste », flottement qui nous paraît hautement significatif.

D'un côté, Sellars oppose justement l'image « manifeste » et l'image originaire (*original image*) du monde. L'image manifeste ne se réduit précisément pas à un donné « pur », tel que le serait l'« image originaire », à supposer que celle-ci ait un sens. C'est-à-dire que l'« image manifeste » est toujours *conceptualisée*, tout autant que l'image scientifique, même s'il ne s'agit pas des mêmes concepts. Pour un auteur qui, sur le terrain de la philosophie analytique, a amorcé la critique du « mythe du donné », le point est suffisamment important pour mériter d'être relevé. Le problème ne peut alors aucunement être présenté comme celui de la distinction entre une vision conceptuelle et une vision non conceptuelle (« intuitive ») du monde.

Mais la question est alors de savoir comment distinguer exactement entre les deux jeux de concepts. Une telle distinction, Sellars en est bien conscient, passe nécessairement par une simplification. Mais, même en tenant compte de cet effet de simplification, nous devons dire que, pour notre part, nous ne pouvons nous tenir pour satisfait du critère avancé par Sellars. Celui-ci oppose en effet image scientifique et image manifeste du monde dans les termes suivants : la première se caractériserait par l'introduction de ce qu'il appelle des entités « postulationnelles » pour expliquer la seconde, entités telles que, par exemple, les atomes ; au contraire, la seconde image en resterait à un point de vue purement « corrélationnel », qui se contenterait de mettre en rapport les phénomènes perceptibles.

En vérité, ce reliquat d'épistémologie positiviste nous paraît extrêmement insatisfaisant. Comme si je pouvais clairement séparer le postulationnel du corrélationnel dans le monde tel que je le perçois. Le problème fondamental de cette épistémologie nous paraît être sa difficulté à accepter la causalité. Opposer le postulationnel au corrélationnel, c'est, historiquement, le fait d'un point de vue qui exclut la causalité, en voulant tout réduire à des rapports *dont les termes sont également donnés*. À partir du moment où j'admets que le réel puisse être traversé par un rapport de type causal, je dois admettre aussi que ce rapport, étant essentiellement rapport de quelque chose de donné à quelque chose de non actuellement donné, puisse aussi renvoyer à quelque chose qui ne faisait pas originairement partie de mon horizon de donnabilité, et qui, éventuellement, m'oblige à changer de niveau d'analyse, à, pour ainsi dire, *ouvrir un monde dans un monde* et envisager une hiérarchie de mondes.

Or le problème est qu'en même temps, si le rapport causal nous oblige ou peut nous obliger pour ainsi dire à ouvrir d'autres mondes, il fait pourtant bien partie, de plein droit, nous semble-t-il, de notre monde, celui de « l'image manifeste ». Qu'y a-t-il de plus naturel, en effet, que de raisonner causalement ? Le monde manifeste est tout sauf un monde phénoménologique, s'il faut entendre par là un monde non causal.

C'est dès lors la frontière entre monde scientifique et monde manifeste qui vacille dangereusement. S'il faut recevoir une composante inférentielle dans ladite « image manifeste », comment distinguer ce qui est proprement inférence scientifique et ce qui ne l'est pas ?

De toute façon, il paraît alors exclu de disqualifier l'image scientifique comme appendice purement « symbolique » de l'image manifeste. Cela dans la mesure où les processus de symbolisation passent alors au cœur même de la seconde image, y compris avec un **effet** de retour de ceux de la science sur ceux de la vie courante (pourquoi croyons-nous que c'est l'électricité qui fait briller la lampe ?).

Et si l'image manifeste n'est pas moins « symbolique » que l'image scientifique, il paraît alors difficile d'opposer la « vérité » de l'une (au sens d'une adéquation aux *choses*, qui sont les « vraies » choses) au caractère purement « instrumental » de l'autre. Cela d'autant plus que la spécificité de ce mode de symbolisation qu'est la science paraît précisément résider dans un relaiement et une amplification de *l'intention de vérité* qui est celle de « l'image manifeste ». Qu'attendons-nous en effet de la science, si ce n'est qu'elle nous délivre la vérité des choses et des êtres auxquels nous avons naturellement affaire ?

Faire par exemple comme si le géocentrisme et l'héliocentrisme en tant que théories scientifiques (celle de Ptolémée et celle de Copernic) étaient deux façons extrinsèques de représenter, à fin prédictive, une réalité qui nous serait donnée telle qu'elle est — c'est-à-dire, on pourrait en avoir le sentiment, comme géocentrée — par « l'image manifeste » est absolument impossible. Cela revient à nier l'intention même de la science, qui est de produire une théorie *vraie*. Celle-ci peut par la suite se découvrir fausse, mais elle ne peut en tout cas être déchargée dans ses prétentions à la vérité et neutralisée dans un statut purement instrumental. De ce point de vue, Maurice Clavelin a bien montré comment c'était ce qui pouvait paraître le plus métaphysique dans la position de Galilée, à savoir le refus de l'équivalence des hypothèses, qui constituait ce qu'il y avait de proprement scientifique en elle[5].

Mais, si l'hypothèse B (vérité du monde manifeste, fausseté ou neutralité en bloc du monde scientifique) paraît donc difficile à tenir, l'hypothèse C, inverse (vérité du « monde de la science », fausseté globale du « monde manifeste »), ne semble guère plus viable telle quelle.

En premier lieu, à la thèse suivant laquelle « le monde de la science » serait le vrai, on opposera le caractère de fiction théorique de cette entité : « la science » qui, dans son genre, vaut bien celle du « monde manifeste ». En effet, il n'y a pas « la science », mais des sciences, qui ont chacune leur style propre et leur façon de monnayer cette intention de vérité qui est celle de « la science » en général. À vrai dire, nous émettrons pour notre part quelque doute sur la capacité de ces différents discours de constituer un monde, c'est-à-dire d'abord d'en constituer *un*.

D'autre part, ces discours qui sont ceux de la science évoluent. Si on dit que le « monde vrai » est celui de « la science », de quelle science s'agit-il ? De celle de Ptolémée, de celle de Galilée ou de celle d'aujourd'hui ? La science se révise, on pourrait même dire que c'est ce qui la distingue, dans sa constante recherche de la vérité. Au contraire, on pourrait croire l'image manifeste du monde à un certain niveau inamovible. Elle présente en tout cas des traits de permanence forts. En première approche, nous ne voyons pas moins le Soleil se lever et donc, dit-on, apparemment tourner autour de la Terre que nos ancêtres. Et si on est amené à reconnaître le caractère culturel de la *Lebenswelt*, il faudra dire que les transformations de perception de l'image manifeste, si elles sont réelles, n'ont pas le caractère de *rectification* et de *correction* de ceux de l'image scientifique. Tout ce qu'on peut dire, c'est qu'on ne voit plus les

---

5. Maurice Clavelin, « Galilée et le refus de l'équivalence des hypothèses », *Revue d'histoire des sciences*, XVII, 1964, p. 305-330.

choses de la même façon, et non pas qu'on s'est « rapproché de la vérité », formule qui, en revanche, est parfaitement pourvue de sens dans le cas de la science et répond précisément à ce que nous avons nommé son « intention de vérité ».

Autrement dit, le fait même que la science ait une histoire n'est pas ici nécessairement contradictoire avec l'idée que le « monde de la science » soit « le monde vrai ». Au contraire, on peut même dire qu'il le présuppose en un sens, dans la mesure où cette histoire se présente à elle-même sur le mode de l'autocorrection, comme *histoire de la vérité*.

Le fait que l'image manifeste ne bouge pas ou peu, quant à lui, ne prouve rien. Car qu'y a-t-il de plus stable, et de moins amendable, que les illusions ?

Le problème soulevé par la thèse C (vérité du seul monde scientifique, fausseté du monde manifeste) nous paraît donc résider ailleurs : c'est tout simplement celui de la nature du *rapport* qui subsiste alors pourtant entre le monde scientifique et le monde manifeste.

Le problème est que semble être inscrit dans notre précompréhension des rapports entre image scientifique et image manifeste que l'une *explique* l'autre, c'est-à-dire plus exactement donne, en proposant un certain monde, la raison du monde de l'autre. Les « objets » du monde scientifique, si étranges soient-ils, sont présentés généralement comme devant expliquer le comportement de ceux du monde manifeste et d'une certaine façon leur « réalité » même, là même où ils leur donnent en un certain sens le statut d'apparence. Ainsi la structure atomique de la « table scientifique » d'Eddington explique-t-elle la solidité de sa « table manifeste », et l'explication ne peut ici être dite purement dissolvante : il y a bien une propriété dont il faut rendre compte au titre de la « solidité » de la table, et ce n'est pas parce que celle-ci doit être réinterprétée en d'autres termes que les termes obvies dont on partait (« absence de trous », etc.) qu'elle disparaît purement et simplement : il y a quelque chose qui y correspond au niveau physique, microscopique, et ce n'est donc pas rien.

Pour le dire plus clairement : il y a bien des *vérités* du sens commun (par exemple : « la table est solide » : en effet, si je pose ma main dessus, elle ne passera pas au travers), et la science, loin de les invalider ou de les dissoudre comme telles (les faire disparaître comme vérités), les *explique* et en un sens les *justifie*.

Dire cela, c'est aussi bien revenir encore à ce que nous avons entrevu sous le titre précédent : à savoir au caractère déjà *théorique* de notre expérience. Celle-ci, comme telle, est un réservoir de vérités : par exemple, la table est solide, comme il serait inversement faux que l'eau le soit, et c'est à de telles vérités et faussetés que la science est toujours en dernier ressort rapportée. Certes, « derrière » ces vérités, elle en fait émerger d'autres, qui prétendent à une valeur explicative par rapport aux précédentes. Mais ces vérités, *en tant que vérités*, ne sont pas de nature substantiellement différentes de celles du « monde manifeste », et du reste ne font sens pour nous que par rapport à celles-ci, qui bénéficient donc d'une sorte de primauté épistémologique — à défaut de la primauté ontologique. Il faut donc en un sens relativiser la rupture épistémologique sens commun/science, et on ne peut en tout cas opposer purement et simplement le monde scientifique au monde manifeste comme un monde vrai à un monde faux.

Reste alors toutefois un problème évident : celui des contradictions telles que celle formulée en A (attitude à laquelle nous sommes *grosso modo* revenus). Il y a bien des cas où image scientifique et image manifeste semblent délivrer des messages proprement incompatibles. Alors comment concilier cela avec la thèse vers laquelle nous semblons nous acheminer, suivant laquelle les deux images sont en un sens communément vraies ?

La seule solution est d'épouser une position du type D, qui distingue des niveaux, ou des sens différents, pour éviter ou désarmer la contradiction. Comment le Soleil peut-il à la fois tourner et ne pas tourner autour de la Terre ? La réponse est simple : évidemment, il ne le peut pas.

Si on veut comprendre comment l'image manifeste et l'image scientifique peuvent demeurer conciliables dans leurs conflits apparents, la vérité est qu'il va nous falloir préciser leurs messages respectifs, et notamment celui de ladite « image manifeste ». Qu'est-ce qui nous fait dire qu'il y a un conflit entre l'image scientifique et l'image manifeste, dans l'exemple qui nous intéresse ? Le fait que, résiduellement, quelles que soient mes ou nos connaissances en astronomie, *je vois*, nous voyons le Soleil tourner autour de la Terre.

Mais la proposition vraie alors n'est pas

(i) Le Soleil tourne autour de la Terre.

Mais

(i') Je vois le Soleil tourner autour de la Terre.

Or le problème est qu'en fait, c'est ce que nous apprend la science au bout du compte, de (i') je ne peux inférer (i).

La question ne serait alors pas tant celle d'une illusion que d'un ajustement (ou plus simplement d'une prise en compte) de ce qu'après Leibniz et Lambert on appellera le *point de vue*. Après tout, le problème qui nous arrête ne se pose pas si on admet clairement que (i') ne conduit pas nécessairement à (i) et si (i'), pourrait-on dire, ne veut rien dire de plus qu'(i'). Mais est-ce si simple ? Le problème est celui du statut exact de l'infinitive « le Soleil tourner autour de la Terre » en tant que complément du verbe « voir ».

Une première solution consiste en fait, creusant l'écart entre perception et jugement, à soustraire cette proposition infinitive, en tant qu'elle est censée exprimer un contenu perceptif, à la vérité. Au niveau du jugement qui est le lieu de la valeur de vérité, la science a nécessairement raison. Il sera donc toujours faux d'écrire :

(i) Le Soleil tourne autour de la Terre.

Mais il n'en reste pas moins que

(i') Je vois le Soleil tourner autour de la Terre.

Cette tournure : « il n'en reste pas moins que » ne marque ici rien d'autre que la soustraction d'une sphère (celle de l'expérience « pure », antéprédicative) à la problématique de la vérité — ce qui fait qu'elle ne peut plus alors non plus être qualifiée de fausse.

Il est probable qu'il y a du vrai là-dedans : dans notre expérience des choses, il y a probablement un fond non véritatif, pour ainsi dire en deçà du vrai et du faux. Quelque chose comme du « contenu pur » dans lequel s'incarne *le fait* de l'expérience perceptive. Mais est-ce bien le cas de ce qui est exprimé par un énoncé tel que

(i') Je vois le Soleil tourner autour de la Terre ?

Comme si tous les énoncés commandés par des verbes de perception se voyaient par là même soustraits au jeu de la vérité, et donc au terrain sur lequel ceux de la science pourraient entrer en compétition avec eux. À vrai dire, cela nous paraît fort discutable. Lorsque je dis

(i') Je vois le Soleil tourner autour de la Terre,

ce voir a clairement un certain contenu (contenu dont on remarquera, qui plus est, que c'est un contenu propositionnel, mais nous allons y revenir) et, comme tel, il prétend à un certain *assentiment*. Dire cela, c'est dire quelque chose, et revendiquer pour ce qu'on dit le statut d'une vérité.

Supposons un enfant à qui on explique pour la première fois l'héliocentrisme, et qui dirait :

« Mais enfin (i'), je vois le Soleil tourner autour de la Terre. »

Qu'est-ce que cela veut dire ? En premier lieu, qu'il en appelle à votre intuition : vous aussi, vous le voyez tourner ainsi, on est bien d'accord là-dessus ? Il se replie ici sur une vérité, ou ce qu'il croit être une vérité, et vous demande votre accord — c'est-à-dire qu'il vous dit : c'est comme cela, n'est-ce pas, alors que cela pourrait être autrement (on pourrait supposer un monde où on ne verrait pas le Soleil tourner autour de la Terre, où il n'y aurait pas ce fait).

En second lieu, et c'est là le point délicat, il semble aussi entendre que cette première vérité (puisque à ses yeux c'en est une) en entraîne ou en tout cas en suggère une autre :

Si (i') je vois le Soleil tourner autour de la Terre,
alors il y a des chances que (i) le Soleil tourne autour de la Terre.

Une attitude consisterait à dire que c'est précisément cette inférence, et cette seule inférence, que la science doit combattre. En effet, que nous montre la physique moderne, si ce n'est juste que :

(ii) La Terre tourne autour du Soleil

implique *aussi*

(i') Je vois le Soleil tourner autour de la Terre,

c'est-à-dire peut l'expliquer, une fois prise en compte la rotation propre de la terre ? En toute rigueur, voir le Soleil tourner autour de la Terre est tout à fait compatible avec le fait que ce soit l'inverse qui se produise.

On notera à ce titre l'altération forte que peut faire subir à la proposition (i') sa réécriture en troisième personne, réécriture dont on pourrait dire qu'elle aurait vocation à faire disparaître toute trace du conflit. En troisième personne, à la place de (i'), on pourrait mettre :

(i") Il voit le Soleil, autour duquel tourne la Terre.

ou même, à la rigueur :

(i"') Il voit la Terre tourner autour du Soleil.

D'une certaine façon, ces énoncés renvoient exactement à la même réalité que (i') (c'est-à-dire au même *voir*), mais décrite du point de vue d'un observateur extérieur. Tout comme en un certain sens peut-être

(i') Je vois le Soleil tourner autour de la Terre

est vrai,

(i''') Il voit la Terre tourner autour du Soleil

doit l'être de moi et, qui plus est, avec en fait les mêmes conditions de vérité.

Nous faisons ici la différence entre un point de vue objectif, en troisième personne, sur le voir, et une description de ce voir qui se place de « son point de vue même », pour ainsi dire immanente, et ne peut se dire qu'en première personne. De ce point de vue, il faut attirer l'attention sur la différence entre deux types d'énoncés :

(a') Il voit une boule de gaz très grosse et très chaude

et

(i''') Il voit la Terre tourner autour du Soleil.

En effet, si le contraste semble bien être le même de

(a') Il voit une boule de gaz très grosse et très chaude

à

(a) Je vois une petite tache jaune d'un pied de large

et de

(i''') Il voit la Terre tourner autour du Soleil

à

(i') Je vois le Soleil tourner autour de la Terre,

ce n'est pas exactement le cas. Dans un cas, j'ai une propriété réelle de l'objet vu, mais dont on ne peut pas en toute rigueur dire qu'on la voit : je ne vois pas que le Soleil est composé de gaz, même si c'est bien une propriété de cet objet qui est vu. Dans l'autre cas, j'ai bien au fond en un sens *la propriété même qui est vue* : qu'est-ce que je vois en effet, lorsque je vois, comme on dit, « le Soleil tourner autour de la Terre », si ce n'est précisément le mouvement qui en fait est l'inverse, à savoir celui de la Terre par rapport à la fixité relative du Soleil ? *C'est cela même qui est vu.*

La question qui demeure posée est celle de savoir ce que signifie alors cette donnée supposée absolue, et que nous n'avons pas encore osé contester, à savoir que « *nous* (première personne) voyons tout de même le Soleil tourner autour de la Terre ». En d'autres termes : jusqu'à quel point la description du voir qui se placerait « de son point de vue même » a-t-elle un sens (est-elle possible) ? Il y a là une question très difficile, que nous n'allons certainement pas traiter de façon satisfaisante ici, mais qu'il est indispensable d'aborder parce qu'une thèse telle que celle du voir originaire, phénoménologique (celui suivant lequel nous voyons bien « le Soleil tourner autour de la Terre »), a jusqu'ici constitué l'impensé de notre analyse. Et que pourrait bien faire la philosophie, si ce n'est soulever les impensés ?

Pour esquisser le problème en deux mots, il nous paraîtra bon de renvoyer ici à une observation de Wittgenstein relevée par Jacques Bouveresse[6], observation d'autant plus profonde, nous semble-t-il, qu'elle est simple. Un jour où Elizabeth Anscombe faisait remarquer à son maître que la physique des Anciens était plus naturelle que celle des modernes, puisque nous « voyons bien le Soleil tourner autour de la Terre », Wittgenstein lui répondit :

– Ah oui, et qu'est-ce que cela serait voir la Terre tourner autour du Soleil ?

Dans sa simplicité, cette réponse nous semble cristalliser tout notre problème, par la variété d'interprétations qu'elle autorise. Le tout est de trouver la bonne.

Que veut dire exactement Wittgenstein ? Une première interprétation possible serait de dire que le fait que la Terre tourne autour du Soleil, voilà précisément qui ne se voit pas. Depuis la Terre, en toute rigueur, il n'y a pas moyen de le voir. Tout au plus peut-on reconstituer ce mouvement à partir de symptômes, d'indices qui peuvent le trahir, mais alors inférentiellement, non au niveau du voir. Seulement, dans ce cas-là, on pourrait dire que, puisque le voir du Soleil tournant autour de la Terre

_____

6. Jacques Bouveresse, *Langage, perception et réalité*, Nîmes, Jacqueline Chambon, 1995, p. 257.

est le seul possible, il n'est pas discriminant. Voir cela, c'est ne rien voir, puisque je ne peux pas voir autrement, et il n'y a certainement pas là une thèse qui confirme ou infirme une physique ou une autre. En d'autres termes, un voir qui n'est opposé à rien, à aucune autre possibilité de voir, ne peut en aucun cas être traité comme un contenu *théorique*. Ce serait une première interprétation possible de la formule de Wittgenstein.

Le problème nous semble être qu'elle ne rend que très imparfaitement compte de ce que nous appellerons le caractère *propositionnel* ou plutôt *quasi propositionnel* de ce qui est donné à voir dans ce voir primitif et sans alternative, du fait que voir le Soleil tourner autour de la Terre, c'est toujours *aussi* voir *que* le Soleil tourne autour de la Terre, et que cela peut être vrai ou faux.

Comment faire face à cette difficulté ? Il y a apparemment deux possibilités immédiates. Soit on isole le contenu de ce « voir » qui est le nôtre comme ce qu'on appellera un donné neutre, primitif, donc *infra-propositionnel*. Seulement, dans ce cas-là, peut-on sérieusement dire que nous voyons « le Soleil tourner autour de la Terre », ou même que nous voyons « le Soleil » ? Nous risquons alors plutôt de nous trouver dans un monde de taches colorées, comme celui de Mach, fait de « sensations », ou celui dont part à des fins (re-)constructives l'*Aufbau* carnapien. Ce serait là « ce que nous voyons vraiment », puisque c'est ce qui est en question. Une telle hypothèse nous paraît tout à fait contraire à l'esprit de l'analyse menée par Wittgenstein. Il la critique explicitement dans les *Remarques philosophiques* et, croyons-nous, avec raison. Nous ne vivons pas dans un monde de taches colorées, mais de tables, de chaises et de choses beaucoup plus intéressantes que cela — un monde dont il faudra souligner que, par là même, tout macroscopique soit-il, il est déjà beaucoup plus homogène à celui de la physique.

Mais, dira-t-on (deuxième solution), la thèse du « donné pur » se retourne. Elle peut conduire assez vite, dans sa propre dissolution, à celle, inverse, du *primat de l'interprétation*. Dans la mesure où, au niveau du « voir », on n'a encore rien, ou plutôt rien de déterminé en un sens conceptuel (ni « Soleil », ni « boule de gaz extrêmement grande »), on peut, en un sens, voir une chose ou une autre : le Soleil tourner autour de la Terre, comme la Terre tourner autour du Soleil. Tout est question d'« interprétation », et une interprétation en vaut une autre. Est-ce bien là la position de Wittgenstein ? Nous ne le croyons pas, et, en tout cas, cette position nous paraît proprement inacceptable. Elle ne rend compte en rien, ni de ce que c'est que voir, ni de *ce que* nous voyons.

Il nous semble que précisément la remarque de Wittgenstein, plutôt qu'une façon d'évacuer la question au profit d'un relativisme facile, n'a d'autre fin que d'attirer notre attention sur ce que nous appellerons la complexité grammaticale du verbe « voir » et de nous aider à la débrouiller quelque peu, en revenant à des évidences très simples. Le point est que le sens du mot « voir » est *toujours déterminé aussi par la chose qui est vue*, et ne peut donc être ainsi isolé d'elle, et de ce que nous pouvons savoir d'elle, dans une analyse qui se placerait du pur point de vue de ce qu'on appellerait un « voir absolu ». C'est déjà pour cette raison que Wittgenstein critique le langage « phénoménologique » de Mach[7].

En d'autres termes, la réponse de Wittgenstein, en forme de question, attire notre attention non pas sur l'impossibilité de voir la Terre tourner autour du Soleil, ni non plus sur le fait qu'en toute rigueur voir la Terre tourner autour du Soleil et voir le Soleil tourner autour de la Terre, ce serait voir « la même chose » (que ce soit par *neutralité* ou par *relativité* du voir), mais sur le fait que ce que nous voyons, contrairement à ce que disait Elizabeth Anscombe, c'est bien ce que la science moderne a fini par nous apprendre, et ce qui se passe réellement, à savoir que la Terre tourne autour du Soleil. En effet, *dès que je me demande ce que cela serait que voir cela, je ne peux me représenter rien d'autre que ce que je vois actuellement.*

En d'autres termes, encore, le verbe « voir » doit pouvoir supporter le passage de la première à la troisième personne *et son retour*, de façon à s'approprier le fait que ce que je vois, voyant le mouvement apparent du Soleil dans le ciel, c'est en fait la Terre elle-même tourner, sur elle-même et autour du Soleil, comme on le dirait d'ailleurs de moi en troisième personne (du point de vue d'un observateur idéal), disant ce que je vois.

Ce qui est objet du voir (1) « je vois le Soleil tourner autour de la Terre », c'est en fait (2) « la Terre tourne autour du Soleil », et cela fait partie de la nature même de ce voir « le Soleil tourner autour de la Terre », puisque *voir ne s'entend qu'en référence à la chose qui est vue*, comme relation réalisée à cette chose qui est en dehors de moi.

Mais il est possible que la science soit nécessaire pour nous renseigner quant au statut de cette « chose vue », et il est même probable que c'est toujours cette « science » qui a le dernier mot sur lui, dans la mesure où elle et elle seule pousse jusqu'au bout l'exigence de vérité par rapport au voir.

En un mot, ce qui n'a pas de sens, c'est de prétendre isoler « ce que je vois du seul point de vue du voir ». Voir, c'est toujours voir quelque chose, c'est-à-dire quelque chose de déterminable, et qui pourrait être déterminé de multiples façons, mais dont *certaines regardent plus particu-*

---

7. Ludwig Wittgenstein, *Philosophische Bemerkungen, in* Werkausgabe, Bd. 2, Frankfurt am Main, Suhrkamp, 1984, particulièrement § 213 ; traduction française par Jacques Fauve, *Remarques philosophiques,* Paris, Gallimard, 1975, p. 254.

lièrement la capacité que cette chose a d'être vue et de donner une certaine
« image » d'elle-même. À ce niveau, il est clair que je vois quelque chose
même si je ne sais pas que la Terre tourne autour du Soleil, et qu'il faut
opposer voir à savoir. Mais d'un autre côté, ce que je vois alors, même si
je ne le sais pas, c'est bien le phénomène résultant de la rotation de la
Terre autour du Soleil, et en un sens *le fait même que* la Terre tourne
autour du Soleil et rien d'autre que cela. On ne peut en tout cas nullement prétendre que j'aie jamais vraiment *vu* le Soleil tourner autour de
la Terre. J'ai pu *croire* le voir, mais, en cela, je me trompais. On ne peut
séparer le voir de sa nécessaire élaboration et pour ainsi dire amélioration
cognitive, et l'objet du « voir » est bien *aussi* l'objet des jugements qui
portent sur l'objet du voir — cela sans pour autant que l'on puisse non
plus *réduire* l'objet de ce voir à celui de ses élaborations cognitives. Tout
voir est proposition ouverte, pour ainsi dire offre et matière de certains
jugements, en lesquels nous pouvons nous tromper, mais qui sont
comme tels sujets à être rectifiés et améliorés.

Ainsi, pour me faire comprendre sur un exemple simple, je peux
avoir assisté, dans le Duomo de Naples, au miracle de saint Janvier sans
le savoir (sans rien comprendre à la cérémonie et être capable de la *reconnaître*). Ce n'est pas pour cela que je n'ai rien vu, premièrement ;
cependant, ce qui est plus difficile à entendre, mais au fond, si on s'y
arrête, tout aussi évident : ce n'est pas non plus pour cela que je n'ai pas
vu le miracle, c'est-à-dire que ce n'est pas lui, et rien d'autre, que j'ai vu.
Ainsi c'était donc cela, le prêtre et les fidèles se comportant ainsi ?

En conclusion, il nous semble qu'à l'issue de cette confrontation
entre « image manifeste » et « image scientifique » du monde nous ne
parvenons à aucun autre résultat, en premier lieu, qu'à celui qui consiste
à reconnaître *l'impossibilité d'absolutiser le point de vue phénoménologique.*
C'est-à-dire qu'on ne peut certainement l'absolutiser comme seule source
de vérité : il porte déjà en lui une référence à ce point de vue qu'on serait
tenté en un premier temps de présenter comme « extérieur » qui est celui
de « la science ».

Mais, par là même, on ne peut non plus l'absolutiser par sa pure et
simple soustraction au jeu de la vérité : cela a un sens de raisonner (en
troisième personne) sur ce qu'il est logique de voir de tel ou tel point et
sur ce que tel ou tel a réellement « vu ». Le « voir » et l'image manifeste
qui lui est corrélée ne sont pas entièrement saufs de l'extériorité, mais
sont fondamentalement exposés à la rectification et à la correction de leur
détermination, fruits d'une meilleure connaissance de l'objet extérieur. Le
difficile étant de comprendre comment tout à la fois, en un sens, cette
connaissance ne change rien au voir comme tel (à l'acte de voir), mais

peut pourtant porter sur *l'objet vu* lui-même (et non considéré dans ses propriétés extrinsèques au fait d'être vu) et le qualifier en tant que vu.

Dire que la science est là pour me dire ce que j'ai vu, c'est dire que c'est bien la même table que je perçois comme objet continu et « solide », *et* qui est faite d'atomes discontinus et de vide, et que c'est bien ce Soleil que je vois autour duquel tourne notre planète. Ce qui s'entend en un double sens : à savoir que l'objet « phénoménologique » ne peut réellement être affranchi des propriétés que la science en découvre — c'est inscrit dans le sens même de notre référence aux objets ; mais aussi que la science, en toute rigueur, ne nous parle de rien d'autre que des « objets » que nous percevons, ou, en tout cas, y compris là où elle est amenée à supposer des objets que nous ne percevrons jamais, objets qui en un sens conservent toujours un sens d'objet analogue à celui de ceux que nous percevons, objets qui font système avec ces derniers objets, et qui restent dans le même monde qu'eux.

En ce sens, la science n'est pas un « langage » parmi d'autres : elle ne fait que porter à son paroxysme et à ce qu'on pourrait appeler son point critique la tendance naturellement référentielle de notre langage. On pourrait alors dire que l'image « vraie » du monde ou, en tout cas, celle qui nous rapproche de la vérité, c'est bien sûr toujours l'image scientifique.

Mais cela ne veut pas dire que l'image manifeste soit « fausse ». Ce qu'il faut contester bien plutôt, c'est l'existence des deux « images » comme deux blocs opposés. Seule peut nourrir cette représentation ce qu'on pourrait appeler l'effet d'illusion cosmologique produit sur nous par la science : comme si celle-ci, région par région, déployait la carte d'un « monde » complet qui venait se substituer au précédent, celui dans lequel nous vivons.

Or c'est là sans doute qu'est la faiblesse paradoxale de « l'image scientifique ». C'est que, si en un sens elle est bien la vraie — en tout cas, elle est faite pour cela, et il n'y a pas d'autre façon de la définir en procédant phénoménologiquement, c'est-à-dire en respectant son intention —, est-elle une image *du monde* ? Oui, certainement, par sa prétention globalisante, qui veut *tout* expliquer de ce qu'il y avait dans l'autre image, et y substituer des constructions et des représentations plus justes.

Mais d'où la science hérite-t-elle ce sens du *monde* dont elle fait son inspiration, si ce n'est du fait primordial que je suis, nous sommes en un monde ? En d'autres termes : du monde de l'image manifeste. Ou plus exactement — puisque « l'image manifeste du monde », en tant qu'image pure, et soustraite aux rectifications du savoir scientifique, est un mythe — de ce *sens manifeste du monde* qui sous-tend toutes nos opérations de représentation du monde, fussent-elles scientifiques.

Il n'y a pas *d'image manifeste du monde*, mais juste une *recomposition d'image*, qui, à partir d'un certain moment, devient nécessairement scientifique.

Mais il n'y a pas *de sens proprement scientifique du « monde »*. Si la science est science du monde, elle le doit toujours à un sens « manifeste », préscientifique, d'être en un monde.

C'est en ce sens qu'il ne peut y avoir d'autre monde que le monde « manifeste », qui est celui-là même que la science explore.

Voyons-nous directement
la réalité extérieure ?

par Louis Allix

Les deux thèses suivantes sont aujourd'hui couramment admises en philosophie de la perception :

I Lors d'une expérience de perception, nous voyons directement la réalité extérieure et non pas des images mentales ou des représentations privées de celle-ci (thèse dite du réalisme direct).

II Cette perception directe du monde n'est toutefois possible que si un certain nombre de conditions physiques sont remplies dans le milieu optique ambiant ainsi que dans l'organisme du sujet percevant : il faut à la fois que de la lumière soit émise ou réfléchie par des objets, qu'elle se projette sur nos yeux, qu'elle soit traitée de façon appropriée par notre organe visuel et qu'à la suite de ce codage notre cerveau soit mis dans un état particulier.

Je m'efforcerai cependant de montrer que ces deux thèses sont incompatibles et qu'il est donc impossible de soutenir, en même temps, que lors de nos expériences de perception visuelle nous voyons directement la réalité extérieure *et* que le contenu de nos expériences de perception est fixé par ce qui se passe dans le monde physique (et, en particulier, dans notre cerveau). Ce qui entraîne que, si l'on ne veut pas renoncer aux explications scientifiques concernant les sources physiques de nos expériences de perception, il faut admettre que notre perception du monde extérieur n'est pas directe.

Je présenterai successivement quatre arguments pour montrer que nous devons renoncer au réalisme direct si nous pensons que nos perceptions sont déterminées dans leur contenu par ce qui se passe dans le monde physique et, notamment, dans notre cerveau.

Un cerveau agissant à distance et instantanément
sur la réalité

La première difficulté est la suivante : si nos expériences de perception des couleurs ont leur origine dans nos cerveaux et qu'en même temps ces couleurs créées par nos cerveaux sont des propriétés du monde extérieur, cela veut dire que notre système nerveux central, littéralement, colore à distance la réalité extérieure. Or comment notre cerveau peut-il — du seul fait qu'il est dans une configuration physique particulière — créer instantanément des propriétés sensibles dans l'espace public, à distance de lui ? Comment mon cerveau peut-il, par exemple, colorer instantanément de rouge vif la tulipe qui est à deux mètres de moi sur le manteau de la cheminée ? Plus loin, comment peut-il, à l'instant, colorer en jaune l'étoile Sirius, alors que cet astre se trouve à plus de 70 milliers de milliards de kilomètres de la Terre ?

On répondra qu'il n'y a rien de remarquable à ce que notre cerveau puisse, lors d'une expérience de perception, modifier à distance la couleur d'une chose, puisque c'est bien ce que le cerveau d'un peintre fait lorsqu'il modifie la couleur d'un mur en le blanchissant : il y a bien, là encore, production par un cerveau d'une qualité de couleur sur une chose qui est à distance de lui. Cependant, on peut répondre à cela qu'il existe, bien évidemment, une différence capitale entre le fait pour un cerveau de donner une couleur à un mur en le peignant et le fait de lui donner une couleur en le percevant : en effet, lors du blanchiment d'un mur par un peintre, la transmission d'une nouvelle couleur se fait par un transfert d'énergie du cortex jusqu'à la paroi à peindre grâce à un contact physique entre le pinceau et le mur, alors que, lorsqu'il y a perception, il n'y a ni contact matériel entre le système visuel et l'objet perçu, ni même transfert d'énergie du cerveau vers l'objet (même s'il y a, en revanche, réception d'énergie par notre appareil visuel sous forme de rayonnement lumineux en provenance de l'objet). La situation du cerveau qui peint et celle du cerveau qui perçoit ne sont donc pas comparables.

La question, par conséquent, demeure : comment est-il possible que notre organe nerveux central possède la capacité de colorer des objets situés à distance de lui et, cela, sans transférer quelque énergie que ce soit sur ces objets et donc sans exercer aucune force sur eux ? Comment notre cerveau peut-il agir sur la réalité sans dépenser d'énergie ? C'est très difficile à admettre. En outre, il est extrêmement étrange que l'appareil visuel puisse, dans le moment même où il colore au loin les objets qu'il perçoit, faire aussi en sorte qu'une conscience saisisse ces propriétés de couleurs. Une expérience de perception ne met, en effet, pas seulement en relation un cerveau et un objet. Elle connecte aussi une conscience et un objet. Or comment des mécanismes dans mon corps peuvent-ils faire en sorte qu'une couleur soit présente à ma conscience ? Bien sûr, cela ne veut pas dire que, lorsque notre conscience vise des objets, le cerveau la fait littéralement sortir de notre crâne pour se rendre sur la chose perçue. L'esprit ne se déplace pas dans l'espace, ne va pas « se promener dans les cieux » lorsqu'il contemple les objets[1]. Il est cependant difficile de comprendre comment de purs mécanismes électriques et chimiques en moi peuvent faire en sorte que ma conscience se *positionne* dans l'espace par rapport à la tulipe rouge et se saisisse comme *étant* à distance de cette fleur. Il est extraordinaire que ce qui se passe dans mon corps soit capable de créer une telle connexion non physique entre un objet et ma conscience.

Pour mieux comprendre la difficulté, imaginons quelle serait notre surprise si nous découvrions un jour l'existence d'un petit objet matériel qui serait capable, lorsqu'on le tient dans la main, de produire, à distance de nous, des formes géométriques sur les objets de notre environnement et de nous mettre en relation d'intentionnalité visuelle avec ces aspects : nous serions stupéfaits. Et notre étonnement serait encore plus grand si nous apprenions que ce petit appareil accomplit, instantanément et sans dépense d'énergie, cette action à distance. Or c'est bien quelque chose de comparable que notre cerveau accomplit lorsqu'il crée des qualités émergentes sur des objets localisés à distance de lui et nous les fait percevoir sans exercer quelque force que ce soit sur ces objets !

Par ailleurs, si l'on admet que, lorsque je regarde quelque chose, mon cerveau engendre à la fois une couleur sur l'objet et, en moi, la conscience de voir cette couleur, cela pose un autre problème, parce que, du fait que la couleur se trouve à l'endroit où se trouve l'objet qu'elle colore, mais non la conscience qui saisit cette couleur (qui, elle, est soit à l'endroit où se trouve le cerveau, soit n'est pas du tout dans l'espace[2]), l'émergence simultanée de cette conscience et de cette couleur ne peut

---

1. Pour reprendre le propos célèbre de Malebranche : « Il n'est pas vraisemblable que l'âme sorte du corps, et qu'elle aille, pour ainsi dire, se promener dans les cieux, pour y contempler tous ces objets. » Nicolas Malebranche, *La Recherche de la vérité*, Livre II, IIe partie, chapitre I, *in* G. Rodis-Lewis (éd.), Gallimard, « Pléiade », 1979, p. 320.
2. On peut arguer avec vraisemblance que la conscience, n'ayant pas de propriétés matérielles, ne peut pas occuper d'emplacement dans l'espace.

pas être considérée comme étant un fait unique dont les constituants ne seraient dissociables qu'en raison (à la façon, par exemple, dont, lors d'une expérience de rêve, le sujet rêvant et la sensation rêvée de rêve peuvent être conçus comme formant un tout indivisible). Or, si l'émergence de la couleur perçue et de la conscience qui la perçoit n'est pas un événement unique, cela entraîne qu'il faut bien qu'existent, en nous, *deux* mécanismes distincts qui produisent, l'un, la conscience de percevoir, et l'autre, la couleur perçue à la surface de l'objet. Mais comme, par ailleurs, notre cerveau peut, comme tous les organes vivants, connaître des dysfonctionnements, on ne peut pas exclure que, de temps en temps, il enclenche de façon non simultanée ces deux mécanismes respectivement de constitution d'une couleur et de saisie intentionnelle de cette couleur. Cependant, un tel écart est impossible à concevoir, au moins dans un sens : il est, en effet, insensé que la coloration de l'objet puisse être postérieure à l'advenue de la conscience de saisir cette couleur. Notre conscience ne peut pas viser intentionnellement une couleur dans le monde extérieur avant que celle-ci n'apparaisse à la surface d'un objet. Toutefois, cette impossibilité logique reste théoriquement possible si notre cerveau, par deux mécanismes différents, d'une part produit des couleurs dans le monde extérieur et, de l'autre, les rend présentes à une conscience. Nous avons là un problème important pour les tenants du réalisme direct.

Argument de la vision dans le passé

D'autres difficultés nous attendent encore si nous posons que notre cerveau est causalement responsable du fait que nous voyons le monde extérieur. Tout d'abord, si nous adoptons le point de vue scientifique sur le monde, il faut admettre que la lumière a une vitesse finie et, donc, qu'il existe un écart de temps entre le moment où les rayons lumineux sont réfléchis (ou émis, réfractés, transmis, etc.) par l'objet perçu et le moment où ces rayons sont reçus par l'œil, puis traités par l'appareil visuel. Ainsi, par exemple, quelques milliardièmes de secondes se sont écoulés entre le moment où le citron qui est devant moi sur une assiette a réfléchi les rayons lumineux et le moment où mon appareil visuel, après avoir reçu ce rayonnement, a codé l'information. Or, si la lumière a mis un certain temps pour me parvenir depuis cet objet, cela veut dire que je ne suis jamais en relation avec une information présente concernant celui-ci mais, uniquement, avec une information passée. Je ne vois donc pas ce citron, par exemple, comme il est maintenant. Je le vois comme il était il y a quelques nanosecondes, c'est-à-dire au moment où les rayons lumineux ont quitté sa surface. Nous ne voyons donc pas, directement, la réalité présente mais une réalité passée.

Or cela est proprement ahurissant ! Cela nous oblige, en effet, à penser que notre cerveau est capable non seulement de faire surgir instantanément des couleurs sur les choses, mais de le faire dans le passé, en remontant littéralement la flèche du temps. Certes, pour les objets de notre environnement immédiat, l'écart de temps est minimal. Je vois ainsi la table qui est devant moi telle qu'elle était quelques millièmes de millionièmes de secondes avant que l'acte de perception n'ait eu lieu. Mais je vois une étoile comme Sirius telle qu'elle était il y a un peu plus de huit ans, et les plus éloignées des galaxies telles qu'elles existaient il y a des milliards d'années ! Comment une telle prouesse peut-elle être accomplie par de purs événements matériels dans notre cerveau ? Comment de simples décharges neuronales et des réactions chimiques élémentaires en moi peuvent-elles avoir accompli un tel exploit ?

En outre, si je vois la réalité dans le passé, cela veut dire que la couleur s'est formée à la surface de l'objet dans le passé — c'est-à-dire lors de l'émission (ou de la réflexion) de la lumière — et non pas au moment présent. Dès lors, lorsque je perçois, par exemple, une étoile située à trois millions d'années-lumière de la Terre, mon cerveau produit à l'instant une couleur sur l'astre d'il y a trois millions d'années, alors que personne, à ce moment-là ne percevait cet objet. Ici encore, il faut s'étonner. Comment un objet peut-il avoir possédé une couleur, il y a très longtemps, avant que quiconque ne l'ait regardé ? Et comment peut-il avoir possédé, à ce moment-là du passé, cette couleur, du seul fait que très longtemps après quelqu'un l'aura regardé ?

Pour mieux comprendre la difficulté qu'il y a à poser que notre esprit peut saisir la réalité dans le passé, faisons l'expérience de pensée suivante : imaginons que quelqu'un ait la malchance de ne voir son environnement que sous la forme d'images fixes se succédant rapidement les unes aux autres (chacune ayant, par exemple, une durée de quelques secondes). De la sorte, cette personne verrait, par exemple, son chat d'abord au pied du fauteuil, puis couché confortablement dans celui-ci, enfin de nouveau sur le sol, dans la posture de guetter une mouche, etc. Dans une telle situation, pourrait-on affirmer que la personne en question, lors d'une telle expérience, voit *directement* son chat et non pas une image mentale de celui-ci ? Ce serait très difficile, puisque cela signifierait que, pendant le temps que dure la première image fixe, cette personne verrait directement son animal domestique tel qu'il était au premier instant de cette première période, puis, pendant toute la durée de la deuxième image, tel qu'il était au *début* de ce deuxième laps de temps, etc., et que, donc, pendant toute la durée de chacune de ces images immobiles, elle percevrait son chat *de plus en plus avant dans le passé*. Or il est proprement inconcevable qu'à chaque instant l'esprit de cet observateur puisse remonter un peu plus dans le temps. Mais cela est-il si différent que de postuler que, chaque fois que nous saisissons visuellement la réalité qui nous entoure, nous la voyons dans le passé ?

On répondra à cela que l'hypothèse que nous voyons la réalité de façon discrète, intermittente, comme par une suite très rapide de clichés instantanés, est gratuite. Mais ce n'est pas le cas. En effet, la science du cerveau ne nous autorise pas, aujourd'hui, à rejeter complètement cette possibilité. Nos connaissances physiologiques nous interdisent de pouvoir totalement exclure cette hypothèse, ne serait-ce que parce que notre rétine ne reçoit pas de la lumière en continu, en raison du fait que notre œil s'ouvre et se ferme continuellement[3]. Nous ne pouvons donc pas exclure que nous ne voyions la réalité extérieure que par des images fixes et non pas de façon continue. Cela entraîne que, si nous voyons directement la réalité, il est possible que cela se fasse par l'intermédiaire d'images fixes se succédant les unes aux autres — trop vite pour que nous nous apercevions de quoi que ce soit — et que, donc, pendant toute la durée de ces représentations fixes, notre cerveau nous fasse remonter à chaque instant un peu plus avant dans le passé de la chose que nous percevons. Cela est, bien évidemment, très difficile à accepter.

Un autre problème, encore, est posé par la vision dans le passé : puisque les diverses parties d'une même chose ne sont pas toutes à la même distance de notre rétine, nous les voyons telles qu'elles étaient à différents moments du passé. Ainsi, cette table qui est sous mes yeux, j'en vois la partie qui est la plus proche de moi telle qu'elle était il y a dix nanosecondes, mais j'en vois une autre partie, plus éloignée, telle qu'elle était il y a onze nanosecondes, etc. Les diverses parties de ce meuble sont ainsi vues à des moments différents du passé, ce qui veut dire que la table perçue n'a jamais existé comme telle et n'est qu'une chimère constituée de parties temporelles n'ayant jamais été présentes ensemble (et qui ne peuvent, peut-être, même pas être présentes ensemble). Une constatation similaire peut être faite à propos de tout ce qui se présente dans notre champ visuel. Tout objet perçu est un assemblage fantastique. Rien de ce que je vois n'a jamais existé sous cette forme.

---

3. *Cf.* Paul Kowalisky, *Vision et mesure de la couleur*, 2ᵉ édition (revue par Françoise Viénot et Robert Sève), Paris, Masson, 1990, p. 22.

Certes, on pourra alors avancer que les choses seraient sans doute encore plus surprenantes si, lors de nos expériences ordinaires de perception, nous voyions non pas dans le passé mais dans le futur et si, donc, nous pouvions voir maintenant des faits qui se dérouleront dans l'avenir. Mais, à y regarder de plus près, voir dans le futur n'est pas plus extravagant que voir dans le passé. En effet, qu'est-ce que cela signifie qu'une personne puisse percevoir par un acte de voyance extralucide un événement futur comme, par exemple, l'arrivée du prochain Prix de l'Arc de triomphe ? Cela veut dire que l'arrivée de cette course hippique — qui n'a pas encore eu lieu — doit pouvoir causer maintenant, *depuis le futur*, l'événement présent de voyance extralucide. Cela est proprement incroyable. Le futur ne peut pas avoir une influence sur le passé. Or nous venons de le voir : si notre cerveau nous fait voir la réalité dans le *passé*, là encore un pouvoir causal s'exerce en remontant la flèche du temps. L'idée que nous voyons la réalité dans le passé est donc, par certains côtés, tout aussi difficile à concevoir que l'idée que nous voyons dans le futur.

En outre, cette action à rebours du temps pose de redoutables problèmes. S'il est, en effet, possible de modifier les enchaînements causaux du passé, alors on ne voit pas comment on pourrait empêcher que des faits nouveaux engendrés dans ce passé soient tels qu'ils produisent des effets rendant à leur tour impossible l'advenue de la situation présente, point de départ de cette modification du passé, ce qui est absurde. Pour mieux comprendre ce point, imaginons qu'une machine à remonter dans le temps me permette de me rendre à Tourcoing en 1900 et de faire alors en sorte que ma grand-mère maternelle ne puisse pas naître. Mais cette nouvelle situation du passé rendra impossible ma propre naissance et donc mon action présente de *création* de ce nouveau passé, ce qui est contradictoire[4] ! Par conséquent, si je peux agir sur le passé, il faut nécessairement que soit totalement bloquée toute possibilité que cette action sur le passé empêche, par contrecoup, l'advenue du moment présent. Dans le cas qui nous occupe, cela veut dire que, si nous percevons la réalité dans le passé, il faut que le fait de colorer le passé ne change rien à celui-ci ou, tout du moins, ne le change pas au point que l'advenue de la situation actuelle soit rendue impossible. Il ne faut pas, par exemple, qu'en colorant dans le passé le Soleil je crée par là un fait nouveau qui engendrera à son tour une suite d'événements qui vont rendre, sept minutes plus tard, mon existence présente impossible.

---

4. *Cf.* Paul Horwich, *Asymetries in Time : Problems in the Philosophy of Science*, Cambridge Mass., The MIT Press, 1987, p. 91-128, pour une analyse intéressante des problèmes soulevés par l'hypothèse de la causalité à rebours du temps.

On répondra, certes, que tout danger de cet ordre est écarté, puisque les couleurs que nous faisons apparaître dans le passé ne produisent pas de changements dans les autres qualités des choses comme, par exemple, dans leur solidité, leur texture, leur masse ou leur charge électrique. Seules des personnes peu informées des découvertes de la physique peuvent penser que les couleurs ont un authentique pouvoir causal et que, par exemple, c'est la couleur noire d'un vêtement qui produit directement de la chaleur sur notre corps lorsque nous le portons, et non pas les propriétés microphysiques de réflexion et d'absorption de l'énergie lumineuse de la surface de ce vêtement. La science nous empêche de croire que les couleurs peuvent modifier la succession des événements dans le temps. Le danger semble donc écarté. De même, on pourra se rassurer en remarquant que les couleurs qui apparaissent sur un objet ne peuvent pas agir sur le sujet percevant avant que celui-ci ne crée ces mêmes couleurs, puisqu'il faudrait, pour ce faire, que leur influence causale sur l'observateur puisse parvenir sur celui-ci avant que les rayons lumineux qui vont permettre l'existence de cette couleur ne soient eux-mêmes arrivés sur l'œil du sujet[5]. Là encore, la science contemporaine nous donne une certitude empirique que cela est impossible. Mais sommes-nous tirés d'affaire ? Loin de là, parce que nous n'avons pas, par là, la preuve qu'il est *logiquement* impossible qu'une couleur puisse avoir une influence causale sur quoi que ce soit. Il reste donc une possibilité (même si elle est minime) que la modification d'une couleur dans le passé empêche l'advenue du moment présent où, par mon regard, je crée cette couleur, ce qui est parfaitement absurde.

Il est, par conséquent, très difficile de croire que nous pouvons voir dans le passé. Or, parce que cette idée est une conséquence immédiate de la thèse qui consiste à adopter à la fois le point de vue scientifique sur la perception et le réalisme direct, cela fragilise aussi cette dernière position.

Pourquoi est-ce la chose que nous voyons et non pas, par exemple, notre rétine ou la lumière ?

Un autre problème surgit encore, si nous pensons que nous voyons directement la réalité extérieure : comment la chose perçue, alors qu'elle

---

5. Ou tout du moins avant que les signaux issus de ces rayons n'aient fini d'être traités dans l'appareil visuel interne.

n'est qu'un élément parmi d'autres de la chaîne causale qui produit *in fine* l'impression visuelle, peut-elle être, précisément, le seul élément de cette suite causale qui soit perçu ? Pourquoi mon cerveau ne me fait-il pas voir la cornée de mon œil, ou bien mon nerf optique, plutôt que l'objet situé à distance de moi ? Il est étonnant que, parmi tous les éléments physiques de la chaîne causale qui contribuent à produire une expérience de perception, un, et un seul d'entre eux, devienne l'objet de cette même expérience de perception.

Pour mieux comprendre la difficulté, rapprochons notre situation de celle dans laquelle nous nous trouvons lors d'une observation scientifique, par exemple lorsqu'une personne saisit un objet céleste par l'intermédiaire d'un télescope. Dans cette situation, là aussi, le sujet percevant ne saisit visuellement qu'un *seul* des nombreux éléments de la chaîne causale d'événements physiques qui ont rendu possible l'observation qu'il est en train de faire : il voit l'objet céleste en question et non pas, par exemple, l'impact des rayons lumineux sur le télescope ou sa réfraction sur chacune des lentilles de l'appareil. Mais il est important de noter que cette situation remarquable a été *voulue* par les personnes qui ont conçu le dispositif observationnel. Ces agents ont, volontairement, constitué un dispositif permettant de faire en sorte qu'un seul des faits — l'émission de lumière à la surface de l'astre —, parmi tous ceux qui constituent l'enchaînement de causes ayant produit l'observation en question, soit l'objet de cette même observation (c'est, du reste, sur ce principe que sont construits les instruments d'observation scientifique[6]). En revanche, dans le cas d'une expérience ordinaire de perception, nous ne pouvons pas faire appel à cette sorte d'explication. Dans cette dernière situation, personne n'a voulu que nous percevions tel élément plutôt que tel autre de la chaîne causale qui a produit l'expérience de perception, et que ce soit, par exemple, le citron qui est sur la table qui soit l'objet de ma représentation plutôt qu'un autre élément du processus physique de perception (comme, par exemple, l'impact des rayons sur ma cornée ou l'excitation de mon nerf optique).

On dira alors que, si, lors d'un acte de perception, nous voyons les objets qui nous environnent, et non pas, par exemple, notre rétine ou quelque autre élément constitutif de notre organe visuel, c'est parce que notre organisme a besoin, pour survivre, de savoir à tout instant quels sont les obstacles, les dangers, les proies, les partenaires ou les nourritures qu'il doit éviter ou atteindre, et non pas quel est à chaque instant l'état

---

6. *Cf.* H. Brown, *Observation and Objectivity*, Oxford, Oxford University Press, 1987, p. 48-78 et 93-97.

de ses rétines ou de ses cellules ganglionnaires. De la sorte, si je vois à l'instant la table, mes mains et le clavier de mon ordinateur, plutôt que mes deux cristallins, mon nerf optique ou l'aire V1 de mon cortex strié, c'est parce que cela me permet de me diriger dans ma vie beaucoup plus facilement que si je n'étais en contact visuel qu'avec ces autres éléments. Cependant, cette réponse est mauvaise parce que, si nous prenons au sérieux ce que les scientifiques ont à nous dire sur le rôle du cerveau dans l'action humaine, notre conduite n'est pas déterminée par les couleurs phénoménales que nous percevons mais, directement, par ce qui se passe dans notre système nerveux central. Les couleurs sensibles que nous voyons ne jouent pas de rôle dans la détermination de notre comportement parce que, si c'était le cas, cela voudrait dire que notre esprit lui-même peut avoir une action causale sur notre corps et, donc, agir directement sur les dendrites ou les synapses de nos neurones pour infléchir le cours de nos mécanismes cérébraux, ce qui n'a, scientifiquement parlant, aucun sens. Cela n'a, dès lors, pas d'importance, pour notre action et par conséquent pour notre survie, que nous ayons (ou non) une expérience consciente des objets qui sont à distance moyenne de nous — et, donc, que nous voyions les tables, les chaises ou les arbres plutôt que nos rétines ou nos nerfs optiques. Nous n'avons, par conséquent, toujours pas d'explication du fait que, lors d'une expérience de perception, nous voyons l'objet sur lequel se réfléchissent les rayons lumineux plutôt que tout autre élément du processus physique de perception.

On avancera alors, pour expliquer que nous voyons des arbres, des maisons ou des chaises plutôt que notre cornée, notre rétine ou tout simplement la lumière elle-même, que ce sont les changements dans les surfaces des objets qui produisent les plus forts changements dans les contenus de nos expériences sensibles. Mais cela est faux. Ce sont bien plutôt les changements dans la lumière, dans notre rétine et, plus encore, dans les aires visuelles de notre cortex qui ont le plus d'effet sur la variation du contenu de nos expériences de perception. Cela se vérifie aisément : si un flux de lumière organisé adéquatement se présente sur notre rétine — même s'il est produit artificiellement, et non pas par la réflexion de la lumière sur les objets environnants —, nous percevrons l'environnement extérieur. De même, si nos cerveaux sont excités artificiellement mais de façon adéquate, nous aurons encore une expérience visuelle de notre milieu. En revanche, si la lumière manque ou si, dans notre cerveau, n'ont pas lieu les activités neuronales appropriées, alors nous ne percevons pas les propriétés de notre environnement. Par conséquent, si nous devions voir — parmi les éléments du processus causal qui engendrent l'expérience de perception — ceux qui sont les plus importants pour la détermination des contenus de l'expérience, nous ne devrions pas voir les objets qui réfléchissent la lumière (ou qui l'émettent, la transmettent, la diffractent, etc.), mais bien, plutôt, les radiations de lumière ou, mieux, les neurones de notre cortex visuel.

Nous ne pouvons donc toujours pas comprendre pourquoi seuls certains éléments de la chaîne causale productrice d'un fait de perception sont susceptibles d'être perçus directement et, donc, pourquoi nous ne voyons, lors d'une expérience de perception, que les objets situés à une certaine distance de nous et non pas, par exemple, la lumière, notre cristallin ou notre rétine.

L'argument décisif

Examinons, enfin, un dernier argument qui est, selon nous, décisif contre la thèse qui affirme que nous voyons immédiatement la réalité extérieure.

Il est évident que, si ce qui se passe dans notre cerveau est suffisant pour déterminer le contenu de nos expériences de perception, alors deux cerveaux différents qui seraient exactement ressemblants l'un à l'autre ne peuvent pas, l'un, produire une expérience de perception authentique de l'environnement et, l'autre, une expérience d'une autre nature. Maintenant, imaginons l'expérience de pensée suivante : supposons qu'une personne vivante et consciente soit en train de percevoir son environnement immédiat, mais que, par ailleurs, quelque temps plus tard, cette même personne, à qui l'on aura alors bandé les yeux, soit l'objet d'une expérience de stimulation électrique artificielle de son cerveau, de telle sorte qu'elle se retrouve exactement dans la même configuration que lorsqu'elle percevait son environnement. Bien évidemment, cette personne hallucinera, alors, son environnement immédiat. On ne peut pas soutenir qu'elle verra celui-ci, puisque ses yeux ne sont pas ouverts et que c'est par une stimulation directe sur son cortex visuel qu'elle fera cette expérience. Cependant, d'un autre côté, son cerveau est alors, par hypothèse, dans la même configuration que celle dans laquelle il était lorsque cette personne percevait son environnement. Il s'ensuit, si l'on adopte le principe que ce qui se passe dans le cerveau détermine exhaustivement le contenu de nos expériences de perception (et qu'il n'est, donc, pas possible que des états mentaux de natures différentes soient produits par des cerveaux qualitativement identiques), que la personne, lorsqu'elle est en train d'halluciner, doit faire une expérience sensible qui sera non seulement phénoménalement identique à celle qu'elle aura faite lorsqu'elle percevait son environnement, mais, encore, qui sera ontologiquement de même nature. Et comme, dans le cas de l'hallucination, la personne, puisqu'elle ne voit pas son environnement, ne peut pas saisir directement les objets de son environnement mais ne peut qu'appréhender — de façon interne à son esprit — des couleurs hallucinatoires de ces objets, il découle de là que, même lorsqu'elle voit de façon authentique son environnement, elle ne saisit pas non plus les couleurs des objets qui l'entourent mais seulement des couleurs mentales. Puisque chaque fois des mécanismes cérébraux exactement similaires ont lieu, il ne peut pas y avoir perception directe des couleurs des objets extérieurs dans un cas et, dans l'autre, appréhension de couleurs qui n'appartiennent pas à ces objets[7].

Comment s'opposer à cet argument ? On sera certes tenté de répondre que cette expérience de pensée est absurde parce qu'il serait impossible qu'un cerveau soit capable de recevoir de façon artificielle — par exemple, par la voie d'électrodes sur son cortex — une information visuelle équivalant à celle que ses yeux, normalement, lui fournissent. Mais on peut répondre à cela que cette fiction, si elle est extravagante, n'est pas inintelligible puisqu'elle n'est, tout compte fait, que le cas limite de l'expérience de pensée consistant à imaginer que, par la prolongation des nerfs optiques, on éloigne progressivement les yeux d'une personne de son corps, puis que l'on transforme ces yeux en des senseurs électriques qui utiliseraient d'autres mécanismes de transduction, etc.

En outre, pour que quelqu'un puisse éprouver des contenus d'expériences visuelles exactement ressemblants à des contenus d'expériences véridiques de perception de l'environnement, il n'est pas nécessaire qu'il y ait stimulation artificielle de son cerveau. On peut envisager (même si cet événement est, lui aussi, très hautement improbable) que quelqu'un fasse, un jour, un rêve qui serait indiscernable d'une expérience de perception réelle de la réalité extérieure[8]. On ne peut donc pas reprocher à notre argument de faire appel à une hypothèse inconcevable, puisqu'il n'est pas impensable que quelqu'un puisse halluciner — ou rêver — son environnement immédiat.

---

7. Pour des arguments proches de celui que nous présentons ici, *cf.* Howard Robinson, *Perception*, Londres, Routledge, 1994, p. 151-152 ; J. J. Valberg, *The Puzzle of Experience*, Oxford, Clarendon Press, 1992, p. 14-18.

8. Pensons ici, par exemple, à cette anecdote de G. E. Moore : le duc de Devonshire aurait rêvé qu'il était en train de faire un discours au Parlement et se serait réveillé pour se rendre compte qu'il était effectivement en train de parler devant ses pairs ! L'histoire est sans doute fausse, mais elle montre qu'il n'est pas logiquement incohérent de poser qu'un rêve puisse ressembler exactement à la réalité.

On essaiera, alors, de sortir de la difficulté en posant que, lorsqu'un cerveau est artificiellement excité de telle sorte qu'il se retrouve exactement dans la même configuration que s'il était stimulé adéquatement par la lumière ambiante, il perçoit encore directement la réalité extérieure, mais que ce sont alors les couleurs de l'appareil de stimulation artificielle (ayant provoqué l'hallucination) qu'il voit[9]. Cependant, cette solution est mauvaise parce qu'il n'est pas possible de considérer la saisie des couleurs des objets qui nous environnent et l'appréhension des couleurs d'un appareil de stimulation artificielle comme étant des expériences de même nature ultime. Le fait que je vois la table comme bleue et le fait que je vois l'instrument de manipulation de mon cortex visuel sous la forme d'une table bleue ne sont pas des expériences équivalentes !

De plus, lorsqu'il y a perception de l'environnement, une théorie scientifique bien établie nous permet d'assigner avec assurance aux objets qui sont sous nos yeux — et non pas à quoi que ce soit d'autre — les couleurs qui sont saisies dans le champ de vision, et cela, parce que c'est à l'emplacement de ces objets qu'a lieu, dans le milieu extérieur, la première sélection importante d'information lumineuse, avant captation par le système visuel du sujet percevant. En revanche, lors d'une expérience de stimulation artificielle du cerveau, rien ne pourrait de prime abord être considéré comme étant l'événement équivalent à l'impact de la lumière sur un objet extérieur, c'est-à-dire comme étant la première grande sélection d'énergie avant le traitement final de celle-ci par l'appareil visuel. Il n'y a pas, en effet, de raison de supposer qu'en de telles machines (hypothétiques, rappelons-le) se déroulerait quelque événement qui serait l'équivalent causal de ce qui se passe lors d'une expérience de perception à la surface d'un objet, lorsque celui-ci réfléchit de façon sélective la lumière. Nous ne saurions donc attribuer les couleurs hallucinées à quelque endroit que ce soit du dispositif qui a causé le phénomène hallucinatoire.

En outre, si c'était le cerveau de quelqu'un qui rêve qui se retrouvait dans une configuration correspondant à une expérience de perception de son environnement immédiat, il n'y aurait plus que ce qui se passe dans ce cerveau qui pourrait être considéré comme étant l'événement déclencheur du processus de production des images, ce qui voudrait dire que, lors d'un rêve, nous percevons notre cerveau ! Cela n'est peut-être pas absurde. Mais cela entraîne que, lors de *toutes* nos expériences sensibles — et non pas seulement au cours de nos rêves —, nous n'appréhenderions

---

9. Cette hypothèse est proposée, par exemple, par David Kelley. *Cf.* David Kelley, *The Evidence of the Senses : A Realist Theory of Perception*, Baton Rouge & Londres, Louisiana University Press, 1986, p. 140.

que les couleurs de notre cerveau, et non pas les couleurs de la réalité extérieure. Ce qui nous obligerait, bien évidemment, à renoncer à l'idée que, lors d'une expérience normale de perception, nous voyons directement le monde extérieur : dans cette situation, nous serions en contact visuel immédiat, non plus avec les propriétés phénoménales de notre environnement, mais avec les couleurs de notre cerveau.

Pour sortir de notre difficulté, il reste une solution : avancer que ce ne sont pas des mécanismes particuliers dans notre cerveau qui produisent en nous nos expériences sensibles, mais *l'enchaînement causal de tous les faits optiques et physiologiques* qui — depuis la réflexion de la lumière sur l'objet jusqu'aux événements neuronaux terminaux dans le cortex visuel, en passant par son impact sur l'œil du sujet percevant — sont la cause directe d'une expérience de perception. Nous sortirons, en effet, de notre difficulté en adoptant une telle hypothèse, puisque maintenant un même état cérébral ne peut plus être la cause, à la fois, d'une expérience authentique de perception et d'une expérience d'hallucination. Cet état cérébral sera, s'il est obtenu artificiellement, la cause directe d'une expérience hallucinatoire, mais il ne pourra pas générer, à lui tout seul, une perception de l'environnement s'il n'est pas précédé — et dans le bon ordre — par tous les événements physiques qui constituent le processus physique de perception, c'est-à-dire si de la lumière ne lui est pas parvenue en quantité suffisante depuis l'objet perçu, si les ondes lumineuses n'ont pas été transmises de façon adéquate dans l'espace ou si elles ne sont pas venues atteindre de façon appropriée ses récepteurs rétiniens. De la sorte, un cerveau qui aura été isolé du monde extérieur et excité artificiellement (pour qu'il hallucine son environnement) ne produira plus le même événement mental que le même cerveau qui aura authentiquement perçu le monde qui l'entoure, et notre argument s'effondrera.

Mais est-il plausible que ce qui est causalement responsable, dans le monde extérieur, de l'advenue de nos événements cérébraux de perception soit, au même titre que ces événements cérébraux eux-mêmes, une cause de déclenchement direct d'une sensation visuelle ? Autrement dit, est-il possible qu'une succession temporelle de faits enchaînés les uns aux autres par des relations causales, depuis la réflexion de la lumière sur l'objet jusqu'à son traitement final dans le cortex visuel, possède, *en tant précisément qu'ensemble ordonné de faits* étalés dans le temps et causalement ordonnés les uns aux autres, une influence causale sur l'esprit ? Cela semble extravagant. Or c'est bien une telle supposition qu'il faut faire si l'on veut qu'une perception ne soit pas produite seulement par ce qui se passe dans notre cerveau mais aussi par ce qui s'est passé, avant l'activation du cortex visuel, dans le reste de l'appareil visuel et dans le flux lumineux ambiant.

On rétorquera qu'il n'est pas inconcevable qu'un agrégat ou une somme d'événements, *en tant* qu'agrégat ou somme d'événements, puisse être collectivement agissant et, donc, qu'une perception puisse avoir pour cause prochaine, immédiate, non pas le terme d'une suite causale, mais cette suite causale elle-même. Après tout, ne traitons-nous pas de la chose la plus extraordinaire et la plus mystérieuse qui soit, c'est-à-dire de la production de l'esprit et de ses différents états mentaux ? Étant dans un domaine particulièrement délicat, peu exploré et difficilement pénétrable, nous devons nous sentir libres dans nos conjectures et ne pas prononcer par avance d'exclusive.

Cependant, si l'on admet qu'une suite de faits, en tant que suite de faits, peut produire un événement mental, on ne voit pas pourquoi cette séquence globale de faits ne pourrait pas, non plus, être la cause d'autres sortes d'événements et, en particulier, d'événements non plus mentaux mais purement matériels. En outre, on ne voit pas non plus pourquoi des groupes de faits, en tant que groupes de faits, ne pourraient pas être aussi des *effets* et non pas seulement des causes d'autres événements. Toutefois, si nous admettons cela, il n'existe plus seulement, dans la nature, de la causalité directe entre des événements physiques : il existe aussi de la causalité directe entre des *groupes* d'événements déjà liés entre eux par une relation causale simple ! Cette hypothèse peut certes, de prime abord, nous attirer, mais l'adopter serait remettre en question toute notre conception actuelle de la causalité physique et sans doute, aussi, toute notre conception des lois de nature, ce qui ne saurait nous laisser indifférents. En outre, cela compliquerait de façon extraordinaire le travail des savants, qui devraient désormais chercher dans la nature non plus seulement des lois liant entre eux des faits ou des événements individuels, mais, encore, des lois qui relieraient entre eux des *groupes* de faits ou d'événements, déjà liés entre eux par de la causalité, ce qui n'a guère de sens.

Un même fait appartenant à l'enchaînement d'événements peut-il jouer deux fois un rôle causal dans le processus optico-physiologique de perception ?

D'autre part, si l'on admet que, lors de nos expériences de perception, des sommes de faits optico-physiologiques peuvent avoir — en tant que sommes de faits — une action causale, cela entraîne qu'un même fait appartenant à un tel enchaînement d'événements jouera deux fois un rôle causal direct dans le processus de perception. Tout d'abord, il remplira une fonction causale en tant que cause directe de l'événement qui lui succède dans la chaîne causale qui constitue le processus de perception, mais, ensuite, il jouera son second rôle causal en tant que *partie* de la somme d'événements qui constitue le processus global de perception, lorsque ce processus tout entier jouera son rôle en tant que somme d'événements. Ainsi, le même événement — l'impact d'un rayon lumineux sur une cellule rétinienne, par exemple — participera causalement deux fois à l'événement de perception : une première fois, comme cause transitive dans la chaîne qui produit ultimement les états terminaux du cerveau, et, une seconde fois, comme partie de la suite de faits qui est la cause globale directe de l'événement mental de perception. Cela semble totalement inintelligible.

Imaginons en effet que, d'un côté, la frappe d'un marteau sur un clou produise bien l'enfoncement de ce clou, mais que, d'un autre côté, la longue suite d'événements physiques — depuis la fonte du métal qui a servi à fabriquer la tête du marteau, puis la fabrication progressive de cet outil par un forgeron, etc., jusqu'à sa percussion sur le clou — produise aussi, en tant précisément que suite d'événements étalés dans le temps, un second événement particulier dans le clou, par exemple le surgissement en celui-ci d'une marque intérieure. Cela semble tout à fait saugrenu.

De plus, le second rôle causal joué par chaque événement de la longue chaîne causale n'adviendra que lorsque cette chaîne causale se sera achevée et donc seulement après — et parfois même longtemps après — que cet événement aura cessé d'exister. Or on ne voit pas comment quelque chose peut remplir une fonction causale dans l'avenir, après avoir cessé d'exister (!) et comme par un « saut » dans le futur. De surcroît, ce saut dans le futur pourrait être très grand : l'émission d'un rayon lumineux sur le Soleil jouerait, ainsi, son second rôle causal sept minutes après avoir joué le premier — ce qui est déjà beaucoup ; mais le même événement, ayant lieu à la surface de la nébuleuse d'Orion, jouerait, quant à lui, son second rôle causal des millions d'années après avoir joué le premier, ce qui est proprement inconcevable.

Enfin, si nous adoptons l'hypothèse que la source causale de nos expériences de perception est la chaîne causale de tous les événements physiques depuis l'émission ou la réflexion de la lumière sur l'objet jusqu'aux épisodes neuronaux terminaux, cela a la conséquence très importante qu'une expérience d'hallucination ne peut pas être l'expérience de quelque donnée sensible que ce soit, et cela, parce que, si une hallucination était réellement l'expérience de formes colorées, alors l'état cérébral qui produit cette hallucination, pouvant être *aussi* l'état final d'une expérience authentique de perception, produirait là encore dans ce second cas ces mêmes formes colorées hallucinatoires, lesquelles viendraient alors faire écran et nous empêcher de voir le monde extérieur ! Pour bloquer cette possibilité, il faut donc que rien de sensible ne puisse être présent à l'esprit d'une personne qui serait en train d'halluciner : aucune impression, aucune sensation visuelle. Il n'y aurait en l'esprit de la personne qui hallucine que la *croyance* que des formes colorées hallucinatoires sont présentes dans le champ de vision, sans que rien, en fait, n'apparaisse au regard.

Or tout cela pose de nombreux problèmes. Tout d'abord, on ne voit pas pourquoi il existerait des événements cérébraux particuliers qui ne produiraient, à eux seuls, que la croyance fausse qu'une expérience sensible a lieu, mais qui occasionneraient en revanche une perception véridique de l'environnement si la chaîne causale en amont de l'événement cérébral est exactement réalisée comme il convient (c'est-à-dire si suffisamment de lumière s'est réfléchie sur l'objet, puis aura frappé l'œil, etc.). Il serait absurde que la nature ait fait les choses de façon aussi compliquée, alors que cela n'aurait été strictement d'aucun avantage pour quelque organisme que ce soit et dans quelque situation que ce soit.

Surtout, et c'est le plus important, on peut se demander s'il est possible d'avoir la croyance que l'on est en train de faire une expérience sensible sans que l'on soit en train de faire quelque expérience sensible que ce soit. Est-il possible, en effet, de postuler que, lorsque nous hallucinons, il nous semble que quelque chose est présent dans le champ visuel sans que, en réalité, aucun objet intentionnel ne soit saisi, sans qu'aucune donnée sensible — pas même la moindre tache de couleur — ne soit appréhendée ? Cela est parfaitement déraisonnable. Il semble impossible que l'on puisse acquérir la croyance que l'on est en train d'avoir une expérience sensible sans être effectivement en train de faire l'expérience de quelque chose. Certes, lorsque je crois avoir perçu, par exemple, un éléphant, je peux n'avoir rien perçu parce que j'aurai seulement eu une hallucination. De même, je peux croire avoir halluciné un éléphant sans l'avoir halluciné, si j'ai en réalité *perçu* cet éléphant. Là encore, il y aura quelque chose dans le champ visuel. En revanche, je ne peux pas halluciner (ou percevoir) un éléphant sans que rien n'apparaisse dans mon champ visuel, c'est-à-dire sans faire l'expérience de quoi que ce soit : une image, une sensation vague, des taches de couleurs. Nous ne pouvons pas faire l'expérience d'un « rien ». Certes, lorsque nous fermons complètement les yeux, ou lorsque nous sommes dans l'obscurité la plus totale, nous faisons bien une expérience visuelle sans que rien ne soit, alors, saisi par nos sens. Mais, même lorsque nous fermons les paupières, le noir que nous voyons est encore un objet d'expérience. Ce noir est, du reste, d'autant moins un néant total qu'il possède des propriétés : il couvre tout le champ visuel, il est gris foncé sans être absolument noir, etc. On peut même comparer sa valeur aux teintes des objets extérieurs. Il est, d'ailleurs, beaucoup moins foncé que les objets les plus noirs de notre environnement[10]. Le noir de nos paupières est donc bien quelque chose. De même, lorsque nous sommes les yeux grands ouverts dans l'obscurité la plus totale, nous saisissons encore quelque chose, c'est-à-dire un noir particulier. Alors, comment pouvons-nous penser que nous ne saisissons rien lors de nos expériences d'hallucination ?

En outre, cela voudrait dire que, d'un côté, on pourrait avoir la croyance correcte que l'on est en train d'acquérir une croyance — la croyance que l'on hallucine un éléphant rose, par exemple — et, de l'autre, on croirait, cette fois-ci *faussement*, que l'on est en train de faire l'expérience sensible d'une tache rose en forme d'éléphant. Ainsi, je ne me tromperais pas en croyant que j'ai la croyance que je suis en train de faire l'expérience d'un éléphant rose, mais je serais dans l'erreur de penser que cette expérience a un contenu sensible. Cela n'est pas crédible.

Pour sortir de la difficulté, on dira que, lorsqu'il y a hallucination, nous faisons bien l'expérience d'un contenu sensible, mais que, lors d'une expérience de perception, l'agrégat de faits (émission de lumière, transmission dans l'atmosphère, etc.) qui est la cause prochaine de cette expérience produit non seulement cette perception, mais aussi inhibe dans le sujet la production de l'image hallucinatoire que le cerveau aurait engendrée si cet ensemble de faits d'énergie lumineuse n'avait pas eu lieu. Toutefois, si l'on accepte cela, il s'ensuit que l'ensemble ordonné de faits qui produit l'expérience visuelle a maintenant deux effets. Non seulement, il produit une expérience de perception directe de la réalité extérieure, mais, aussi, il empêche le cerveau de produire l'image mentale hallucinatoire qu'il aurait, autrement, produite. Mais on peut alors de nouveau légitimement se demander : pourquoi diable les choses seraient-elles aussi épouvantablement compliquées ?

Nous ne pouvons donc pas alléguer qu'en sus de ce qui se passe dans notre cerveau d'autres facteurs causaux déterminent directement le contenu de nos perceptions. Il faudrait en effet admettre, ce qui est indéfendable, que nos hallucinations n'ont aucune dimension phénoménale.

---

10. Pour une analyse de la différence phénoménale existant entre le noir de l'obscurité et celui des objets, *cf.* C. L. Hardin, « Color and illusion », *in* Lycan William G., *Mind and Cognition*, Oxford, Basil Blackwell, 1990, p. 555-576, et notamment p. 558-559.

Les arguments que nous avons développés ont, je l'espère, prouvé que, *si nous pensons que les sources causales de nos expériences de perception sont dans notre cerveau,* nous devons renoncer à la thèse du réalisme direct. Si l'on adhère à ce que les scientifiques ont à nous dire sur la perception, il est impossible que les formes colorées que nous saisissons dans notre champ de vision soient des qualités de la réalité extérieure. Elles ne peuvent être que des propriétés internes à notre esprit[11].

---

11. On aura envie de répondre qu'on peut encore sauver le réalisme direct si l'on rejette l'idée que nos états mentaux dépendent étroitement de nos états cérébraux de perception. Cependant, une telle position est difficilement défendable. Il faudrait un autre article pour établir cela, mais on pourra déjà suggérer ceci : si nous n'adhérons pas aux explications scientifiques concernant les sources physiques de nos expériences de perception visuelle, on ne peut plus comprendre pourquoi la nature a constitué au fil de l'évolution des appareils visuels de plus en plus complexes ; on ne peut plus expliquer non plus comment nous pouvons saisir dans notre champ visuel des postimages, des phosphènes, des couleurs de contraste, de la fusion optique, des effets von Bezold-Brucke, etc. ; de même, le succès prédictif des sciences et des techniques de la perception (colorimétrie, neurochirurgie de l'œil, etc.) devient un mystère total ; plus loin, c'est finalement toute la réalité perçue qui devient inexplicable (*cf.* Louis Allix, *Perception et Réalité ; essai sur la nature du visible,* Thèse de doctorat, université Paris-I Panthéon-Sorbonne, 1999, chapitre IV, p. 130-147).

Deuxième partie

Espace et mouvement

Neurogéométrie
et phénoménologie de la perception

par Jean Petitot

Nous appelons *neurogéométrie* l'étude des fondements neuronaux de l'intuition et de la conscience spatiales. Elle concerne un « tournant » neurocognitif de l'eidétique géométrique, l'hypothèse sous-jacente étant que les modèles complexes de l'architecture fonctionnelle des aires corticales visuelles permettent de naturaliser l'idéalité spatiale (qui est la forme de la réalité externe et la racine de toute intentionnalité perceptive) en rendant *explicites* les opérations *matérielles* qui la sous-tendent.

Qu'est-ce qu'un point ?
Profils récepteurs des neurones visuels, convolution et ondelettes

CHAMPS ET PROFILS RÉCEPTEURS

Commençons par la façon dont, dès les plus bas niveaux, le système visuel *représente* le signal optique. Une première donnée fondamentale de la neurophysiologie est celle de *champ récepteur* (RF) et de *profil récepteur* (RP) d'un neurone visuel. Ces deux concepts sont particulièrement clairs dans le cas des cellules ganglionnaires (GC) de la rétine qui effectuent la *transduction* (le codage neuronal) du signal. Dès ce bas niveau précoce, sensoriel et périphérique, le filtrage induit un formatage géométrique.

De façon générale, la définition la plus simple du RF d'un neurone visuel est la zone de la rétine à laquelle il répond parce qu'il s'y trouve relié à travers la connectivité compliquée des voies rétino-géniculo-corticales menant de la rétine au cortex à travers le relais thalamique du corps genouillé latéral. On montre qu'il existe des zones — dites ON — du RF qui répondent de façon positive et excitatrice à des stimuli lumineux ponctuels (des Dirac, c'est un problème de réponse impulsionnelle). D'autres zones — dites OFF — répondent de façon complémentaire. D'où le concept de *profil récepteur* (RP pour *receptive profile*) d'un champ récepteur. Le RP est une fonction $\varphi : D \to R$ qui est définie sur le domaine D du RF et n'est rien d'autre que la fonction de transfert du neurone considéré comme filtre.

Des méthodes raffinées d'électrophysiologie ont permis de mesurer les *lignes de niveau* des RPs de différents neurones visuels[1].

On trouve dans le système visuel des RPs qui sont des *dérivées partielles de gaussiennes, DG*, jusqu'à l'ordre (au moins) 3 et jusqu'à l'ordre (au moins) 4 si l'on tient compte des évolutions temporelles des RPs (dues à la plasticité synaptique rapide et à l'adaptabilité aux stimuli).

Par exemple, les RPs des GCs de la rétine sont en laplacien de gaussienne ΔG, ce qui se manifeste qualitativement par un antagonisme entre le centre et la périphérie du RF. On voit dans la figure 1 (hors-texte) la structure simplifiée du RP et les lignes de niveaux mesurées expérimentalement :

Dans la figure 2, un modèle idéalisé de ces lignes de niveau permet de remonter au modèle du laplacien de gaussienne.

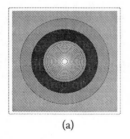
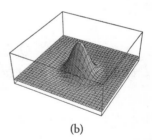

(a)   (b)

Figure 2 – *Modèle en laplacien de gaussienne du profil récepteur de la figure précédente. (a) Lignes de niveau. (b) Graphe du profil récepteur.*

Pour notre propos, le résultat essentiel est que les cellules simples de l'aire V1 du cortex visuel primaire ont un RP en dérivée 3ᵉ de gaussienne $\dfrac{\partial^3 G}{\partial x^3}$ (figures 3 [hors-texte] et 4).

---

1. *Cf.* par exemple De Angelis *et al.*, 1995.

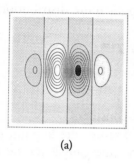
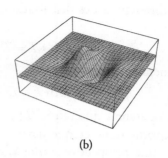

(a)　　　　　　　　　　　　　　(b)

Figure 4 – *Modèle en dérivée troisième de gaussienne du profil récepteur de la figure précédente. (a) Lignes de niveau. (b) Graphe du profil récepteur.*

PROFILS RÉCEPTEURS, DISTRIBUTIONS ET CONVOLUTION

De nombreux neurophysiologistes traitent ces RPs comme des patches de Gabor (des fonctions trigonométriques modulées par une gaussienne). Qualitativement, c'est effectivement la même chose. Nous préférons toutefois de beaucoup la version « dérivées partielles de gaussiennes » pour la raison suivante. Soit $I(x, y)$ l'intensité du signal optique défini sur le domaine W de la rétine. Soit $\varphi(x, y)$ le RP d'un RF centré sur 0 (le centre de W) d'un certain type de neurone visuel. Si le RF est centré en (x_0, y_0), le RP est donc $\varphi(x - x_0, y - y_0)$. Un neurone visuel agissant comme un filtre sur le signal, sa réponse a pour valeur la moyenne du signal pondérée par φ, soit l'intégrale :

$$I_\varphi(x_0, y_0) = \int_W I(x', y')\varphi(x' - x_0, y' - y_0)\, dx'\, dy'.$$

C'est la mesure du signal I en (x_0, y_0) par le RF φ centré en (x_0, y_0). Si un *champ* de RFs de même profil φ recouvre W, alors la réponse est la *convolution de I par φ* :

$$I_\varphi(x, y) = (I*\varphi)(x, y) = \int_W I(x', y')\varphi(x' - x, y' - y)\, dx'\, dy'.$$

FILTRAGE ET GÉOMÉTRIE DIFFÉRENTIELLE MULTI-ÉCHELLE

Pour comprendre ce qui est en jeu dans ce type de filtrage, il faut d'abord comprendre ce que signifie fonctionnellement la convolution $I*G$ du signal avec une gaussienne, c'est-à-dire son *lissage* à une certaine échelle. Remarquons d'abord que G est une approximation de la distribution de Dirac δ à une certaine échelle et que δ est l'opérateur de base du calcul différentiel des distributions puisque pour toute distribution T on a :

$$\delta * T = T,\ \delta' * T = T',\ \delta^{(m)} * T = T^{(m)},$$

et plus généralement :

$$D\delta * T = DT = \delta * DT$$

pour tout opérateur différentiel D à coefficients constants.

G exprime donc ce que devient un *point* (δ représente le point origine) dans une perspective *multi-échelle*. Comme une gaussienne de largeur σ est donnée par la formule

$$G_\sigma = G(x,\sigma) = \frac{1}{\sqrt{2\pi}\sigma}\exp\left(-\frac{x^2}{2\sigma^2}\right),$$

on vérifie aussitôt que la convolution définit une loi de composition pour laquelle σ^2 est un paramètre additif :

$$G_\sigma * G_\tau = G_{\sqrt{\sigma^2 + \tau^2}}$$

D'où le concept fondamental d'espace-échelle (*scale-space*). La convolution $I * G_\sigma$ du signal I par la famille des gaussiennes G_σ est la version multi-échelle de *I par transformation des points δ en points « épaissis »* G_σ. Mais, la gaussienne étant le noyau de la chaleur, le point de vue multi-échelle consiste à prendre le signal I comme condition initiale d'une solution de l'équation de la chaleur :

$$\left(\frac{\partial}{\partial s} - \Delta\right)I = 0 \qquad (2s = \sigma^2).$$

Pour ce qui concerne donc l'espace vu *comme ensemble de points* (ce qui est évidemment très largement insuffisant), cette *équation de diffusion* relie la « géométrie pure » à sa contrepartie « physique » (l'aspect multi-échelle). Elle exprime la contrainte opérationnelle de transformer le signal en *observable* géométrique. Elle remplace l'infinitésimal par du local multi-échelle, la géométrie différentielle classique correspondant au cas idéal d'une échelle = 0 (résolution infinie).

ONDELETTES ET EXTRACTION DE TRAITS GÉOMÉTRIQUES

À la fin des années 1970, David Marr a été le premier à comprendre la fonctionnalité des RFs et des RPs en dérivées de gaussiennes produits par l'évolution biologique. D'après la formule $I * \Delta G = \Delta(I * G)$, la convolution du signal I avec un profil ΔG en laplacien de gaussienne revient à calculer le laplacien du signal à l'échelle définie par G. Comme le savent depuis longtemps les neurophysiologistes qui disent que les GCs sont des « détecteurs de contrastes spatiaux », la fonction d'une telle représentation du signal est *d'extraire les discontinuités qualitatives qui y sont encodées.*

L'interprétation mathématique des algorithmes de type Marr est désormais fournie par l'algorithme des *ondelettes* en tant qu'analyse du signal spatialement localisée et multi-échelle (Mallat, 1998). Le laplacien de gaussienne est un exemple typique d'ondelette, et Stéphane Mallat a souligné que Marr était un précurseur dans ce domaine.

Architecture fonctionnelle et pinwheels

Nous venons de voir quelles infrastructures neuronales sous-tendent l'idéalité de données différentielles définies en un point. Nous allons maintenant considérer la façon dont le cortex visuel est capable *de passer du local au global* et *d'intégrer* de telles données différentielles locales en des formes géométriques globales. Cette performance extraordinaire a intrigué tous les spécialistes de la vision, déjà bien avant les célèbres expériences psychophysiques de la *Gestalttheorie* au début du siècle dernier. Nous allons explorer les infrastructures neuronales qui sous-tendent le plus simple des principes gestaltistes, celui dit de la « bonne continuation », associé à *l'idéalité géométrique de ligne.* Pour ce faire, nous devons faire intervenir ce que l'on appelle *l'architecture fonctionnelle* des aires visuelles. Nous nous restreindrons ici à V1, la première de ces aires. Une telle restriction pourrait paraître trop drastique dans la mesure où il existe de nombreux *feed-back* descendants (*top-down*) des aires successives comme V2 sur V1. Mais nous adoptons la *high-resolution buffer hypothesis* de Mumford et Lee (Lee *et al.,* 1998) selon laquelle V1 n'est pas un simple « bottom-up early-module », mais participe à tous les processus visuels exigeant des résolutions fines, son architecture fonctionnelle étant par conséquent essentielle pour *l'ensemble* du système visuel.

LA STRUCTURE HYPERCOLOMNAIRE DE L'AIRE V1

Les études neurophysiologiques ont permis de distinguer trois types de structures de V1, respectivement laminaire, rétinotopique et (hyper)colomnaire.

(i) La structure laminaire (d'épaisseur environ 1,8 mm) est constituée de 6 couches « horizontales » (c'est-à-dire parallèles à la surface du
cortex), la plus importante pour notre propos étant la couche 4.

(ii) La rétinotopie signifie que les projections (au sens neurophysiologique) de la rétine sur les couches corticales sont des applications préservant la topographie rétinienne. Un exemple typique en est
la représentation conforme logarithmique existant entre la rétine et la
couche 4C (sous-couche de la couche 4 où se projettent majoritairement les fibres issues du corps genouillé latéral). Il est représenté à la
figure 5.

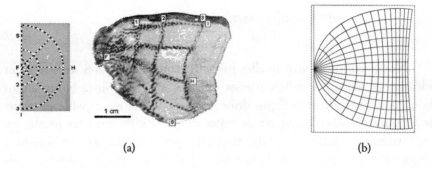

(a)   (b)

Figure 5 – (a) *La projection rétinotopique de la rétine sur la couche 4C*
de l'aire V1. La cible rétinienne est transformée par un difféomorphisme qui n'est pas
une isométrie. (b) *Modèle mathématique au moyen d'une représentation conforme*
de type logarithme d'une homographie.

(iii) La structure colomnaire et hypercolomnaire est la grande
découverte des prix Nobel Hubel et Wiesel au début des années 1960. Il
existe dans l'aire V1 des neurones sensibles à l'orientation (cellules dites
« simples » par opposition à des cellules « complexes » ne détectant pas
d'orientation), à la dominance oculaire et à la couleur. Ce sont les premiers qui nous intéressent ici. Comme nous l'avons vu, leur RP est en
dérivée troisième de gaussienne $\frac{\partial^3 G}{\partial x^3}$. Si l'on simplifie la situation en ne
tenant compte ni de l'échelle (de la résolution et de la fréquence spatiale)
ni de la phase, on peut dire que ces neurones détectent des couples (a, p)
d'une position rétinienne a et d'une orientation p en a. Par des méthodes
d'enregistrement de réponse à des stimuli appropriés (barres orientées tra-
versant le RF des neurones), on a pu montrer que, perpendiculairement
à la surface du cortex, la position rétinienne a et l'orientation préféren-

tielle p restent à peu près constantes. Cette redondance « verticale » (codage par population) définit les *colonnes d'orientation*. En revanche, parallèlement à la surface du cortex, l'orientation préférentielle p varie de 0° à 180° par pas d'environ 10° tous les 50-100 μ. Ce regroupement « horizontal » de colonnes définit une *hypercolonne d'orientation* qui est un module neuronal d'environ 500 μ – 1 *mm*.

À travers cette architecture fonctionnelle hypercolomnaire, à chaque position rétinienne a se trouve associé de façon rétinotopique un exemplaire (discrétisé) de l'espace P des directions p du plan, la façon la plus rigoureuse de définir P étant de considérer la droite projective P^1 (pour une autre interprétation en termes d'espace de jets, voir plus bas). Il existe par conséquent une implémentation neuronale de la fibration (triviale): $\pi: W \times P \to W$ ayant pour base l'espace rétinien W et pour fibre la variété P^2.

L'ensemble des projections (au sens neurophysiologique) ascendantes (*feed forward*) des voies rétino-géniculo-corticales implémente la projection géométrique π. Cette fibration est attestée par un nombre considérable de résultats depuis les travaux pionniers de Hubel, Wiesel et Mountcastle, entre autres par ceux de Charles Gilbert[3].

La structure en pinwheels

Des expériences plus récentes ont montré que les hypercolonnes sont en fait géométriquement organisées en « roues d'orientation » baptisées *pinwheels*. La couche corticale est réticulée par un réseau de points singuliers qui sont les centres de *pinwheels* locaux qui se recollent eux-mêmes en une structure globale.

La méthode d'imagerie employée a été introduite au début des années 1990, entre autres par Bonhöffer et Grinvald. Baptisée *in vivo optical imaging based on activity-dependent intrinsic signals*, elle permet d'acquérir des images de l'activité des couches corticales superficielles. On obtient ainsi des cartes comme celle de la figure 6 (hors-texte) due à

---

2. Dans la modélisation géométrique des architectures fonctionnelles, on se heurte à un conflit de lexiques dans la mesure où certains termes comme « fibre », « projection », « connexion », « intégration », etc. sont employés dans des sens très différents par les mathématiciens et les neurophysiologistes. Le contexte est en général suffisant pour lever les ambiguïtés.

3. Voir par ex. Gilbert, 1992 ; Gilbert, Wiesel, 1989.

William Bosking (Bosking *et al.*, 1997) où les orientations sont codées par des couleurs et où les lignes d'iso-orientation sont donc les lignes monochromatiques.

On remarquera qu'il existe 3 classes de points :

(i) des points réguliers où le champ d'orientation est localement trivial au sens où les lignes d'iso-orientation y sont approximativement parallèles ;

(ii) des points singuliers au centre des *pinwheels* où convergent toutes les orientations ; ils sont de chiralités opposées lorsqu'ils sont adjacents ;

(iii) des points cols au centre des mailles du réseau, points où les lignes d'iso-orientation bifurquent : deux lignes d'iso-orientation voisines partent du même point singulier mais aboutissent à deux points singuliers opposés.

Un modèle simplifié de cette structure est représenté à la figure 7.

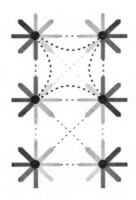

Figure 7 – *Géométrie simplifiée de la structure en* pinwheels *de V1.*
Les points cols sont situés au centre des mailles du réseau.

Lorsque l'on pénètre le cortex « verticalement » en un point régulier, on retrouve les colonnes avec leur redondance et leur codage par population. En revanche, lorsque l'on pénètre en un point singulier, on rencontre des neurones de toutes les orientations (*cf.* par exemple, Maldonado *et al.*, 1997).

Qu'est-ce qu'une ligne ?
Champ d'association, intégration des contours et structure de contact

LES CONNEXIONS CORTICO-CORTICALES « HORIZONTALES »

Nous venons de voir comment l'architecture de V1 associe rétino-topiquement à chaque position a de la rétine W un exemplaire P_a de l'espace P des orientations et implémente la fibration $\pi : W \times P \rightarrow W$ de base W et de fibre P. Mais une telle structure rétinotopique purement « verticale » ne suffit pas. Pour qu'il y ait cohérence globale, il faut pouvoir *comparer entre elles* des fibres P_a et P_b au-dessus de points différents a et b de W. C'est un problème fondamental de *transport parallèle*, problème bien connu depuis les travaux d'Elie Cartan par les géomètres et maintenant par les physiciens de la théorie quantique des champs. Il se trouve résolu dans notre cas à travers ce que les neurophysiologistes appellent les connexions « horizontales » cortico-corticales, l'une des grandes découvertes expérimentales des années 1980.

Ces connexions sont à *longue portée* (jusqu'à 6-7 mm) et relient des cellules de *même* orientation dans des hypercolonnes éloignées. Pour les détecter, on peut mesurer les corrélations entre cellules appartenant à des hypercolonnes différentes ; on compare les orientations des cellules rencontrées lors d'une pénétration corticale avec celle d'une même cellule de référence ; en établissant des cross-corrélogrammes, on constate alors que les cellules d'orientations voisines sont fortement corrélées (existence d'un pic dans le corrélogramme) et seulement elles[4].

On peut aussi utiliser les méthodes d'imagerie optique. La figure 8 (hors texte), due à William Bosking (1997) montre comment un marqueur (de la biocytine) injecté localement dans une zone de V1 d'orientation donnée (codée par du bleu-vert) diffuse le long des connexions horizontales. On constate que la diffusion à courte portée est isotrope alors que la diffusion à longue portée est au contraire hautement anisotrope et restreinte à des domaines essentiellement de même orientation (de même couleur) que celle du site d'injection.

On trouve souvent affirmé dans la littérature neurophysiologique que les connexions horizontales cortico-corticales « violent la rétinoto-

---

4. *Cf.* par exemple Ts'o, Gilbert, Wiesel, 1986.

pie ». Mais en fait elles la confirment. En effet, elles garantissent sa cohérence à grande échelle. Au-delà de deux hypercolonnes (environ 1,5 mm), les champs récepteurs moyens des hypercolonnes deviennent disjoints, et, sans les connexions horizontales, des hypercolonnes voisines deviendraient indépendantes, ce qui ferait perdre tout sens à la rétinotopie car elle n'existerait plus que pour l'observateur externe et n'aurait plus aucune réalité immanente *pour le système lui-même*. Alors que les connexions « verticales » rétino-géniculo-corticales donnent un sens interne *immanent* aux relations entre (a, p) et (a, q) (*différentes* orientations p et q au *même* point a), les connexions « horizontales » cortico-corticales donnent un sens interne immanent aux relations entre (a, p) et (b, p) (*même* orientation p à *différents* points a et b) (voir figure 9).

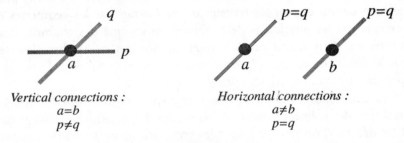

Vertical connections :
$a=b$
$p \neq q$
         Horizontal connections :
$a \neq b$
$p=q$

Figure 9 – *Les deux classes de connexions de l'architecture fonctionnelle de V1.*

Qui plus est, on peut montrer que les connexions cortico-corticales connectent de façon préférentielle non seulement des paires parallèles (a, p) et (b, p), mais surtout des paires *coaxiales*, c'est-à-dire des paires telles que p soit l'orientation de l'axe ab (figure 10).

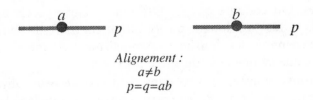

Alignement :
$a \neq b$
$p=q=ab$

Figure 10 – *Coaxialité des éléments de contact représentant des neurones connectés par des connexions horizontales.*

INTÉGRATION DES CONTOURS ET CHAMP D'ASSOCIATION

Venons-en maintenant à la façon dont l'architecture fonctionnelle de V1 permet de résoudre le problème des mécanismes corticaux d'intégration des contours et de répondre à la question « qu'est-ce qu'une ligne au niveau neuronal ? » Sur le plan psychophysique, l'une des grandes avancées a été celle de David Field, Anthony Hayes et Robert Hess (1993) qui ont mis au point un protocole expérimental original. Il consiste à présenter brièvement (pendant environ une seconde) à des sujets une grille composée de 256 éléments orientés (a, p) [5]. Dans certains cas, la grille contient certains éléments (a, p) dont les centres a sont alignés le long d'un chemin lisse γ, les orientations p étant tangentes à γ, et les autres éléments étant orientés aléatoirement et fonctionnant comme distracteurs (voir figure 11). Dans d'autres cas, tous les éléments sont orientés au hasard. Dans d'autres cas encore, certaines positions a décrivent une ligne γ, mais les orientations p associées ne sont plus tangentes à γ. La tâche consiste pour le sujet à déterminer s'il détecte ou non l'alignement γ dans la grille présentée (méthode du choix forcé entre deux alternatives).

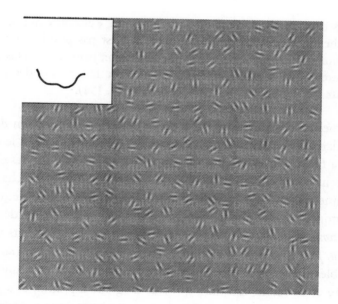

Figure 11 – Un protocole expérimental de Field et al., 1993. La courbe immergée dans un background de distracteurs est représentée dans le coin haut gauche.

5. Les éléments orientés sont des patches de Gabor de façon à n'activer que des neurones sensibles à une fréquence spatiale donnée.

Les résultats obtenus révèlent que les sujets perçoivent bien l'alignement γ si les éléments sont alignés tangentiellement à γ et si la variation de la pente p (autrement dit la courbure) entre deux éléments consécutifs de γ n'est pas trop grande. Il s'agit là d'un phénomène de *pop out* (de saillance perceptive) tout à fait caractéristique.

Un point essentiel est que les éléments de la grille sont trop éloignés les uns des autres pour appartenir à un même champ récepteur dans V1. Or, spontanément, les sujets effectuent pourtant leur regroupement. Un mécanisme automatique mettant en relation *plusieurs* champs récepteurs doit par conséquent opérer. Il s'agit d'une *intégration précoce de bas niveau*. Comme l'expliquent les auteurs :

> Les points le long d'un contour courbe peuvent être reliés entre eux selon un ensemble de règles locales qui permettent au contour d'être vu comme un tout, même si ses différentes composantes sont détectées par des mécanismes indépendants (p. 174).

Le fait que le phénomène de *grouping* soit local et non pas global est tout à fait essentiel :

> Dans nos stimuli, il n'existe aucune structure « globale » qui permettrait au chemin d'être discriminé du fond. Il n'est pas possible d'extraire le chemin en filtrant par rapport à une dimension particulière. Nos résultats montrent que la ségrégation du chemin est fondée sur des processus locaux qui regroupent les traits localement (p. 191).

La mesure des variations du taux de détection en fonction des positions spatiales et des orientations relatives des éléments formant le contour a permis à Field, Hayes et Hess de conclure que la tendance des éléments à être perçus comme alignés découle de l'existence, autour de chaque élément, d'une région dans laquelle d'autres éléments tendent à être perçus comme groupés. Cette région, baptisée *champ d'association*, est définie *par des conditions conjointes de position et d'orientation*. Les éléments sont des couples (a, p) = (position, direction). Deux éléments (a_1, p_1) et (a_2, p_2) sont connectables si l'on peut interpoler entre les positions a_1 et a_2 une courbe γ régulière et de faible courbure qui soit tangente à p_1 en a_1 et à p_2 en a_2. Dans le cas contraire, les deux éléments ne sont pas connectables.

Field, Hayes et Hess ont remarquablement mis au jour la nature géométrique profonde de leur champ d'association qui précise le vieux principe gestaltiste de « bonne continuation ». D'abord, l'association n'est **pas uniquement** une simple diffusion d'activation, reliant les différents types de traits à l'intérieur du champ (p. 185).

Elle manifeste une corrélation entre position et orientation :

> Les éléments sont associés conformément à des *contraintes couplées de position et d'orientation* (p. 187, nous soulignons).

Il s'agit là du point essentiel. Le phénomène de *pop out* perceptif résulte du fait que les éléments sont alignés *de façon à être tangents à la courbe décrite par leurs centres* :

> Il existe un *lien unique* entre les positions relatives des éléments et leurs orientations relatives. [...] *L'orientation des éléments est verrouillée sur l'orientation du chemin* ; une *courbe régulière* suivant leur axe doit pouvoir être tracée entre deux éléments successifs quelconques (p. 181).

L'IMPLÉMENTATION NEURONALE DE LA STRUCTURE DE CONTACT

Ces expériences de psychophysique montrent qu'il existe une implémentation neuronale de ce que les géomètres appellent la *structure de contact* canoniquement associée à la fibration $\pi : W \times P \to W$ (fibration de dimension 3 qui, à travers la structure en *pinwheels*, arrive à être implémentée dans des couches corticales de dimension 2). En géométrie symplectique, les couples (a, p) s'appellent les *éléments de contact* de la fibration.

Il faut noter à ce propos que la projection π est en fait intimement liée à l'espace des *1-jets* de courbes dans W, espace que nous noterons pour simplifier $J^1 W$ (ce n'est pas la notation standard). Si γ est une courbe de W d'équation locale $y = f(x)$, le jet d'ordre 1 de f au point $a = (x, y)$, noté $j^1 f(a)$, est caractérisé par la donnée de l'abscisse x du point a, de la valeur $y = f(x)$ de la fonction f en ce point et de la valeur de sa dérivée $p = f'(x)$, toujours en ce même point. Ce dernier nombre est la pente de la droite tangente au graphe de f en $a = (x, f(x))$ et définit un élément de contact (a, p) de W en a. Inversement, à tout élément de contact (a, p) de W en un point a on peut associer l'ensemble des fonctions dont le graphe est tangent à l'élément en ce point, c'est-à-dire un *1-jet*. $J^1 W$ est un modèle abstrait de V1.

Les espaces de jets sont fondamentaux car ils ramènent des calculs *locaux* (infinitésimaux) à des calculs *ponctuels*. La contrepartie de ce bénéfice est l'augmentation de la dimension (c'est-à-dire du nombre des variables) : au lieu de considérer le plan W muni de coordonnées (x, y), et de calculer $y' = dy/dx$, on se place dans l'espace à *trois* dimensions de coordonnées (x, y, p), et l'on impose *la contrainte* $y' = p$ [6].

La structure de contact de $J^1 W$ est définie de la façon suivante. Soit γ une courbe C^∞ tracée dans W. Considérons son application *1-jet*, $j^1 \gamma : \gamma \subset W \to J^1 W$, qui associe à tout point a de γ le *1-jet* $j^1 \gamma(a)$. L'image, que nous noterons encore $j^1 \gamma$, de cette application est une courbe gauche de $J^1 W$. Elle est la « relevée » — dite legendrienne — de γ dans $J^1 W$. γ se déduit de $j^1 \gamma$ par la projection structurale π de $J^1 W$ sur W. On retrouve ainsi la courbe γ à partir de l'ensemble de ses *1-jets*, c'est-à-dire comme *enveloppe de ses tangentes*.

Dans l'espace $J^1 W$ = V1, la courbe γ est représentée par $j^1 \gamma$, de telle sorte que la direction de la tangente à la courbe, information *locale* dans W, y devient une information *ponctuelle*. Nous avons représenté à la figure 12 plusieurs exemples de relations entre des courbes γ de la base W et des courbes gauches Γ dans V1 = $J^1 W$. Dans la première figure, Γ est la relevée legendrienne de γ. Dans la deuxième figure, on a ajouté $\pi/2$ aux directions tangentes, et les éléments de contact de Γ sont donc normaux à γ. Dans les deux dernières figures, on a $p \neq y'$ soit parce que p est constant alors que y' ne l'est pas, soit parce que p varie au contraire plus vite que y'. Au niveau de V1 (si l'on tient compte de V2, la situation est plus complexe), il n'y a *que dans le premier cas* que se produit un *pop out* perceptif et que les éléments de contact s'intègrent en une courbe perceptivement saillante.

On voit que, relativement à l'architecture fonctionnelle modélisée par la fibration $\pi : J^1 W \to W$, il est nécessaire de pouvoir distinguer, parmi toutes les courbes gauches Γ tracées dans l'espace 3-dimensionnel $J^1 W$, celles, legendriennes, qui relèvent des courbes γ dans la base W, de celles qui ne sont pas de tels relèvements. En effet, toutes les sous-variétés de dimension 1 de $J^1 W$ ne sont évidemment pas, même localement, de la forme $j^1 \gamma$: une courbe de $J^1 W$ localement définie par des équations $y = f(x)$, $p = g(x)$ ne sera de la forme $j^1 \gamma$ que si $g(x) = f'(x)$. Cette contrainte s'appelle une *contrainte d'intégrabilité de Frobenius*. Elle peut s'exprimer de la façon suivante.

Dans le fibré tangent $TJ^1 W$ à l'espace des *1-jets* $J^1 W$ (fibré qui est une variété de dimension 6), les coordonnées d'un vecteur tangent V en $X = (x, y, p)$ sont $V = (x, y, p \, ; 1, y', p')$. Mais si $y' = p$, on a alors $V = (x, y, p \, ; 1, p, p')$. On constate alors (c'est la remarque fondamentale)

---

6. L'idée remonte à Hamilton qui, en approfondissant le formalisme lagrangien de la mécanique rationnelle classique, a fondé la géométrie symplectique.

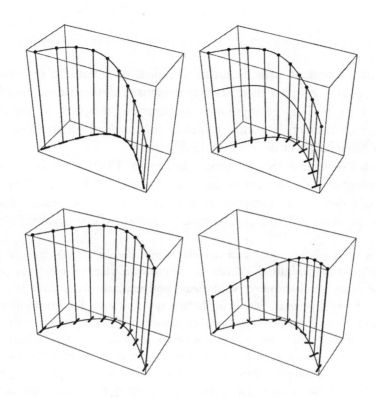

Figure 12 – *Exemples de relations entre des courbes* γ *de la base* W *et des courbes gauches* Γ *dans* V1 = J¹W. *Seul le premier cas correspond à une relevée legendrienne (voir le texte).*

que la forme très particulière de ce vecteur *V* fait *qu'il annule* la 1-forme différentielle ω = *dy* – *pdx* sur J¹W. *V* appartient donc à un plan C_X tangent en *X* à J¹W, le noyau de la 1-forme ω.

Bref, les tangentes aux courbes de J¹W qui sont des relevées legendriennes (c'est-à-dire de la forme *j*¹γ) appartiennent au champ de plans *C* : *X* → C_X. Les plans C_X sont appelés *plans de contact*. Leur champ est appelé *structure de contact* sur J¹W, et la 1-forme différentielle ω dont il est le noyau est appelée *forme de contact*. Puisque les courbes de la forme *j*¹γ sont tangentes en tout point à ce champ de plans, on dit que ce sont *des courbes intégrales* de la structure de contact.

La conclusion est que *c'est l'implémentation à travers les connexions « horizontales » de la structure de contact et de sa condition géométrique d'intégration qui constitue la condition de possibilité d'intégrer perceptivement des lignes.*

STRUCTURES DE CONTACT ET VISION (KOENDERINK, HOFFMAN)

Jusqu'à présent, presque aucun spécialiste de la vision n'a évoqué les liens frappants existant entre les hypercolonnes d'orientation du cortex visuel et les notions géométriques de fibration, d'espace de jets et de structure de contact. Signalons toutefois deux exceptions notables, celles de Jan Koenderink et de William Hoffman.

Jan Koenderink (Koenderink, Van Doorn, 1987) a beaucoup insisté sur l'importance du concept de jet pour la théorie de la vision. Sans jets, il est très difficile de comprendre comment le système visuel pourrait extraire des traits géométriques comme la courbure d'une courbe. En effet,

> les traits géométriques sont des objets *multilocaux*, c'est-à-dire que pour calculer la courbure d'un contour, le processeur devrait comparer ce qui se passe simultanément en plusieurs positions, alors que dans le cas de [...] jets il pourrait établir un format qui fournirait l'information en ne traitant qu'une *position unique*. Les routines n'ayant besoin d'accéder qu'à une seule position peuvent être appelées des *processeurs ponctuels*, et celles devant accéder à plusieurs positions des *processeurs multilocaux*. La différence est essentielle dans la mesure où les processeurs ponctuels n'ont besoin d'aucune expertise géométrique, alors que les processeurs multi-locaux en ont besoin (c'est-à-dire ils doivent connaître l'environnement de la position donnée) (p. 374).

Koenderink insiste aussi sur le fait que les (hyper)colonnes implémentent neurobiologiquement des espaces de jets :

> Les modules du sensorium (comme les « colonnes corticales » dans le domaine physiologique) sont des approximations locales (jets d'ordre N) de l'intensité lumineuse rétinienne qui peuvent être traitées comme des *données simples* par les processeurs ponctuels (p. 374).

William Hoffman a quant à lui été l'un des pionniers de l'application de la géométrie différentielle et de la théorie des groupes de Lie à la vision. En particulier dans son important article de 1989 « The visual cortex is a contact bundle », il formule explicitement l'idée que les contours sont des relèvements de discontinuités du stimulus rétinien dans un fibré de contact rétinotopique implémenté dans les hypercolonnes corticales. Ce que les neurobiologistes appellent des « projections » rétine → cortex sont en fait selon lui de tels *path liftings* :

Un chemin sur une variété [la rétine] est « relevé » à travers une fibration dans une autre variété [le cortex] de façon cohérente (p. 145).

Dans un autre travail, Hoffman (1985) évoque aussi le concept de fibration et conclut :

des fibrations [...] sont certainement présentes et opératoires dans le système perceptif postérieur si l'on tient compte de la présence de champs de micro-réponses à « l'orientation » ainsi que de l'organisation colomnaire du cortex (p. 645).

LE CHAMP D'ASSOCIATION COMME DISCRÉTISATION DE LA STRUCTURE DE CONTACT DE V1

Yannick Tondut a montré (Petitot, Tondut 1999) que le champ d'association peut être interprété comme une *discrétisation* de la structure de contact sur le fibré des éléments de contact.

D'abord, ce que Field, Hayes et Hess appellent les *joints constraints* ou le *unique link* entre les positions relatives a et les orientations relatives p des éléments (a, p) correspond très précisément à la contrainte de relèvement $p = f'(x)$ (où $y = f(x)$ est l'équation du lieu γ des centres a).

Ensuite, la condition sur la variation de la pente entre deux éléments consécutifs correspond à la discrétisation de cette contrainte. Soient Δs le pas de discrétisation pour les positions et Δp le pas de discrétisétion pour les orientations. Si A et B sont les positions de deux éléments consécutifs, p_A et p_B leurs orientations respectives et θ la pente du segment AB, la version discrétisée (et symétrisée) de la contrainte $p = f'(x)$ réalisant le *locking* position-orientation est :

$$|p_A - \text{tg}\theta| + |p_B - \text{tg}\theta| \leq 2\,\Delta p.$$

On voit que, lorsqu'on discrétise à une échelle donnée l'équation définissant la structure de contact, il en résulte tout naturellement une contrainte sur la *courbure* locale admissible. En conséquence, deux éléments consécutifs le long d'un chemin discrétisé devront avoir des orientations proches. Cela explique les expériences de Field, Hayes et Hess.

Jean Lorenceau a donné une confirmation tout à fait spectaculaire du lien entre les manifestations psychophysiques du champ d'association et les connexions cortico-corticales qui les implémentent neurophysiologiquement (*cf.* Georges *et al.*, 2002). Il a utilisé pour ce faire une technique de *vitesse apparente* de séquences rapides d'éléments orientés. Cette vitesse apparente est plus rapide (surestimée) lorsque les éléments

sont alignés avec la direction du mouvement et satisfont la condition
d'intégrabilité, c'est-à-dire lorsque le flux des stimuli rétiniens et le flux
des activités corticales sont mis en phase. Elle est en revanche plus lente
(sous-estimée) lorsque le mouvement se fait dans une direction ortho-
gonale à celle des éléments. Qui plus est, dans le premier cas, l'augmentation de vitesse mesurée par des méthodes *psychophysiques* est la même
que la vitesse de propagation de l'activation horizontale dans les
connexions cortico-corticales mesurée *électrophysiologiquement* (de l'ordre
de 0,2 m/s). Ce résultat remarquable montre qu'il existe bien un effet
de facilitation et de préactivation de certains neurones à travers les
connexions horizontales.

COHÉRENCE ET *BINDING*

En fait, pour bien comprendre les phénomènes de *pop out* perceptif, il faut faire appel aux phénomènes dits de « liage » (*binding*) qui cla-
rifient le codage neuronal de la cohésion spatiale. La question est :
comment les caractéristiques de l'espace et l'unité des constituants d'une
scène visuelle peuvent-elles être codées dans un système neuronal où il
n'y a que des signaux qui circulent, et par conséquent que des corrélations *temporelles* ?

L'une des hypothèses actuellement les plus discutées — qui remonte
à des travaux de Christoph von der Malsburg (1981) — repose sur le
codage temporel fin des processus mentaux. Elle est que la cohérence structurale, l'unité, des constituants d'une représentation mentale se trouve
encodée dans la dynamique de l'activité neuronale sous-jacente, dans ses
corrélations temporelles et, plus précisément, dans la *synchronisation*
(accrochage de fréquence et de phase) de réponses neuronales oscillatoires.
L'idée est donc que la cohérence temporelle rapide (de l'ordre de la ms)
code la cohérence structurale.

Il existe de nombreuses confirmations expérimentales d'oscillations
synchronisées dans la bande de fréquence des 40 *Hz* dans les colonnes et
hypercolonnes corticales, la synchronisation étant sensible à la consti-
tuance des stimuli et à la cohérence de leurs constituants (travaux de
Eckhorn, Charles Gray, Wolf Singer, Peter König, Andreas Engel, 1992).
Ces résultats ont été fort débattus et sont en partie controversés. Certains
pensent même qu'ils sont partiellement épiphénoménaux. Il faut dire
qu'ils sont fort délicats à obtenir et que de nombreux paramètres y inter-
fèrent. Certaines conditions expérimentales spécifiques renforcent peut-
être les oscillations. Mais ils valident néanmoins une idée directrice. Ils
soulèvent aussi de très beaux problèmes de modélisation relevant de la

théorie de la synchronisation comme transition de phase dans les systèmes d'oscillateurs couplés (*cf.* par exemple Kuramoto, Nishikawa, 1987, et Kopell, Ermentrout, 1990).

Dans ce contexte, la structure de contact de V1 et la condition d'intégrabilité de Frobenius apparaissent comme *la condition de possibilité géométrique d'un liage* neuralement réalisé à travers l'architecture fonctionnelle du cortex visuel primaire.

Nous avons montré quels étaient les corrélats neuronaux de concepts géométriques primitifs classiques comme ceux de « point » et de « ligne » et à quel point cette approche naturaliste diffère des approches axiomatiques traditionnelles qui se bornent à les définir implicitement par des axiomes qui règlent leur usage. Nous avons vu aussi que, pour modéliser ces infrastructures neurales, nous devons avoir recours à des outils géométriques assez sophistiqués.

Ce « tournant » neurogéométrique n'est que la première étape dans une compréhension scientifique moderne du problème kantien de l'esthétique transcendantale, problème qui n'est lui-même que le premier niveau de celui de la constitution des objets spatiaux 3D et de leurs mouvements, c'est-à-dire, comme l'affirmait Husserl dans *Ding und Raum* (Husserl, 1907, p. 189/154), fait partie de :

la grande tâche [...] de pénétrer le plus profondément possible dans la « création » phénoménologique tridimensionnelle, ou, si l'on veut, dans la constitution phénoménologique du corps identique de la chose par la multiplicité de ses apparitions.

Selon Husserl, ce serait une « monstrueuse présomption » que de croire qu'il existe des réponses simples à ces problèmes, car « sans exagération »,

[ils] sont au nombre des plus difficiles dans le domaine de la connaissance humaine (*ibid.*, p. 191/156).

Ces premiers éléments de neurogéométrie naturalisant le fragment d'eidétique géométrique associé aux primitives de « point » et de « ligne » font déjà intervenir le principe général de naturalisation des descriptions phénoménologiques, et plus précisément de la *corrélation noético-noématique*, que nous avons introduit, il y a déjà longtemps (*cf.* par exemple Petitot, 1985, 1993 et 1994). L'idée est que les synthèses noétiques sont neurocomputationnelles et concernent les algorithmes *effectifs* de *traitement* qui convertissent les data hylétiques en esquisses présentatrices d'objets.

Dans les cas que nous avons traités ici, les équivalences entre le lexique phénoménologique et le lexique neurocognitif sont les suivantes :

Data hylétiques	Signal optique
Synthèses noétiques (morphè intentionnelle)	Algorithmes de traitement d'information
Corrélats noématiques	Primitives géométriques, formes, Gestalten

Mais il faut évidemment aller beaucoup plus loin. Pour constituer des objets 3D, il faut pouvoir interpréter au moyen d'indices de stéréopsie certains contours comme des contours apparents d'objets, reconstruire les objets à partir de la famille de leurs contours apparents, etc. C'est toute la théorie husserlienne des esquisses perceptives (*Abschattungen*) dans leur relation avec les contrôles kinesthésiques qu'il s'agit de naturaliser et de modéliser mathématiquement. Le lecteur intéressé trouvera des éléments dans notre contribution à notre ouvrage collectif *Naturalizing Phenomenology* (Petitot, 1999).

RÉFÉRENCES

— Atick, J., 1992, « Could Information theory provide an ecological theory of sensory processing ? », *Network*, 3, 213-251.
— Atiya, A., Baldi, P., 1989, « Oscillations and synchronisation in neural networks : an exploration of the labeling hypothesis », *International Journal of Neural Systems*, 1(2), 103-124.
— Bonhöffer, T., Grinvald, A., 1991, « Iso-orientation domains in cat visual cortex are arranged in pinwheel-like patterns », *Nature*, 353, 429-431.
— Bosking, W., Zhang, Y., Schofield, B., Fitzpatrick, D., 1997, « Orientation selectivity and the arrangement of horizontal connections in tree shrew striate cortex », *Journal of Neuroscience*, 17(6), 2112-2127.
— Brady, M., Grimson, W. E. L., Langridge, D., 1980, « Shape encoding and subjective contours », *Proceedings of the AAAI*, Stanford University, 15-17.
— Bressloff, P., Cowan, J., Golubitsky, M. , Thomas, P., Wiener, M., 2001, « Geometric visual hallucinations, Euclidean symmetry and the functional architecture of striate cortex », *Phil. Trans. R. Soc. Lond. B*, 356, 299-330.
— Buser, P., Imbert, M., 1987, *Vision*, Hermann.
— Crair, M. C., Ruthazer, E. S., Gillepsie, D. C., Stryker, M. P., 1997, « Ocular dominance peaks at pinwheels center singularities of the orientation map in cat visual cortex », *J. of Neurophysiology*, 77, 3381-3385.
— Das, A., Gilbert, C. D., 1995, « Long range horizontal connections and their role in cortical reorganization revealed by optical recording of cat primary visual cortex », *Nature*, 375, 780-784.

– Das, A., Gilbert, C. D., 1997, « Distorsions of visuotopic map match orientation singularities in primary visual cortex », *Nature*, vol. 387, 594-598.

– De Angelis, G. C, Ohzawa, I., Freeman, R. D, 1995, « Receptive field dynamics in the central visual pathways », *Trends in Neuroscience*, 18, 451-458.

– De Angelis, G. C, Ghose, G. M, Ohzawa, I, Freeman, R. D, 1999, « Functional micro-organization of primary visual cortex : receptive field analysis of nearby neurons », *The Journal of Neuroscience*, 19(9), 4046-4064.

– Dresp, B., Bonnet, C., 1995, « Subthreshold summation with illusory contours », *Vision Research*, 35, 1071-1078.

– Engel, A., König, P., Gray, C., Singer, W., 1992. « Temporal coding by coherent oscillations as a potential solution to the binding problem : physiological evidence », *Non Linear Dynamics and Neural Networks* (H. Schuster, éd.), Berlin, Springer.

– Ermentrout, G. B., Cowan, J. D., 1979, « A mathematical theory of visual hallucinations », *Kybernetic*, 34, 137-150.

– Field, D. J., 1987, « Relations between the statistics of natural images and the response properties of cortical cells », *Journal of the Optical Society of America*, A, 4(12), 2379-2394.

– Field, D. J., Hayes, A., Hess, R. F., 1993, « Contour integration by the human visual system : evidence for a local "association field" », *Vision Research*, vol. 33, 2, 173-193.

– Florack, L., 1993, *The Syntactical Structure of Scalar Images*, thèse, Université d'Utrecht.

– Florack, L. M. J., Ter Haar Romeny, B. M., Koenderink, J. J., Viergever, M. A., 1992, « Scale and the differential structure of images », *Image and Vision Computing*, 10(6), 376-388.

– Frégnac, Y., Shulz, D., 1999, « Activity-dependent regulation of receptive field properties of cat area 17 by supervised Hebbian learning », *Journal of Neurobiology*, 41(1), 69-82.

– Frégnac, Y., Bringuier, V., Chavane, F,. Glaeser, L., Lorenceau, J., 1996, « An intracellular study of space and time representation in primary visual cortical receptive fields », *Journal of Physiology*, 90, 189-197.

– Gilbert, C. D., Das, A., Ito, M., Kapadia, M., Westheimer, G., 1996, « Spatial integration and cortical dynamics », *Proc. Nat. Acad. Sci. USA*, 93, 615-622.

– Gilbert, C. D., 1992, « Horizontal integration and cortical dynamics », *Neuron*, 9, 1-13.

– Gilbert, C. D., Wiesel, T. N., 1989, « Columnar specificity of intrinsic horizontal and corticocortical connections in cat visual cortex », *Journal of Neuroscience*, 9(7), 2432-2442.

– Georges, S., Seriès, P., Frégnac, P., Lorenceau, J., 2002, « Orientation-dependent modulation of apparent speed : psychophysical evidence », *Vision Research*, 42, 2557-2572.

– Gromov, M., 1996, « Carnot-carathéodory spaces seen from within », *Subriemannian Geometry*, *in* Bellaïche A., Risler J. (éds.), *Progress in Mathematics*, 144, Basel, Birkhäuser, 79-323.

– Grossberg, S., Mingolla, E., 1985, « Neural dynamics of form perception : boundary completion, illusory figures and neon color spreading », *Psychological Review*, 92, 173-211.

– Hamy, H., 1997, *Méthodes géométriques multi-échelles en vision computationnelle*, thèse, École polytechnique, Paris.

– Hoffman, W. C., 1985, « Some reasons why algebraic topology is important in neuropsychology : perceptual and cognitive systems as fibrations », *International Journal of Man-Machine Studies*, 22, 613-650.

– Hoffman, W. C., 1989, « The visual cortex is a contact bundle », *Applied Mathematics and Computation*, vol. 32, 137-167.

– Horn, B. K. P., 1983, « The curves of least energy », *ACM Transactions on Mathematical Software*, 9(4), 441-460.

– Hubel, D. H., 1988, *Eye, Brain and Vision*, Scientific American Library.

– Hübener, M., Shoham, D., Grinvald, A., Bonhöffer, T., 1997, « Spatial relationships among three columnar systems in cat area 17 », *Journal of Neurosciences*, 17, 9270-84.

– Husserl, E., 1907, *Ding und Raum, Vorlesungen 1907*, Husserliana XVI, La Hague, Martinus Nijhoff, 1973. Édition française *Chose et Espace* (trad. J.-F. Lavigne), Paris, PUF, 1989.

– Kanizsa, G., 1980, *Grammatica del vedere*, Bologna, Il Mulino. Édition anglaise, *Organization in Vision : Essays on Visual Perception*, Praeger, 1979. Édition française, *La Grammaire du voir* (préface de J.-M. Morel), Paris, Diderot, 1997.

– Koenderink, J. J., 1984, « Simultaneous order in nervous nets from a functional standpoint », *Biological Cybernetics*, 50, 35-41.

– Koenderink, J. J., 1988, « Operational significance of receptive field assemblies », *Biological Cybernetics*, 58, 163-171.

– Koenderink, J. J., 1990, « The brain as a geometry engine », *Psychological Research*, 52, 122-127.

– Kopell, N., Ermentrout, G. B., 1990, « Phase transitions and other phenomena in chains of coupled oscillators », *SIAM J. Appl. Math.*, 50(4), 1014-1052.

– Kuramoto, Y., Nishikawa, I., 1987, « Statistical macrodynamics of large dynamical systems. Case of a phase transition in oscillator communities », *Journal of Statistical Physics*, 49(3/4), 569-605.

– Lamme, V. A. F., Super, H., Speckreijse, H., 1998, « Feedforward, horizontal and feedback processing in the visual cortex », *Current Opinion in Neurobiology*, 8, 529-535.

– Lee, T. S., Mumford, D., Romero, R., Lamme, V. A. F., 1998, « The role of primary visual cortex in higher level vision », *Vision Research*, 38, 2429-2454.

– Lee, T. S., Nguyen, M., 2001, « Dynamics of subjective contour formation in the early visual cortex », *Proceedings of the National Academy of Sciences*, 98(4), 1907-1911.

– Longo, G., 1999, « Mathematical intelligence, infinity and machines : beyond the goedelitis », *Journal of Consciousness Studies*, special issue on Cognition, 6, 11-12.

– Longo, G., 1999, « The mathematical continuum : from intuition to logic », *in* J. Petitot, F. J. Varela, J.-M. Roy, B. Pachoud, éds., *Naturalizing Phenomenology : Issues in Contemporary Phenomenology and Cognitive Science*, Stanford, Stanford University Press, 401-425.

– Maffei, M., Fiorentini, A., 1976, « The unresponsive regions of visual cortical receptive fields », *Vision Research*, 16, 1131-1139.

– Maldonado, P. E., Gödecke, I., Gray, C. M., Bonhöffer, T., 1997, « Orientation selectivity in pinwheel centers in cat striate cortex », *Science*, 276, 1551-1555.

– Mallat, S., 1998, *A Wavelet Tour of Signal Processing*, New York, Academic Press.

– Marr, D., 1982, *Vision*, San Francisco, Freeman.

– Mumford, D., 1992, « Elastica and computer vision », *in* C. Bajaj (éd.), *Algebraic Geometry and Applications*, Heidelberg, Springer.

– Mumford, D., 1996, « Pattern theory : a unifying perspective », *in* D. C. Knill, W. Richards (éds.), *Perception as Bayesian inference*, Cambridge University Press, 25-62.

– Ninio, J., 1996, *L'Empreinte des sens*, Paris, Odile Jacob.

– Parent, P., Zucker, S. W., 1989, « Trace inference, curvature consistency, and curve detection », *IEEE Transactions on Pattern Analysis and Machine Intelligence*, II, 8, 823-839.

– Peterhans, E., Von der Heydt, R., 1991, « Subjective contours : bridging the gap between psychophysics and psychology », *Trends in Neuroscience*, 14(3), 112-119.

– Petitot, J., 1985, *Morphogenèse du sens*, Paris, PUF.

– Petitot, J., 1993. « Phénoménologie naturalisée et morphodynamique : la fonction cognitive du synthétique *a priori* », *Philosophie et Sciences cognitives* (J.-M. Salanskis, éd.), *Intellectica*, 1993/2, 17, 79-126.

– Petitot, J., 1994, « Phénoménologie computationnelle et objectivité morphologique », *in La Connaissance philosophique. Essais sur l'œuvre de Gilles-Gaston Granger*, J. Proust, E. Schwartz (éds.), Paris, PUF, 213-248.

– Petitot, J., 1999, « Morphological eidetics for phenomenology of perception », *in* J. Petitot, F. J. Varela, J.-M. Roy, B. Pachoud (éds.), *Naturalizing Phenomenology : Issues in Contemporary Phenomenology and Cognitive Science*, Stanford, Stanford University Press, 330-371.

– Petitot, J., 2003, « The neurogeometry of pinwheels as a sub-Riemannian contact structure », *Journal of Physiology* (à paraître).

– Petitot, J., Tondut, Y., 1999, *Vers une neuro-géométrie. Fibrations corticales, structures de contact et contours subjectifs modaux*, numéro spécial de *Mathématiques, Informatique et Sciences Humaines*, 145, 5-101, EHESS, Paris.

– Spillman, L., Dresp, B., 1995, « Phenomena of illusory form : can we bridge the gap between levels of explanation ? », *Perception*, 24, 1333-1364.

– Toet, A., Blom, J., Koenderink, J. J., 1987, « The construction of a simultaneous functional order in nervous systems », *Biological Cybernetics*, 57, 115-125.

– Ts'o, D., Gilbert, C. D., Wiesel, T. N., 1986, « Relationships between horizontal interactions and functional architecture in cat striate cortex as revealed by cross-correlation analysis », *Journal of Neuroscience*, 6(4), 1160-1170.

– Ullman, S., 1976, « Filling in the gaps : the shape of subjective contours and a model for their generation », *Biological Cybernetics*, 25, 1-6.

– Weliki M., Bosking W., Fitzpatrick D., 1996, « A systematic map of direction preference in primary visual cortex », *Nature*, 379, 725-728.

– Witkin, A., 1983, « Scale-space filtering », *Proc. Int. Joint Conf. on Artificial Intelligence*, 1019-1021, Karlsruhe.

– Wolf, F., Geisel, T., 1998, « Spontaneous pinwheel annihilation during visual development », *Nature*, 395, 73-78.

– Zeki, S., 1993, *A Vision of the Brain*, Blackwell Scientific Publications.

– Zucker S. W., David C., Dobbins A., Iverson L., 1988, « The organization of curve detection : Coarse tangent fields and fine spline covering », *Proc. 2nd Intern. Conf. Comp. Vis.*, IEEE.

L'espace de la perception et de l'imagination[1]

par JÉRÔME DOKIC

Cet essai porte de manière générale sur notre conception naïve ou préscientifique de l'espace, sur sa nature et sur ses rapports avec la perception et l'imagination. Mon point de départ est un problème que l'on connaît bien, surtout depuis la philosophie kantienne, qui est de savoir dans quelle mesure notre conception de l'espace est fondée sur la perception ou sur l'imagination spatiale. Il s'agit de déterminer en quel sens notre représentation des régions dans l'espace, des objets physiques, de leurs relations spatiales ou encore de leur forme apparente est redevable à notre faculté de les percevoir ou de les imaginer.

Le problème kantien peut recevoir une formulation plus actuelle dans les termes de la théorie de l'indexicalité. Il s'agit de se demander si notre conception de l'espace comporte des éléments déictiques irréductibles. Le propre des expressions déictiques, telles que « ceci », « cela », « comme ceci/cela », « ainsi », est que la saisie de leur sens, dans un contexte d'énonciation déterminé, dépend d'un ancrage dans une situation perceptive, réelle ou imaginaire. La question kantienne devient alors celle de savoir si notre conception de l'espace repose sur la présence perçue ou imaginée de configurations spatiales spécifiques, c'est-à-dire sur des éléments que l'on doit en définitive se contenter de *montrer* ou de *faire apparaître*.

1. Je remercie Jacques Bouveresse et les membres de son séminaire au Collège de France, notamment Jean-Jacques Rosat, ainsi que les participants du séminaire sur l'espace que Roberto Casati, Élisabeth Pacherie et moi avons animé à l'École normale supérieure de Paris au printemps 2002. Le présent essai a été rédigé dans le cadre du projet Cognitique COG141b du ministère de la Recherche.

Pour rendre la question kantienne un peu moins abstraite, je distin-
guerai deux sources de dépendance déictique possibles de notre conception de l'espace par rapport à la perception ou à l'imagination. À cette
distinction s'ajouteront deux manières possibles d'interpréter chaque
source de dépendance.

La première source de dépendance est ce que j'appellerai la *dépendance référentielle*. Il s'agit de la dépendance de notre conception de
l'espace par rapport à l'utilisation de *termes singuliers* déictiques du type
« ceci », « cela », « cet arbre », qui font référence en contexte à des entités
particulières. Il faut ajouter à cette liste les termes déictiques de lieux, tels
que « cette région », et les adverbes « ici », « là » et « là-bas » lorsqu'ils
sont utilisés en un sens déictique (par exemple, accompagnés d'un geste
de pointage). Dans la première partie de cet essai, je montrerai en effet
que notre conception d'un objet particulier ou d'un lieu n'implique pas
seulement des notions spatiales purement descriptives, mais repose sur la
possibilité de faire directement référence à cet objet ou à ce lieu de
manière déictique.

La seconde source de dépendance déictique concerne le versant pré-
dicatif de l'expression propositionnelle de notre conception spatiale — je
parlerai en conséquence de *dépendance prédicative*. On peut admettre
qu'il existe, au côté des termes singuliers déictiques, des *termes généraux*
ou des *prédicats* déictiques, qui font référence en contexte à des propriétés
ou à des relations. J'ai à l'esprit surtout des expressions du type « comme
ceci/cela » et « ainsi » lorsqu'elles sont utilisées pour désigner la forme
d'un objet. Par exemple, en réponse à la question de savoir quelle forme
a un vase particulier, on peut le soumettre à l'attention et dire « Il est
ainsi » ou « Il est *comme cela* ». On aura ainsi identifié la forme du vase
de manière déictique, que l'on soit ou non capable d'en produire une
description verbale détachée[2].

Kant a défendu, notamment dans les *Prolégomènes*, la thèse selon
laquelle la forme apparente de certains objets, ou du moins la manière
dont cette forme nous apparaît dans la perception et dans l'imagination,
ne peut pas être identifiée de manière purement descriptive ou « formelle », mais seulement par rapport à une présentation intuitive, au sens
kantien.

---

2. Pour une défense de l'existence de prédicats indexicaux, *cf.* J. Heal, « Indexical pre-
dicates and their uses », *Mind*, 106 (424), 1997, p. 619-640. Ces prédicats jouent un
rôle central dans la théorie de J. McDowell sur les rapports entre la perception et la pensée conceptuelle : *cf. Mind and World*, seconde édition, Cambridge (Mass.), Harvard
University Press, 1996.

L'argument de Kant, qui fera l'objet de la seconde partie de cet essai, concerne ce qu'il est convenu d'appeler des *répliques non congruentes ou énantiomorphes*, c'est-à-dire des objets qui sont exactement similaires en ce qui concerne leurs propriétés topologiques et métriques, mais que l'on ne peut pas « enfermer dans les mêmes limites ». Une main gauche et son image dans le miroir sont des répliques énantiomorphes — on ne peut pas les superposer exactement l'une à l'autre, même virtuellement. De manière générale, tout objet qui, dans un espace donné, ne présente aucun axe de symétrie possède une réplique énantiomorphe.

Selon Kant, toute explication de la différence entre une main gauche et sa réplique énantiomorphe est condamnée à exploiter soit la *présence perceptive* de ces objets ou d'autres du même type, soit leur *image* (une représentation iconique dans l'imagination). Une autre manière de formuler la thèse kantienne consiste à dire que notre conception spatiale est intimement liée à l'utilisation de prédicats déictiques. Dans certains cas, ceux-ci dénotent directement une forme apparente, comme dans « Une main gauche est *comme ceci*, une main droite *comme cela* » accompagné de la présentation d'une main gauche puis d'une main droite. Dans d'autres cas, ces prédicats dénotent des directions orientées dans l'espace, comme dans « Le pouce est *à gauche*, les doigts pointent *vers le haut* et la paume est *devant* ». Dans tous les cas, notre conception de l'espace comporte, selon l'argument kantien, une dimension intuitive irréductible.

Pour chaque forme de dépendance, deux interprétations sont possibles. La première interprétation est *ontologique*. Si notre conception de l'espace dépend de l'expérience sensible, c'est que l'espace tel que nous le concevons a partie liée avec notre perspective subjective sur la réalité. Nous concevons l'espace non pas tel qu'il est indépendamment de notre expérience, mais tel qu'il nous apparaît dans la perception et dans l'imagination. Cette interprétation prépare le terrain de la doctrine kantienne de l'idéalisme transcendantal, plus précisément de la thèse selon laquelle l'espace n'est rien d'autre qu'une forme de notre sensibilité.

Selon une interprétation plus modeste, la dépendance de notre conception de l'espace par rapport à l'expérience est d'ordre *épistémique*. Elle concerne l'*application empirique* de nos concepts spatiaux, mais elle n'entre pas dans la définition même de ces concepts. Elle rend possible la *connaissance* de faits spatiaux, mais elle n'implique pas que nos concepts spatiaux les plus théoriques soient eux-mêmes perspectivaux. Il n'y a rien d'essentiellement ineffable dans notre connaissance de l'espace.

La dépendance référentielle

LA CIRCULARITÉ DE NOTRE CONCEPTION SPATIALE

Dans *Les Individus*, Peter Strawson a montré que notre conception naïve de l'espace repose sur le principe d'une *dépendance mutuelle* entre l'identification des objets et celle des lieux[3] :

> Il y a [...] une interaction complexe et délicate [entre la réidentification des lieux et la réidentification des choses]. Car, d'un côté, les lieux ne se définissent que par les relations entre choses ; et, de l'autre, l'une des exigences pour l'identité d'une chose matérielle est que son existence soit continue dans l'espace aussi bien que dans le temps.
>
> Ainsi, l'identification et la distinction des lieux dépendent de l'identification et de la distinction des choses ; et l'identification et la distinction des choses dépendent, en partie, de l'identification et de la distinction des lieux[4].

D'un côté, l'identification des objets repose sur celle des lieux. Deux objets distincts peuvent avoir les mêmes propriétés (du moins en principe) dans la mesure où ils occupent à chaque instant un lieu propre dans l'espace. Par exemple, je sais que j'ai en face de moi le Collège de France et non une réplique dans un décor de cinéma à Hollywood parce que je sais que je suis à Paris et non en Californie. De l'autre côté, l'identification des lieux repose sur celle des objets. Les lieux n'ont pas de propriétés intrinsèques. On ne peut les identifier que par l'entremise des objets. Par exemple, je sais que je suis à Paris parce que je sais que j'ai en face de moi le Collège de France.

Autrement dit, les lieux ne sont pas reconnaissables en tant que tels, indépendamment d'hypothèses sur l'identité des objets qui les occupent (ou qui occupent des lieux adjacents). De même, les objets ne sont pas reconnaissables en tant que tels (c'est-à-dire en tant qu'objets particuliers), indépendamment d'hypothèses sur l'identité des lieux qu'ils occupent.

---

3. Selon Strawson, l'identification et la réidentification sont étroitement liées. L'identification consiste en la possession de critères qui devraient permettre, au moins en principe, la réidentification. Par ailleurs, le terme « objet » désigne ici des corps tridimensionnels, mais aussi de simples combinaisons de « traits » qualitatifs localisés.
4. P. Strawson, *Les Individus*, Paris, Seuil, 1973, p. 37, traduction modifiée.

Notre conception naïve de l'espace semble donc être essentiellement *circulaire*. Sans doute le cercle n'est-il pas *logiquement* vicieux, surtout s'il implique un ensemble considérable d'objets et de lieux distincts. Il pose néanmoins un problème *épistémologique*, qui concerne l'application empirique de nos concepts d'espace. Le problème est de savoir comment la connaissance de faits spatiaux est possible, étant donné la présence irréductible d'un élément *hypothétique* dans nos raisonnements spatiaux les plus avisés[5]. La circularité de notre conception de l'espace invite à l'objection sceptique suivante : comment pouvons-nous être certains de savoir où nous sommes, et quel objet nous avons en face de nous ?

Dans *Les Individus*, Strawson met en évidence une manière de briser le cercle épistémologique dont nous venons de parler. Il fait l'hypothèse que nous avons la capacité de faire *directement référence* à certains objets matériels dans l'espace de la perception : je me trouve en face du Collège de France et je juge « *Ceci* est le Collège de France ». Cette capacité de faire référence et de penser de manière déictique à un objet particulier fonde notre connaissance des faits spatiaux. Toutefois, l'auteur des *Individus* ne s'est pas suffisamment intéressé à la manière dont la perception rend possible la référence déictique. Comment la perception contribue-t-elle à résoudre l'équation complexe à plusieurs inconnues qui résulte du principe d'identification mutuelle des objets et des lieux ? Comment parvient-elle à faire ce dont la pensée conceptuelle semble incapable ?

On peut préciser *a priori* la condition que doit remplir la perception pour nous extraire du cercle épistémologique : elle devrait nous permettre de viser un lieu ou un objet dans l'espace indépendamment d'une *représentation* de ses relations spatiales à d'autre lieux ou objets. Car, si elle engageait nécessairement une telle représentation, l'identification d'un objet ou d'un lieu dépendrait de celle d'autres objets et lieux, sans jamais nous situer concrètement dans le monde. Il reste que cette condition *a priori* peut être remplie d'au moins deux manières différentes :

1. Soit il est possible de se représenter un objet dans la perception indépendamment d'une représentation perceptive du lieu qu'il occupe ou de sa relation spatiale à d'autres objets et lieux.

---

5. C. Peacocke sous-estime l'importance de ce problème, me semble-t-il, lorsqu'il affirme à la p. 183 de son livre *Holistic Explanation* (Oxford, Clarendon Press, 1979) que la notion de « régularité empirique » suffit à briser le cercle épistémologique inhérent à notre conception de l'espace. Ce qui *compte* comme une régularité est encore une hypothèse, que l'on ne peut pas confirmer (ou falsifier) indépendamment de l'application du reste de notre conception spatiale.

2. Soit il est possible de se représenter un lieu dans la perception indépendamment d'une représentation perceptive de l'objet qui l'occupe éventuellement ou de sa relation spatiale à d'autres lieux et objets.

Strawson a exploré la première voie au détriment de la seconde, peut-être parce qu'il doute que les lieux soient directement perceptibles. Dans les sections suivantes, je vais présenter succinctement deux arguments, l'un philosophique et l'autre tiré de la psychologie cognitive, qui suggèrent que nous avons en fait les *deux* capacités mentionnées sous 1 et 2. Nous pouvons viser directement un lieu ou un objet dans le champ perceptif, indépendamment d'une représentation perceptive d'autres objets ou lieux.

LA PERCEPTION DIRECTE DES LIEUX

Revenons sur l'une des observations célèbres de Wittgenstein, dans les *Remarques philosophiques*, sur l'espace visuel :

> [N]e pourrions-nous pas nous imaginer un espace visuel dans lequel on ne percevrait que certains rapports de positions, mais non pas une position absolue ? [...] Je ne le crois pas.
> Dans l'espace visuel, il y a position absolue, d'où aussi mouvement absolu. Qu'on s'imagine l'image de deux étoiles dans une nuit d'encre où je ne puis rien voir d'autre qu'elles, celles-ci se mouvant selon un cercle l'une par rapport à l'autre[6].

On peut être tenté de considérer que l'exemple de Wittgenstein fournit un argument décisif en faveur de la thèse selon laquelle l'espace visuel est absolu, au sens où la position d'un objet dans cet espace peut varier indépendamment de ses relations spatiales avec d'autres éléments du champ visuel. En réalité, cet exemple (comme les autres du même type) montre au mieux que nous sommes capables de nous représenter un lieu dans l'espace visuel indépendamment d'une *représentation* des objets qui occupent cet espace ; en d'autres termes, il accrédite au plus la thèse 2 ci-dessus. À nouveau, cette thèse est *prima facie* compatible avec une définition relationnaliste du lieu, selon laquelle tout changement de lieu entraîne quelque changement dans les relations spatiales entre les objets.

Lorsque les deux étoiles décrites par Wittgenstein se déplacent en maintenant leur rapport spatial mutuel, il est vrai qu'aucun changement spatial relationnel n'est *perçu*, car aucun objet tiers n'est perçu par rapport auquel un tel changement serait décelable. Mais il ne s'ensuit pas

---

6. L. Wittgenstein, *Remarques philosophiques*, Paris, Gallimard, 1975, § 206.

qu'aucun changement spatial relationnel n'ait *réellement* lieu. On pourrait suggérer, par exemple, que, lorsqu'une étoile se déplace, ses relations spatiales avec les différentes parties du corps physique du sujet changent. L'étoile qui était plus proche de la tête devient plus proche des pieds après une demi-révolution, et réciproquement.

Certes, cette explication serait rejetée par Wittgenstein, parce qu'il adopte par ailleurs, dans les *Remarques*, une attitude « phénoménologique » sur l'espace visuel, selon laquelle l'espace visuel est essentiellement phénoménal, ou tel qu'il nous apparaît[7]. Si, en revanche, nous adhérons à une théorie réaliste de l'espace visuel, la distinction entre l'espace visuel réel et l'espace visuel apparent acquiert un sens. Lorsque l'expérience est véridique, elle nous donne accès à un espace physique qui dépasse les limites de l'observation, et qui pourrait bien être tel que le relationnalisme le décrit.

LA PERCEPTION DIRECTE DES OBJETS

Dans ses travaux sur la « vision située[8] », le psychologue cognitif Zenon Pylyshyn a cherché à résoudre un problème concernant la manière dont le système visuel peut sélectionner un objet dans la scène visuelle, étant donné que l'information qui serait nécessaire pour l'identifier de manière univoque n'est en général pas disponible. Une telle information devrait être *acquise* par le système visuel. Or on voit mal comment le système visuel peut acquérir cette information avant même d'avoir identifié l'objet.

Pour résoudre ce problème, Pylyshyn fait l'hypothèse que le système visuel utilise ce qu'il appelle des « index visuels ». Le rôle d'un index visuel est de sélectionner un objet visuel directement, sans avoir à encoder explicitement ses propriétés, en suivant sa trace dans la scène visuelle. Dans ses expériences de « pistage multiple », Pylyshyn demande à un sujet de garder la trace visuelle d'un sous-ensemble désigné de cibles mouvantes sur un écran. Pylyshyn a découvert qu'il est possible de suivre la trace de quatre ou cinq cibles dans le champ visuel. Selon Pylyshyn, les sujets réussiraient moins bien cette tâche s'ils devaient transférer continuellement leur attention d'une cible à l'autre pour mettre à jour la position respective de celles-ci. Il semble plutôt qu'ils parviennent à garder indépendamment la trace de chaque cible, sans avoir à les identifier explicitement à l'aide d'un faisceau de propriétés. Par

---

7. *Cf.* L. Wittgenstein, *op. cit.*, par exemple § 70.
8. *Cf.* par exemple Z. Pylyshyn, « Situating vision in the world », *Trends in Cognitive Science*, 4 (5), 2000, p. 197-207, et « Visual indexes, preconceptual objecthood, and situation vision », *Cognition*, 80, 2001, p. 127-158.

ailleurs, au-delà de quatre ou cinq cibles, les sujets qui tentent de résoudre la tâche peuvent avoir l'impression de voir les sommets d'un polygone se déformant, ce qui suggère qu'ils gardent en réalité la trace d'un seul objet virtuel et non plus de chaque cible indépendamment.

Dans une autre série d'expériences, Burkell et Pylyshyn demandent aux sujets de repérer une propriété visible intéressant l'une des cibles mouvantes[9]. Ils ont montré que les sujets prennent moins de temps à rechercher une propriété dans l'ensemble des cibles désignées au commencement que dans l'ensemble des autres cibles, et surtout que la vitesse de la recherche n'augmente pas avec la distance relative entre les cibles désignées.

La conclusion spéculative que Pylyshyn tire de ces expériences et d'autres est instructive :

> Peut-être s'est-on trompé en pensant que le premier contact que les êtres humains ont avec le monde passe par des senseurs équipés pour détecter des propriétés comme le rouge ou le rond, l'oblique ou l'anguleux. En fait, ce que nous sommes équipés pour détecter en premier (tant d'un point de vue temporel qu'ontogénétique) sont les objets et leurs précurseurs primitifs, les proto-objets [c'est-à-dire, en gros, des objets sensoriels][10].

Ce qui vaut ici pour les propriétés vaut également pour les relations spatiales. L'ancrage visuel sur un objet ne semble pas requérir une représentation préalable de ses relations spatiales à d'autres objets. Si la fonction des index visuels est moins d'effectuer une référence déictique proprement dite que de constituer un soubassement perceptif à une telle référence, les travaux de Pylyshyn appuient la thèse 1 plus haut : nous avons un accès perceptif à des objets qui ne passe pas par un accès perceptif à d'autres objets ou à des lieux[11].

J'ai donné deux illustrations différentes de la manière dont la perception pouvait briser le cercle épistémologique inhérent à notre conception de l'espace, en rendant possible la référence déictique à des lieux et à des objets. Dans les deux cas, l'explication est neutre en ce qui concerne l'opposition entre l'absolutisme et le relationnalisme. Surtout, rien n'indique dans la description des mécanismes perceptifs postulés que la dépendance de notre conception de l'espace par rapport à l'expérience soit

---

9. *Cf.* J. Burkell et Z. W. Pylyshyn, « Searching through subsets : a test of the visual indexing hypothesis », *Spatial Vision*, 11 (2), 1997, p. 225-258.

10. Z. Pylyshyn, « Situating vision in the world », *op. cit.*, p. 206.

11. Il ne s'agit pas d'affirmer que la perception ordinaire nous présente des objets sans qualités. La thèse est plutôt que la perception d'un objet comme ayant telles ou telles qualités repose sur la capacité de le viser indépendamment d'une représentation perceptive de ses qualités.

d'ordre ontologique. Dans la mesure où l'on peut supposer sans contradiction que ces mécanismes nous donnent accès à une réalité spatiale indépendante de l'expérience, la dépendance en question semble plutôt concerner notre *connaissance* des faits spatiaux. Sur ce point, nous pouvons donc donner raison, au moins provisoirement, à Strawson.

La dépendance prédicative

L'ARGUMENT KANTIEN

Selon la thèse de la dépendance prédicative, notre conception de la forme apparente de certains objets, à savoir ceux qui possèdent une réplique énantiomorphe, est essentiellement redevable à la perception ou à l'imagination spatiale. Par exemple, il semble impossible de rendre compte de la différence apparente entre une main gauche et son image dans le miroir en termes purement descriptifs. Toute caractérisation de la position relative du pouce et des doigts, et de leurs propriétés angulaires et volumétriques, conviendra également aux deux mains. Pour rendre compte de la différence pertinente, il semble qu'il faille se rapporter directement à l'expérience sensible. Dans un passage célèbre des *Prolégomènes*, Kant écrit :

Que peut-il y avoir de plus semblable, de plus égal de tout point à ma main ou à mon oreille que leur image dans le miroir ? Pourtant, je ne puis substituer à l'image primitive cette main vue dans le miroir ; car si c'était une main droite, il y a dans le miroir une main gauche et l'image de l'oreille droite est une oreille gauche qui ne peut aucunement se substituer à l'autre. Il n'y a pas là de différences internes que quelque entendement pourrait même concevoir, et pourtant les différences sont intrinsèques, comme l'enseignent les sens, car la main gauche ne peut être renfermée dans les mêmes limites que la main droite malgré toute cette égalité et toute cette similitude respectives (elles ne peuvent coïncider) et le gant de l'une ne peut servir à l'autre. Quelle sera donc la solution ? Ces objets ne sont nullement des représentations des choses comme elles sont en soi et comme l'entendement pur les connaîtrait, mais ce sont des intuitions sensibles, c'est-à-dire des phénomènes dont la possibilité se fonde sur le rapport de certaines choses inconnues en soi à une autre chose, à savoir notre sensibilité[12].

---

12. E. Kant, *Prolégomènes à toute métaphysique future qui pourra se présenter comme science* (1783), Paris, Vrin, 1984, § 13, p. 48-49.

Beaucoup considèrent aujourd'hui que cet argument kantien a subi une réfutation décisive[13]. On sait depuis 1827, grâce aux travaux de Möbius, que le résultat d'une réflexion dans un espace à n dimensions (par exemple la transformation d'une main dans son image-miroir) peut être obtenu par une combinaison de translations et de rotations dans un espace à $n+1$ dimensions. Soient par exemple deux répliques énantiomorphes dans le Plan. Elles ne sont pas localement congruentes, c'est-à-dire que l'on ne peut pas les faire coïncider par un simple déplacement rigide dans le Plan. Par contre, on peut les faire coïncider en faisant sortir l'une des figures du Plan et en la retournant dans la troisième dimension. Si l'espace est non orientable, par exemple s'il est enroulé sur lui-même à la manière d'une bande de Möbius, certains déplacements rigides dans l'espace permettront de faire coïncider les figures. Dans les deux cas, les figures sont globalement, sinon localement congruentes[14].

D'après ce résultat géométrique incontestable, une main gauche devrait pouvoir se transformer en main droite *sans se déformer*[15]. Une main gauche et sa réplique énantiomorphe ont donc, après tout, les mêmes propriétés spatiales intrinsèques, y compris la forme. Il n'est pas nécessaire de recourir à l'expérience pour rendre compte de la différence entre un objet et sa réplique énantiomorphe, puisqu'on peut montrer *a priori* qu'une telle différence est illusoire.

L'explication géométrique ne convaincra pas tous les partisans de l'argument kantien. Considérons le repli suivant. Cette explication est moins fausse qu'incomplète. Elle ne rend pas compte de la différence *apparente* entre une main gauche et une main droite. Comment comprendre qu'une main gauche nous apparaisse dans la perception visuelle comme étant toujours différente d'une main droite, quel que soit le point de vue que nous pouvons adopter sur ces objets ? Une main se présente dans la perception comme ayant une certaine *orientation propre*, irréductible à son *orientation relative* au sujet ou à d'autres objets dans le champ perceptif.

Ce qui échappe à l'explication géométrique, c'est une différence qui paraît intrinsèque aux répliques énantiomorphes, et qui semble concerner la

---

13. Pour une synthèse des enjeux récents qui entourent l'argument kantien, *cf.* J. van Cleve, « Right, left, and the fourth dimension », *in* J. van Cleve et R. Frederick (éds.), *The Philosophy of Right and Left*, Dordrecht, Kluwer Academic Publishers, 1991, p. 203-234.
14. Sur la distinction entre congruence locale et globale, *cf.* L. Sklar, « Incongruous counterparts, intrinsic features and the substantiviality of space », *in* J. van Cleve et R. Frederick, *op. cit.*, p. 173-186.
15. *Cf.* J. Bennett, « The difference between right and left », *in* J. van Cleve et R. Frederick, *op. cit.*, p. 97-130, à la p. 104, et J. van Cleve, *art. cit.*, p. 211. L. Wittgenstein, dans le *Tractatus* (6.36111), affirme que la main gauche et la main droite sont « parfaitement congruentes », même si on ne peut pas les faire coïncider.

manière dont celles-ci occupent l'espace. Plus précisément, les parties des mains gauche et droite ne se déploient pas de la même manière dans l'espace phénoménal : lorsque je fais face à la paume et que les doigts pointent vers le haut, le pouce de la main gauche est à gauche, mais celui de la main droite est à droite. Le repli kantien consiste à faire valoir que nos concepts d'espace ont leur racine dans l'expérience, et que nos modèles géométriques en sont un prolongement valide mais essentiellement partiel. Il reste une différence spatiale apparente entre une main gauche et une main droite, que l'on ne peut pas expliquer en termes purement géométriques.

C'est donc vers la théorie de la perception qu'il faut se tourner pour tenter de saisir la nature de la différence entre l'apparence visuelle d'une main gauche et celle d'une main droite.

LA PERCEPTION DE L'ORIENTATION PROPRE

L'une des prémisses de l'argument kantien est que l'orientation propre d'une main (c'est-à-dire, en l'occurrence, le fait qu'elle est gauche ou droite) peut participer du contenu de la perception. On voit une main *comme* étant gauche ou droite, ou du moins *comme* ayant une orientation propre déterminée. Posons comme principe de la théorie de la perception qu'un objet est perçu *comme* un F seulement si le sujet est capable de reconnaître, sur la seule base de la perception, d'autres instances de F. Dans le jargon philosophique en vigueur, F doit être un concept *recognitionnel*[16]. Par exemple, je ne peux voir un animal comme un lapin que si j'ai la capacité de reconnaître un lapin lorsque j'en vois un. Dans le cas qui nous occupe, je vois un objet comme ayant une orientation propre déterminée seulement si je suis capable de reconnaître la même orientation propre à travers les contextes perceptifs.

La question pertinente est alors de savoir comment il est possible de reconnaître la même orientation propre d'un contexte perceptif à l'autre, dans la mesure où nous ne pouvons pas compter sur l'observation d'une propriété intrinsèque commune à tous les objets ayant cette orientation à l'exclusion de leurs répliques énantiomorphes.

En ce qui concerne la reconnaissance visuelle, les théoriciens cognitivistes récents se partagent en deux camps, selon la nature des représentations prétendument engagées dans la reconnaissance[17]. Certains

---

16. Sur ce principe, *cf.* J. McDowell, *op. cit.*, p. 57-58.
17. Je simplifie ici la présentation de M. Tarr, « Rotating objects to recognize them : a case study on the role of viewpoint dependency in the recognition of three-dimensional objects », *Psychonomic Bulletin & Review*, 2 (1), 1995, p. 55-82.

prétendent que la reconnaissance procède généralement à travers des représentations indépendantes de la taille, de la position et de l'orientation relative de l'objet. Les autres insistent sur l'importance pour la reconnaissance de représentations centrées sur un point de vue. Ces représentations constituent des « vues » d'objets sous différentes orientations relatives. Lorsqu'un objet perçu est présenté sous une orientation relative non canonique, des opérations séquentielles telles que la rotation mentale sont mises en œuvre pour rétablir par l'imagination une orientation canonique. Les deux parties s'accordent néanmoins à dire que, lorsque le problème spécifique de la reconnaissance de l'orientation propre est en jeu, *seule* une représentation dépendante du point de vue peut faire l'affaire. En effet, les représentations indépendantes du point de vue sont incapables de rendre compte de la différence entre un objet et sa réplique énantiomorphe.

Mais qu'est-ce qu'une représentation « dépendante du point de vue » ? Sur le plan conceptuel au moins, une représentation dépend du point de vue lorsqu'elle engage des notions *égocentriques* telles que *devant, derrière, en haut, en bas, à gauche* et *à droite*. Par exemple, la représentation égocentrique suivante permet de différencier une main gauche de sa réplique énantiomorphe :

(D) Une main est gauche si, et seulement si, dans le cas où ses doigts pointent vers le haut pour un observateur qui fait face à sa paume, le pouce est du côté gauche.

Contrairement aux représentations déictiques, une représentation égocentrique telle que D est indépendante d'un contexte perceptif particulier. Elle peut donc constituer le contenu d'une image mentale. Si une main est perçue dans une orientation différente de celle qui est spécifiée dans le *definiens* de D, des opérations de rotation mentale permettent de rétablir cette orientation et de comparer l'objet perçu avec la main représentée dans l'image mentale[18].

Nous avons donc une amorce de réponse à la question de savoir ce que veut dire percevoir un objet comme ayant une orientation propre déterminée. Une condition nécessaire d'une telle perception est la localisation de certaines parties de l'objet au moyen de notions ou de modes de présentation égocentriques. Notre question se réduit alors à celle de savoir ce que veut dire percevoir un objet ou une région de l'espace, dans

---

18. *Cf.* L. Cooper et R. Shepard, « Mental transformations in the identification of left and right hands », *Journal of Experimental Psychology : Human Perception and Performance* 104 (1), 1975, p. 48-56, une étude classique sur la reconnaissance perceptive des mains gauche et droite.

un contexte particulier, comme étant *devant* ou *derrière*, *en haut* ou *en bas*, *à gauche* ou *à droite*.

Dans le cadre de cet essai, il s'agit surtout de déterminer si le fait que, dans la perception, l'espace est appréhendé de manière égocentrique implique qu'il soit intrinsèquement orienté ou dépendant d'un point de vue. Selon Gareth Evans, cette implication ne vaut pas :

> Notez que lorsque je parle d'information « qui spécifie une position dans l'espace égocentrique », je ne parle pas d'information relative à un genre spécial d'espace, mais d'un genre spécial d'information relative à l'espace — de l'information dont le contenu est spécifiable dans un vocabulaire spatial égocentrique. Le *sens* que j'ai attribué à ce vocabulaire est parfaitement compatible avec le fait que ses termes doivent *désigner* des points dans un espace public tridimensionnel[19].

Des termes comme « à gauche », « à droite », etc., ont une valeur indexicale : ils désignent différentes régions de l'espace public selon le contexte. Ce qui est à gauche pour un observateur à un moment donné peut être à droite pour le même observateur un peu plus tard. Or, si « à gauche », par exemple, désigne différentes régions selon le contexte, comment pouvons-nous identifier la région gauche de notre champ perceptif *quel que soit le contexte* ? Ce que nous voulons connaître, c'est la nature de notre capacité à différencier les directions égocentriques *à travers les contextes perceptifs*.

Selon Evans, la signification des termes égocentriques est « dérivée en partie de connexions complexes entre ceux-ci et les *actions* du sujet[20] ». La différence entre, par exemple, la gauche et la droite doit être comprise en termes des dispositions à agir relativement aux régions pertinentes. Ces dispositions peuvent se manifester de manière indéfiniment variée, mais pointer du doigt vers la gauche peut constituer (dans un contexte particulier) la manifestation de ma perception d'une certaine région comme étant à gauche (dans ce contexte).

Cette réponse n'est pas incorrecte, mais elle laisse dans l'ombre notre capacité à identifier les directions égocentriques à travers les contextes. En effet, de même qu'il n'y a pas de propriété intrinsèque commune à toutes les mains gauches à l'exclusion des mains droites, il n'y a pas de propriété intrinsèque commune aux actions « relatives à la gauche » à l'exclusion des actions « relatives à la droite ». Celui qui ne sait pas ce que « à gauche » veut dire ne verra pas ce qu'il y a de commun à toutes les

---

19. G. Evans, *The Varieties of Reference*, Oxford, Clarendon Press, 1982, p. 157.
20. *Op. cit.*, p. 155.

actions relatives à la gauche dans divers contextes perceptifs, et la réponse d'Evans lui paraîtra peu informative.

Certaines remarques d'Evans laissent supposer que seule l'imposition d'un cadre de référence égocentrique fait de l'espace de la perception un espace d'*actions*. C'est une erreur : dans chaque contexte particulier, les régions et les directions du champ perceptif sont identifiables de manière déictique, indépendamment de l'imposition d'un cadre de référence égocentrique. Un cadre de référence égocentrique identifie toujours une région *par opposition à d'autres* : par exemple, la gauche par opposition à la droite. En revanche, comme nous l'avons vu dans la première partie, nous avons la capacité de viser directement une région du champ perceptif, sans passer par une représentation d'autres régions. C'est cette capacité, plutôt que la capacité d'identifier des directions égocentriques à travers les contextes, qui est étroitement liée à l'action[21].

Une suggestion possible est que nous identifions les directions égocentriques par leurs relations spatiales à des parties de notre corps indépendamment identifiées de manière déictique. Après tout, nous pouvons normalement définir, dans un contexte particulier, ce qui est à gauche par sa relation de proximité avec *cette main-ci* (ici, nous agitons notre main gauche), et ce qui est à droite par sa relation de proximité avec *cette main-là* (là, nous agitons notre main droite). L'intuition qui sous-tend cette suggestion est que le corps physique du sujet est le seul objet commun à tous les contextes perceptifs.

On peut imaginer une créature pour laquelle cette suggestion est correcte, mais elle n'est pas réaliste en ce qui nous concerne. Première-ment, elle suppose que nous percevons continuellement les parties de notre corps et que nous nous assurons de la constance approximative de leurs positions relatives. Elle implique donc une lourde charge cognitive que nous n'assumons pas consciemment. En second lieu, elle dénature la phénoménologie de notre expérience[22]. Les directions égocentriques m'apparaissent immédiatement, et non par leurs relations spatiales à des objets ou parties non détachées d'objets indépendamment identifiés. Je

---

21. Je rejoins ici l'opinion antikantienne de S. C. Levinson et P. Brown selon laquelle les distinctions liées à la gauche et à la droite ne sont pas des « intuitions humaines essentiel-les ». En étudiant la langue des Tenejapan du Mexique (le tzeltal), ces anthropologues ont observé que ceux-ci ne disposent pas de la structure linguistique et conceptuelle nécessaire à l'identification de la gauche et de la droite. Au vu des conclusions de cette section, il est frappant de constater que les Tenejapan sont plutôt indifférents aux répliques énantio-morphes, qu'ils considèrent comme ayant la même forme et dont ils ne reconnaissent pas l'orientation propre à travers les contextes. *Cf.* « Immanuel Kant among the Tenejapans : anthropology as empirical philosophy », *Ethos* 22 (1), 1994, p. 3-41.
22. *Cf.* G. Evans, *op. cit.*, p. 155-6.

n'entends pas un son comme venant du côté de *cette main* ; je l'entends directement comme venant *de la gauche*.

On peut néanmoins modifier la suggestion initiale en tenant compte de ces objections. Les notions égocentriques qui entrent dans le contenu de la perception sont *monadiques* et non *relationnelles*. Elles sont de la forme « Ce son vient de la gauche » et non de la forme « Ce son vient de *ma* gauche[23] ». La perception nous présente des régions sous un mode égocentrique indépendamment d'une représentation explicite du sujet et des parties de son corps physique. Le contenu de la perception est *perspectival*, au sens où le monde perçu nous est présenté d'un certain point de vue, et néanmoins *impersonnel*, au sens où ce point de vue n'est pas explicitement représenté dans la perception[24]. Ainsi, les deux directions de l'axe latéral m'apparaissent immédiatement comme étant, par exemple, à gauche et à droite, sans que j'aie à garder consciemment la trace des parties de mon corps.

Il ne s'agit pas de nier l'existence de mécanismes qui assurent, à un niveau « subpersonnel », un ancrage cohérent sur des points de repère corporels qui rend possible l'identification consciente des directions égocentriques à travers les contextes. En ce sens, mon expérience repose sur un fait contingent, à savoir que ces mécanismes fonctionnent correctement la plupart du temps. Mais c'est un fait contingent qui est seulement *présupposé* par mon expérience. Si ces mécanismes fonctionnent mal dans un cas particulier (par exemple si je chausse des lunettes qui inversent la gauche et la droite), le *sens* des termes égocentriques n'en sera pas immédiatement changé, et mon expérience consciente sera, dans un premier temps au moins, illusoire.

Nous pouvons donc supposer que nous sommes capables d'identifier les directions égocentriques à travers les contextes, quand bien même les régions présentées comme étant à gauche ou à droite dans un contexte particulier seraient la plupart du temps différentes de celles présentées de la même façon dans d'autres contextes. Que veut dire alors « identifier les directions égocentriques », si n'importe quelle région de l'espace public peut être à gauche à n'importe quel moment, étant donné une orientation appropriée relativement à l'observateur ? Autrement dit, si l'orientation propre apparente n'est pas un pur *quale*, à quels traits objectifs dans le monde correspond-elle ?

---

23. Sur cette distinction et son application à la perception, *cf.* J. Campbell, *Past, Space, and Self,* Cambridge, Mass., MIT Press, 1994, p. 119.
24. La notion d'une expérience perspectivale et néanmoins impersonnelle est également exploitée par J. Perry, « Pensée sans représentation », *in Problèmes d'indexicalité,* Stanford, CSLI, 1999, p. 109, sur la base de remarques de Wittgenstein.

Nous avons supposé que nous pouvons reconnaître l'orientation propre des objets si, et peut-être seulement si, nous sommes capables d'identifier des directions égocentriques à travers les contextes perceptifs. Or, dans un espace au moins localement orientable, la question de savoir si deux objets ont la même orientation propre ne laisse rien à la subjectivité : succinctement, ils ont la même orientation propre si et seulement s'ils sont virtuellement superposables par un déplacement local rigide (en faisant abstraction des différences non pertinentes, comme la taille). Si deux objets nous apparaissent comme ayant la même orientation propre, et que notre expérience est véridique, ces objets sont *localement congruents*. Le sujet capable d'identifier et de reconnaître les directions égocentriques a donc accès à des propriétés réelles des objets perçus, auxquelles il aurait plus difficilement accès autrement.

L'EXTERNALISME

Selon l'analyse de la perception qui vient d'être esquissée, nous identifions l'orientation propre d'un objet par référence implicite aux parties de notre corps. Certains auteurs seraient prêts à transformer cette thèse épistémologique en thèse ontologique : l'orientation propre d'un objet se réduit à son orientation relative à d'autres objets ou structures considérés comme cadres de référence. En dehors de tels cadres, la distinction entre une forme « gauche » et une forme « droite » n'a pas de sens. Suivant van Cleve[25], nous appellerons « externalisme » cette thèse ontologique. Martin Gardner la résume de la manière suivante :

> Dire [d'une main] qu'elle est gauche ou droite n'a aucune signification si [l'espace] ne renferme pas une autre structure asymétrique. [...] C'est seulement quand deux objets asymétriques se trouvent dans le même espace, et qu'on a choisi arbitrairement le sens à donner à l'un deux, que les qualificatifs appliqués à l'autre cessent d'être arbitraires[26].

Dans un texte de 1768, donc antérieur aux *Prolégomènes*, Kant a anticipé l'objection externaliste, en présentant sa fameuse expérience de la main solitaire :

> [S]i on se représente que la première créature soit une main d'un homme, il est nécessaire qu'elle soit gauche ou droite et, pour créer la première,

---

25. *Op. cit.*
26. M. Gardner, *L'Univers ambidextre : les miroirs de l'espace-temps*, Paris, Seuil, 1985, p. 178-179.

l'opération de la cause créatrice était nécessairement autre que celle par laquelle sa réplique pouvait être faite. Or si l'on admet la conception de plusieurs philosophes récents, surtout allemands, à savoir que l'espace consiste seulement dans des rapports extérieurs des parties coexistantes de la matière, alors dans le cas mentionné, *l'espace réel serait seulement celui que cette main occupe.* Mais puisqu'il n'y a aucune différence dans les rapports de ses parties entre elles, qu'elle soit la main gauche ou la main droite, cette main serait, eu égard à une telle propriété, tout à fait indéterminée, c'est-à-dire qu'elle pourrait convenir à chaque partie du corps, ce qui est impossible[27].

Selon l'argument kantien, s'il est possible d'imaginer sans incohérence une main gauche dans un univers autrement vide, c'est que son orientation propre n'est pas déterminée par quelque autre objet présent dans l'espace, mais par un « système de coordonnées contenu de façon invisible dans l'essence de l'espace[28] ».

Une conséquence de l'externalisme est qu'une main solitaire n'est ni gauche ni droite, mais « indéterminée » ou « neutre[29] ». Elle semble pourtant entrer en conflit avec l'expérience de pensée kantienne. Si celle-ci ne convainc pas, considérons-en la variante suivante. Supposons que tous les objets de l'univers réel disparaissent les uns après les autres, ne laissant finalement que ma main gauche. Est-ce plausible de supposer que ma main perd subitement la propriété d'être une main gauche, après la disparition de tous les objets que les externalistes considèrent comme susceptibles de déterminer l'orientation propre de ma main ? La seule différence entre cette expérience de pensée et celle de Kant est la direction du temps. Mais en quoi cette différence pourrait-elle être ici pertinente ?

L'externaliste est face à une alternative. Soit il dénonce l'incohérence de l'expérience de pensée kantienne, soit il montre que celle-ci est finalement conciliable avec les postulats centraux de l'externalisme. Dans la mesure où, comme je vais essayer de l'établir sur la base de l'analyse de la perception esquissée plus haut, l'expérience de pensée kantienne est parfaitement cohérente, l'externaliste doit se rabattre sur la seconde branche de l'alternative.

---

27. E. Kant, 1768, « Du premier fondement de la différence des régions dans l'espace », *Quelques Opuscules précritiques,* Paris, Vrin, 1970, p. 97-98.
28. C'est en fait l'expression de Wittgenstein, *op. cit.,* § 206. En 1768, Kant cherchait à défendre l'absolutisme contre les leibniziens. La thèse critique selon laquelle l'espace n'est qu'une forme de la sensibilité n'était pas encore avancée.
29. *Cf.* M. Gardner, *op. cit.,* ch. XVII ; P. Remnant, « Incongruent counterparts and absolute space », *in* J. van Cleve et R. Frederick, *op. cit.,* p. 51-59 ; et J. van Cleve, *art. cit.,* p. 206-208.

LA THÉORIE PERSPECTIVALE DE L'IMAGINATION

On peut soumettre l'expérience de pensée kantienne à la critique suivante. Cette expérience embarrasse l'externalisme surtout lorsqu'elle implique l'imagination visuelle. La simple *supposition* de l'existence d'une main solitaire ne nous oblige pas à la déterminer comme gauche ou droite. En revanche, nous avons effectivement l'impression que, lorsque nous imaginons *visuellement* une main solitaire, nous ne pouvons pas nous empêcher de l'imaginer comme ayant une orientation propre déterminée. Mais peut-être soumettons-nous inconsciemment notre projet imaginatif à des conditions qui ne peuvent pas être remplies simultanément. En effet, nous importons de manière illégitime une expérience visuelle, et donc quelque observateur, *dans* la scène imaginée. Dans la mesure où nous ne pouvons pas imaginer *visuellement* une main dans un univers sans placer au moins implicitement quelque observateur en son sein, la main apparaîtra nécessairement comme étant ou bien une main gauche, ou bien une main droite. Il ne s'ensuit pas que l'orientation propre d'une main isolée dans l'univers soit déterminée.

Cette critique repose sur une théorie de l'imagination que l'on peut résumer par les deux thèses suivantes :

> B1 : Imaginer visuellement un F, c'est imaginer voir un F.
> B2 : Imaginer voir un F implique que la scène imaginée contient quelque observateur.

On peut parler d'une théorie « berkeleyenne » de l'imagination, dans la mesure où elle implique la thèse, défendue par Berkeley dans le *Premier Dialogue entre Hylas et Philonous*, selon laquelle on ne peut pas imaginer visuellement un arbre que personne ne voit. Ce qui est en question ici n'est pas la conclusion métaphysique que Berkeley croyait pouvoir tirer de cette théorie, à savoir l'immatérialisme, mais sa légitimité en tant que théorie de l'imagination. Selon cette théorie, imaginer visuellement un arbre ne consiste pas seulement à imaginer à quoi ressemble un arbre. L'imagination visuelle a également pour *objet* l'expérience visuelle de l'arbre. Cette expérience fait partie intégrante de la scène imaginée, au même titre que l'arbre lui-même, ce qui rend la scène imaginée incompatible avec l'hypothèse selon laquelle l'arbre n'est vu par personne.

La théorie berkeleyenne de l'imagination n'identifie pas nécessairement le fait d'imaginer visuellement un arbre au fait de s'imaginer *soi-même* voyant un arbre. Si toute expérience visuelle est l'expérience d'un sujet voyant, l'identité de ce dernier n'est pas nécessairement représentée dans la scène imaginée. L'expérience imaginée peut être la sienne, mais aussi celle de quelqu'un d'autre, ou d'un observateur invisible. C'est ainsi que je peux imaginer me voir « de l'extérieur », en troisième personne, ou, comme Moritz Schlick, visualiser mes propres funérailles.

B1 n'est pas ici en question ; cette thèse est nécessaire pour distinguer l'imagination visuelle de la supposition, qui est une forme non sensorielle d'imagination. En revanche, B2 est plus controversée. Bernard Williams l'a contestée dans un essai célèbre :

> [M]ême si visualiser, c'est en un sens penser à soi-même en train de voir, et si ce qui est visualisé est présenté pour ainsi dire à partir d'un point de vue perceptif, il n'y a aucune raison de maintenir que le point de vue est celui de quelqu'un qui se trouverait *dans* le monde de ce qui est visualisé, pas plus que notre point de vue sur Othello [au théâtre] n'est occupé par quelqu'un qui se trouverait dans le contexte d'Othello, ou que le point de vue cinématographique n'est nécessairement celui de quelqu'un qui se faufilerait entre les personnages. Nous pouvons même visualiser ce qui n'est pas vu[30].

Indépendamment de l'analogie entre d'un côté l'imagination et de l'autre le théâtre et le cinéma, qui est imparfaite[31], la thèse de Williams selon laquelle on peut imaginer visuellement ce qui n'est pas vu peut être défendue par des arguments tirés en partie de notre analyse de la perception.

Supposons que je sois en relation visuelle directe avec un arbre, de telle façon que je puisse former un jugement du type « Voici un arbre, en face (de moi) ». Ce jugement est en partie déictique (« voici » fait directement référence à l'arbre) et en partie égocentrique (« en face » fait référence à une région particulière de mon champ visuel). Comme nous l'avons vu, le contenu de mon expérience peut être *impersonnel* : ni l'identification déictique de l'arbre ni l'identification égocentrique de la région ne requièrent une représentation explicite du sujet ou des parties de son corps.

Lorsque j'imagine visuellement un arbre devant moi, je fais *comme si* j'en voyais un. Le contenu de mon acte d'imagination est étroitement lié au contenu d'une expérience visuelle possible. Or, si le contenu de cette dernière est impersonnel, il en va de même du contenu de mon acte

---

30. B. Williams, « Imagination and the Self », *in Problems of the Self*, Cambridge, Cambridge University Press, 1973, p. 17.

31. *Cf.* C. Peacocke, « Imagination, possibility and experience », *in* J. Foster et H. Robinson (éds), *Essays on Berkeley*, Oxford, Oxford University Press, 1985, qui défend la théorie berkeleyenne de l'imagination.

d'imagination. Lorsque j'imagine un arbre d'un certain point de vue, je n'ai pas besoin de m'imaginer, ou d'imaginer quelque autre sujet voyant, faisant face à l'arbre.

Dans le cas de la perception visuelle, il faut établir rigoureusement la distinction entre l'*expérience visuelle*, qui est un état psychologique, et les *activités corporelles* du sujet, qui sont nécessaires pour l'installer et le maintenir dans cet état. Je ne peux voir un arbre que si j'en garde la trace visuelle, ce qui implique l'exercice de diverses capacités sensori-motrices. Mon expérience visuelle est le *produit* de cet exercice, mais elle n'est pas elle-même l'une de mes activités.

Pour *voir* un arbre, il faut bien que je sois dans le même monde que lui, puisque mon expérience visuelle résulte d'activités concrètes qui me calent sur un objet déterminé. Toutefois, dès que l'objet de ma perception est fixé, il peut entrer dans le contenu de mon expérience visuelle indépendamment de ses relations spatiales avec moi. Par suite, l'imagination peut reprendre directement le contenu de mon expérience visuelle, sans devoir y inclure les activités qui sous-tendent son appréhension. Par exemple, je peux imaginer *cet arbre*, que je vois, dans un monde possible où personne ne le voit.

Notre expérience visuelle n'est pas seulement déictique mais égocentrique. L'imagination visuelle a donc également un contenu égocentrique. Certes, les représentations égocentriques sont dépendantes d'un point de vue. Mais elles ne le sont pas au sens où elles serviraient à identifier des *relations* entre les régions visées et des parties corporelles d'un observateur. Au contraire, elles servent à identifier immédiatement des régions qui, dans chaque contexte particulier, peuvent être indépendamment identifiées de manière déictique. Lorsque j'imagine visuellement un arbre dans une orientation relative déterminée, le point de vue n'est pas un *élément* de la scène imaginaire, qui pourrait entrer en relation spatiale avec les autres éléments imaginés. Si un point de vue dans la scène imaginaire peut être *déduit* du contenu égocentrique de mon acte d'imagination, il n'a pas besoin d'être occupé par quoi que ce soit.

Cette théorie de l'imagination, que j'appellerai « théorie perspectivale », est compatible avec l'analyse linguistique du verbe « imaginer » proposée par Zeno Vendler[32]. Celui-ci commence par faire observer qu'« imaginer » modifie un autre verbe qui n'apparaît pas toujours expli-

---

32. Dans le chapitre III de son livre *The Matter of Minds*, Oxford, Clarendon Press, 1984. En fait, il s'agit plutôt du verbe anglais correspondant, mais il me semble qu'une partie au moins de son analyse s'applique à notre langue.

citement dans l'énoncé, mais qui peut être lui-même modifié par des adverbes (ou autres modificateurs) de perspective :

> Imagine la bataille d'en haut
> Imagine cette statue de côté
> Imagine la musique venant de très loin.

Dans ces énoncés, les expressions « d'en haut », « de côté » et « venant de très loin » ne modifient pas le verbe « imaginer », mais un verbe implicite désignant quelque modalité sensorielle, principalement « voir » et « entendre ». Toutefois, tous les adverbes liés à la perception ne sont pas tolérés ; par exemple, les énoncés suivants sont malheureux :

> * Imagine cette statue fixement/distraitement/du coin de l'œil
> * Imagine la tour Eiffel avec des jumelles.

Les adverbes « fixement », « distraitement », « du coin de l'œil » et « avec des jumelles » conviennent mieux à des verbes qui expriment des *activités* perceptives, tels que « regarder », « observer » ou « contempler ». Vendler conclut à juste titre que, si l'imagination visuelle suppose toujours un point de vue, celui-ci n'est pas toujours publiquement observable ou représentable picturalement. Rembrandt a peint Aristote contemplant le buste d'Homère, mais il n'a pas peint Aristote ayant l'*expérience visuelle* d'Homère. De même, je peux vous imaginer observer la Lune, mais je ne peux pas vous imaginer *percevoir* la Lune.

On peut ainsi faire une différence entre imaginer visuellement un arbre et imaginer *observer* un arbre. Le premier projet, contrairement au second, n'implique pas l'imagination de sensations kinesthésiques, et n'introduit pas forcément le sujet dans la scène imaginée. L'imagination sensorielle, en tant que modification essentielle de la perception, est capable de porter sur une apparence visuelle sans mobiliser la moindre activité perceptive, même imaginaire[33].

Une conséquence de la théorie perspectivale de l'imagination est que l'expérience de pensée kantienne est cohérente. Imaginer visuellement une main gauche, c'est l'imaginer d'un certain point de vue. C'est par exemple, imaginer la paume devant, les doigts en haut et le pouce à

---

33. Vendler lui-même ne défendrait pas la théorie perspectivale car il entend préserver un élément de la théorie traditionnelle : à l'origine du point de vue imaginaire se trouve *quelque chose*, à savoir une expérience visuelle. Seulement, cette expérience n'a pas besoin d'être celle d'un sujet *incarné*. Sans pouvoir entrer dans les détails, il me semble que l'analyse de Vendler sous-estime la possibilité d'un contenu perspectival impersonnel, ou alors n'est qu'une variante notationnelle de la théorie perspectivale.

gauche. Des éléments perspectivaux figurent donc essentiellement dans le contenu de mon acte d'imagination. À l'évidence, imaginer une main gauche seule dans l'univers, c'est imaginer que les directions haut/bas, devant/derrière et gauche/droite sont fixées. Je ne peux pas imaginer *visuellement* une main seule dans un univers dans lequel ces directions ne sont pas fixées (je ne saurais pas *quoi* imaginer), bien que je puisse le *supposer*. Mais il ne n'ensuit pas que le point de vue en question soit lui-même occupé par quelque observateur, même fantomatique. L'expérience de pensée de Kant décrit donc un monde possible pour nous : un monde contenant une main qui, d'un certain point de vue, a l'apparence d'une main gauche, et rien d'autre.

CONSÉQUENCES MÉTAPHYSIQUES

Quelles sont les conséquences de la théorie perspectivale de l'imagination en ce qui concerne la nature métaphysique des répliques énantiomorphes ?

Tout d'abord, l'expérience de pensée kantienne ne peut pas être utilisée comme un argument indépendant en faveur de l'absolutisme, ou plus précisément de la thèse selon laquelle l'espace accessible à la perception est intrinsèquement orienté autour d'un point de vue. Le contenu perspectival de l'imagination introduit dans la scène imaginaire une *manière* de différencier des régions et des directions spatiales dont l'existence, dans cette scène, ne doit rien à un quelconque point de vue. Sans l'introduction de ces modes de présentation égocentriques, l'objet imaginé pourrait quand même être décrit, notamment en termes déictiques, mais son orientation propre serait laissée ouverte.

La cohérence de l'expérience de pensée kantienne a-t-elle des implications antiexternalistes ? L'une des thèses centrales de l'externalisme est qu'une main isolée dans l'univers n'a pas d'orientation propre déterminée. Selon la théorie perspectivale de l'imagination, imaginer visuellement une main gauche isolée dans l'univers est différent d'imaginer visuellement une main droite isolée dans l'univers. Mais il ne s'ensuit pas que l'on ait imaginé deux mondes différents. Il pourrait s'agir du même monde, présenté différemment dans l'imagination. L'imagination visuelle laisse ouverte cette possibilité ; l'externalisme la défend comme une nécessité.

En revanche, il ne semble pas requis d'introduire un autre objet asymétrique dans l'espace pour parler de l'orientation propre *apparente* d'une main isolée. Car l'orientation propre apparaît d'un point de vue qui peut rester virtuel. L'expérience de pensée kantienne est toutefois compatible avec une version modérée de l'externalisme, selon laquelle l'orientation propre se réduit à l'orientation relative à un point de vue, occupé ou non. Introduire un point de vue dans la scène imaginaire revient à définir arbitrairement un espace local dans lequel un ensemble de déplacements rigides de la main est possible. C'est par référence à cet ensemble que la main présente, dans l'imagination, une orientation propre déterminée.

Dans cet essai, j'ai examiné deux sources possibles de dépendance de notre conception de l'espace par rapport à l'expérience et à l'imagination sensorielles. S'il y a bien une forme de dépendance dans les deux cas, elle est épistémique plutôt qu'ontologique. Nous n'avons trouvé aucune raison de penser que notre conception spontanée de l'espace est celle d'un espace absolu, ou essentiellement lié à la subjectivité. Ni la circularité apparente de notre conception de l'espace, ni la difficulté que nous avons à décrire, sans recourir à l'expérience, la différence entre un objet et sa réplique énantiomorphe ne nous obligent à renoncer à la notion d'un espace objectif, indépendant de notre expérience.

Stratégies cognitives et mémoire spatiale

par ALAIN BERTHOZ

Nous sortons d'une période de l'histoire de la pensée dominée par les théories formalistes, et des théories dans lesquelles on attribue au langage et au raisonnement logique une place prépondérante dans les processus de la cognition. On y a oublié le corps sensible et l'action, ou plutôt l'acte. Des tentatives récentes que j'ai désignées comme « crypto-dualistes » ont essayé d'utiliser le fait que le cerveau est une machine biologique projective qui simule l'action et le monde pour réintroduire le concept de « représentation » si élégamment dénoncé par Merleau-Ponty par exemple. D'autres essaient de réintégrer une approche « sensori-motrice » sans saisir dans sa plénitude la signification profonde de la notion d'action qui est échange et construction profonde du monde à partir des intentions du sujet vivant. J'ai analysé (Berthoz, 1997) les limites de ces conceptions et j'ai proposé une théorie du cerveau simulateur et émulateur dans laquelle l'action, ou plutôt l'acte, joue un rôle essentiel. J'ai récemment introduit le concept de décision, propriété générale du système nerveux (Berthoz, 2003), dans cette analyse, réintégrant la place fondamentale du choix, de l'intention et de l'émotion.

L'analyse de la notion d'espace et des manipulations mentales auxquelles notre interaction avec l'environnement nous conduit est un modèle intéressant pour aborder la discussion sur ce sujet. On a en effet décrit, depuis les auteurs grecs présocratiques, l'intérêt de l'utilisation mentale de l'espace pour mémoriser les objets, les mots, les événements et même les concepts, ou des textes comme la Bible. Cette méthode « mnémotechnique » consiste à les ranger mentalement dans des villes, des palais, des maisons, ou parfois à les disposer sur des échelles ou dans des pots comme un apothicaire (Yates, 1984). Cet art de la mémoire (*Ars memoriae*) a été étudié par Mary Carruthers (2002) qui a proposé l'idée que l'espace des palais mentaux n'est pas seulement utile pour stocker des souvenirs, des faits et des concepts, mais aussi pour les combiner, et qu'il est donc un des mécanismes puissants de l'innovation et de la création. La perception de l'espace et la navigation mentale dans des espaces construits par le cerveau en fonction de l'expérience vécue sont donc un des fondements des processus cognitifs.

Les représentations internes de l'espace sont donc utilisées par la mémoire, et la récupération des données stockées dans les palais mentaux s'effectue grâce à une véritable navigation mentale. Les règles de fonctionnement cognitif de ces opérations sont sans doute les mêmes que celles de la navigation mentale que nous faisons lorsque nous essayons de retrouver un trajet. Pour effectuer cette interaction entre la mémoire et l'espace, le cerveau peut utiliser différentes stratégies cognitives (Tolman, 1948, 1949 ; Garling, 1982 ; Allen, 1978). On trouvera des résumés de la littérature dans les ouvrages de Kosslyn, 1980 et 1993 ; Denis, 1989 ; Golledge, 1999 ; Burgess *et al.*, 1999. Par exemple, nous pouvons nous rappeler une route que nous avons parcourue de la porte d'un hôtel à une salle de conférences, ou de notre maison à notre bureau, de plusieurs façons.

La première de ces stratégies cognitives peut être appelée *la stratégie de route*. Elle consiste à se souvenir des mouvements, des tournants, des translations que nous avons effectués et à les associer à des repères visuels que nous avons remarqués. C'est pour cela que je l'ai nommée « kinesthésique » car elle inclut la mémoire des « kinesthèses » au sens où, par exemple, Husserl emploie ce terme. Elle est « épisodique » car elle peut aussi comprendre des épisodes complexes comme la rencontre d'une personne, un événement inattendu, etc. Elle est fondamentalement « égocentrée » ; le point de vue de l'analyse du monde est « à la première personne ».

Une deuxième stratégie cognitive pour se rappeler un trajet a été appelée par les psychologues qui l'ont étudiée « stratégie de survol ». Elle consiste à évoquer une carte de l'environnement vue de dessus et à suivre notre trajet sur cette « carte mentale ». La stratégie de survol, qui consiste à visualiser une carte, ou à en faire une description propositionnelle, est utilisée en particulier lorsque nous cherchons à nous souvenir de grandes distances. Elle a été étudiée par l'imagerie (Mellet *et al.*, 1995). Cette stratégie est appelée « allocentrique ». Dans le cas de la présence d'autres personnes dans la scène à mémoriser, elle peut impliquer l'usage de la « 3ᵉ personne », c'est-à-dire la prise en compte du point de vue d'agents dans le monde.

Une troisième stratégie a été décrite (Thorndyke et Hays Roth, 1982) lorsque, par exemple, nous essayons de nous rappeler où est le bureau d'un de nos collègues dans un bâtiment. Dans ce cas, le cerveau construit une image d'une maquette du bâtiment.

De nombreux auteurs ont élaboré des classifications de ces stratégies mentales. Par exemple, Touresky et Redish (1996) ont proposé de diviser les stratégies de navigation en quatre sortes : les deux précédentes (route et carte), plus deux autres qu'ils appellent *la navigation par « taxons »* (il s'agit de l'approche directe d'un but ou de l'évitement d'un obstacle : c'est la plus primitive des navigations) et *la navigation « praxique »* qui serait une navigation purement endogène due à une séquence de mouvements programmés en interne (peut-être la trajectoire d'une ballerine sur la scène serait-elle un exemple de cette navigation). Ils ont proposé une synthèse de cette théorie dans le livre de Burgess *et al.* (1999) cité plus haut. Nous avons (Trullier *et al.*, 1997) aussi proposé une classification des différentes sortes de navigation en quatre catégories, de la plus simple et « égocentrée » à la plus complexe qui exige des changements de point de vue. On trouvera aussi dans les travaux de Tversky (2001) et de Denis de nombreuses analyses de ces stratégies et de leurs relations avec le langage.

La stratégie de route

Considérons d'abord la stratégie que nous avons appelée de « route ». Cette stratégie est très importante à de nombreux égards. Par exemple, le mathématicien Henri Poincaré a proposé l'hypothèse que cette simulation mentale de nos déplacements dans l'espace intervient dans les fondations de la géométrie. Il écrit : « Localiser un point dans l'espace, c'est simplement se représenter le mouvement qu'il faut faire pour l'atteindre. » Il précise que nous nous représentons les « sensations musculaires » qui sont associées avec ce mouvement (Poincaré, 1970). Pour lui, les fondements de la géométrie sont à découvrir dans les mécanismes biologiques de l'action. Einstein a approuvé cette théorie qui a été critiquée par des logiciens comme Hilbert et les théoriciens de la logique formelle qui ont dominé les mathématiques dans les quelques dernières décennies. Nous devons réhabiliter les idées de Poincaré et d'Einstein, et réintroduire le corps en action dans les théories concernant la mémoire de l'espace. Il faut substituer une théorie dynamique basée sur la mémoire de l'action à des théories où domine l'idée que le cerveau ne travaille que dans un univers d'abstraction cartésien déconnecté du corps sensible. Cette idée a été développée dans mon cours au Collège de France en 1997 et 1998. (Les résumés de ces cours figurent dans l'Annuaire du Collège de France.)

C'est aussi la première stratégie utilisée par l'enfant avant qu'il puisse raisonner sur des cartes. Ce primat de l'égocentrisme sur la capacité de construire des cartes en utilisant la géométrie euclidienne est sans doute lié au développement du cerveau. Les premiers réseaux de neurones qui se développent sont les réseaux pariéto-frontaux. Ce sont eux qui sont activés dans des tâches égocentrées (voir ci-dessous). La manipulation mentale des cartes, qui est allocentrée, exige le développement des réseaux du lobe temporal et du cortex préfrontal qui n'arrivent à maturité que tardivement. On peut ainsi supposer que la capacité pour l'enfant de s'imaginer dans le miroir est liée à la capacité de s'imaginer d'un point de vue allocentré.

Notre équipe a essayé de mettre au point de nouveaux paradigmes pour étudier chez l'homme les mécanismes de la mémoire des trajets et du guidage de la locomotion par des simulations mentales de la navigation. Nous donnerons ci dessous quelques exemples de ces travaux. Nous insisterons surtout sur la stratégie égocentrée de route.

LA MÉMOIRE DES TRAJETS UTILISE LA PERCEPTION VESTIBULAIRE : LE CERVEAU ET LE THÉORÈME DE PYTHAGORE

Avant de considérer les mécanismes de la kinesthésie dans la mémoire des trajets, il est important de se demander si, par exemple, le cerveau peut vraiment utiliser les informations des sens pour mémoriser des déplacements. On sait que les informations proprioceptives peuvent être mémorisées et que, dans le cas de trajets rectilignes, elles peuvent conduire à une navigation assez précise (Mittelstaedt *et al.*, 1992). Toutefois, il n'est pas évident que les informations vestibulaires peuvent être mémorisées et utilisées pour guider une reproduction de trajet ou un acte de pointage oculomoteur ou manuel. Cela a été démontré par plusieurs expériences que je résumerai rapidement ici.

Le cerveau peut utiliser les informations vestibulaires de rotation données par les canaux semi-circulaires pour la mémoire des trajets. Nous avons aussi montré que cette mémoire des rotations peut guider des mouvements des yeux vers des cibles dont la position est mémorisée. Des patients ayant des lésions corticales du cortex vestibulaire et du cortex frontal et préfrontal montrent des déficits dans cette tâche de « saccades vestibulaires mémorisées » (Israël *et al.*, 1991, 1993, 1995). Les informations vestibulaires de translation détectées par les otolithes peuvent aussi être utilisées par le cerveau pour la mémoire des déplacements (Israël *et al.*, 1989 ; Berthoz, 1995). Par exemple, nous avons utilisé un robot mobile sur lequel le sujet pouvait être soumis à des translations passives (figure 1).

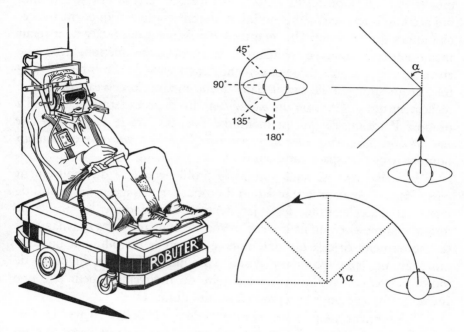

Figure 1 – *Robot mobile sur lequel les sujets peuvent être soit déplacés passivement dans le noir suivant différents types de trajectoires (rotations, translations, demi-cercles, etc.), soit reproduire le trajet qu'ils ont perçu avec un* manipulandum *qui contrôle la direction et la vitesse du robot.*

Les sujets pouvaient ensuite prendre le contrôle du robot et induire son déplacement en variant la vitesse. Ils étaient assis sur le robot les yeux fermés, par conséquent sans aucun indice visuel concernant leur mouvement. Le robot se déplaçait de quelques mètres vers l'avant (5 à 10 m), distance appelée « distance imposée ». Après quelques secondes d'arrêt du robot, le sujet devait à son tour lui imposer un déplacement vers l'avant d'une *distance* égale à celle qu'il avait parcourue pendant le déplacement imposé. La seule information disponible pour le sujet concernant cette distance devait avoir été dérivée de la mesure de l'accélération du robot par les capteurs vestibulaires (otolithes) puisqu'il était dans le noir complet et n'avait aucune information visuelle. En effet, nous avons vérifié que l'évaluation du temps de parcours n'était pas indispensable (par exemple en imposant plusieurs distances lors de parcours d'une même durée). La reproduction de la distance fut très précise.

Le cerveau peut donc évaluer, à partir de l'accélération linéaire, une grandeur qui permet cette reproduction de la distance. L'explication la plus triviale de ce processus est qu'il y a dans le cerveau des mécanismes qui accomplissent cette « intégration », au sens mathématique, entre accélération et déplacement. Une grandeur représentant le déplacement serait mémorisée et comparée, pendant la tâche de reproduction, avec une autre mesure intégrée du déplacement détectée par les otolithes. Toutefois, la question est de savoir dans quelle mesure le cerveau mémorise réellement des *distances* ou un *mouvement*. En d'autres termes, comme l'a proposé Poincaré, ce qui est mémorisé est peut-être le *mouvement que nous devons faire pour aller d'un point de l'espace à un autre* et non un nombre dans un espace cartésien.

Effectivement, si nous varions le profil de vitesse du mouvement passif imposé pendant la translation du robot (en changeant les profils de vitesse et d'accélération), les sujets tendent à reproduire les profils de vitesse comme si ce qu'ils avaient mémorisé était un *pattern* dynamique de mouvement. Si cela est vrai, alors le fait qu'ils reproduisent une distance est un effet secondaire d'une reproduction précise du profil de vitesse. Dans ces conditions, la mémoire du mouvement peut être une mémoire cruciale pour la reproduction des distances.

Récemment, nous avons montré (Nico *et al.*, 2002) qu'avec les seules informations vestibulaires dans un trajet triangulaire passif sur un robot mobile le cerveau peut résoudre le théorème de Pythagore. L'expérience consistait à asseoir les sujets sur un robot mobile et à leur faire subir, dans le noir d'abord, une translation, puis une rotation à 90 degrés, puis une nouvelle translation. À la fin de ce trajet, on effectuait une nouvelle rotation pour amener le sujet à faire face au point de départ et on lui demandait avec son *manipulandum* de guider le robot en ligne droite dans le noir pour retourner au point de départ. Pour connaître la distance ainsi parcourue, le cerveau a deux solutions. La première est de résoudre le théorème de Pythagore puisqu'il n'a connaissance que des deux côtés du triangle rectangle et qu'on lui demande de calculer l'hypothénuse. L'autre solution est d'avoir une connaissance « allocentrique » de sa place dans la pièce. Notre expérience a montré que les sujets peuvent faire cette tâche, mais elle ne permet pas de distinguer entre stratégie égocentrée et stratégie allocentrée.

LA SIMULATION MENTALE DES TRAJETS

Lorsque nous nous déplaçons dans un environnement, la vision nous donne une succession plus ou moins continue de vues de cet environnement. La mémoire des trajets exige un liage perceptif entre ces différents points de vue. Cette question de la manipulation mentale des points de vue est accessible à l'étude expérimentale (Reiser, 1989), mais peu de données existent sur les processus mentaux qui les sous-tendent. Le cerveau peut réactualiser de façon très précise les cartes mentales d'un environnement visuel lors de la locomotion (Thompson, 1983). Plusieurs théories ont été proposées pour expliquer cette capacité. On peut imaginer que le sujet possède une carte mentale comme une carte de géographie et que lors de la locomotion le cerveau procède à une réactualisation de la position du corps sur cette carte. On peut également imaginer que le cerveau ne fonctionne pas du tout avec une représentation métrique. La littérature de psychologie cognitive montre que les sujets utilisent des stratégies complètement différentes. Certains sujets dits « visuels » semblent effectivement reconstituer une image de la pièce dans laquelle ils évoluent et, d'une façon encore mystérieuse, parviennent à réactualiser la position de leur corps par rapport à cette image. Ces sujets ont tendance à incliner la tête vers la cible, comme s'ils la regardaient. D'autres sujets n'ont pas du tout cette stratégie et semblent utiliser des informations kinesthésiques ou des informations liées à la commande motrice. Il est intéressant, pour le physiologiste, de chercher laquelle de ces trois sortes d'informations est utilisée.

Nous avons établi (Amorim *et al.*, 1997) qu'il y a deux mécanismes possibles qui nous permettent de réactualiser mentalement la position et l'apparence d'un objet dans l'espace pendant la locomotion. Considérons par exemple une personne qui marche dans une pièce, les yeux fermés, et qui essaie de se souvenir d'un objet dans la pièce pour en mémoriser l'orientation, la position et la forme (figure 2).

C'est la « locomotion aveugle ». Le cerveau peut adopter deux tactiques pour garder en mémoire l'orientation de l'objet à la fois par rapport à son propre corps et par rapport à l'environnement. L'une, la stratégie « séquentielle », consiste à se concentrer, pendant la marche, sur les mouvements du corps et, une fois arrivé à destination, à la fin de la trajectoire, à effectuer mentalement la réactualisation de la position, de l'orientation et de la forme de l'objet. Mais le sujet peut aussi effectuer la réactualisation des propriétés de l'objet de façon continue pendant la marche : c'est la stratégie « continue ». Ces deux stratégies cognitives sont

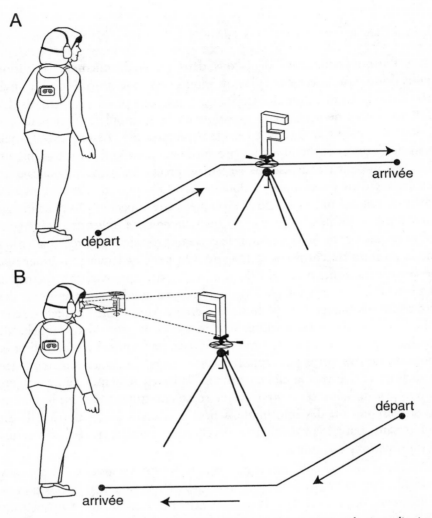

Figure 2 – *Dispositif expérimental pour l'étude des stratégies cognitives de réactualisation de la direction d'un objet dans l'environnement pendant la locomotion. (D'après Amorim, Glasauer, Corpinot et Berthoz, 1997.)*

toutes deux du type « égocentrées » en ce sens qu'elles réfèrent l'objet extérieur par rapport au corps propre du sujet, mais elles diffèrent par l'ordre dans lequel sont effectuées les opérations mentales. Il est donc clair que, pendant la locomotion aveugle, le cerveau utilise une simulation mentale des relations avec l'environnement pour guider la locomotion. Cela a plusieurs conséquences que nous allons brièvement décrire.

Mais le guidage de la locomotion n'est pas seulement accompli par un contrôle sensoriel. J'ai proposé l'idée que c'est une véritable simulation interne de la trajectoire qui guide la marche. Si réellement le cerveau génère ainsi mentalement une trajectoire, je pense qu'il doit avoir trouvé des mécanismes qui simplifient ce travail complexe. Je propose les hypothèses suivantes :

1. C'est le caractère global de la trajectoire qui est contrôlé et non chaque muscle ou groupe de muscle séparément. Cela correspond à ce qui a été proposé pour les mouvements du bras.

2. La planification de la trajectoire est faite avec une dissociation entre grandes variables cinématiques (distance, direction, rotations, translations...) ; la manipulation mentale des trajets est donc un des mécanismes qui sont au fondement de la géométrie euclidienne.

3. Il y a une grande similarité entre les lois du mouvement naturel pour le bras et celles du mouvement naturel pour la locomotion.

Cette théorie est confirmée par des données expérimentales. Il est possible en effet, grâce à des caméras reliées à un ordinateur, d'obtenir en trois dimensions les déplacements des différents segments du corps et ensuite d'en dériver des paramètres de vitesse, d'accélération et de distance (figure 3).

Cette méthode a permis de découvrir qu'au cours de la marche la tête est stabilisée dans l'espace de façon remarquable en rotation (Berthoz et Pozzo, 1998 ; Pozzo et Berthoz, 1990). Cette stabilisation de la tête permet précisément de simplifier le traitement des informations vestibulaires et visuelles de déplacement.

Lorsque nous tournons autour d'un coin, la tête anticipe et va en quelque sorte diriger le corps dans la nouvelle direction (Grasso *et al.*, 1998). Cette propriété reste conservée même dans le noir. Cette avance de phase de la direction de la tête par rapport à la trajectoire du corps a été montrée en mesurant la vitesse tangentielle de la tête le long de la trajectoire. Cela est pour nous l'indice que, dans le guidage de cette locomotion, pendant cette tâche mémorisée, le cerveau ne se contente pas en quelque sorte de suivre les pieds, mais la locomotion est guidée par une simulation interne de la trajectoire. C'est cette poursuite de la trajectoire qui entraîne, pensons-nous, une orientation de la direction du regard vers la nouvelle direction attendue (il y a prédiction). C'est la direction du regard qui guide la locomotion, et c'est une poursuite interne d'une trajectoire mentale qui guide le regard. Chez le jeune enfant, cette anticipation par le regard et la tête apparaît entre 3 et 8 ans.

Il semble qu'il y ait une dissociation entre le contrôle de la distance et celui de la direction. La lésion des capteurs vestibulaires (Assaiante *et al.*, 1990 ; Glasauer, 1993) ne modifie pas ce pointage locomoteur balistique, mais modifie par contre la capacité de contrôler l'orientation du

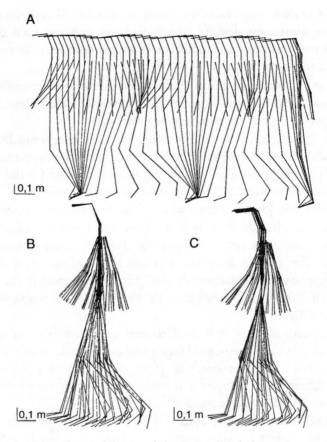

Figure 3 – *Stabilisation de la tête pendant la locomotion.*
(D'après Berthoz et Pozzo, 1988.)

corps dans l'espace. Chez les patients présentant des lésions labyrinthi-
ques bilatérales, la réalisation de la tâche les yeux fermés ne présente pas
de déficit pour le premier segment, la première rotation s'effectue bien
(Berthoz *et al.*, 1999 ; Glasauer *et al.*, 2002). Par contre, un déficit
important de la deuxième orientation apparaît (lorsqu'il y a cumul des
directions).

   Une autre preuve de la dissociation entre le contrôle de la distance
et celui de la direction est donnée par la locomotion aveugle sur un cercle. On montre au sujet un cercle dessiné sur le sol, puis on lui demande
de reproduire la trajectoire en effectuant deux tours et de s'arrêter dans la
bonne direction. Le sujet devait en plus accomplir une tâche d'arithmétique mentale (compter à l'envers à partir de 200). Il est ensuite possible
de mesurer la performance en prenant des indices, comme la distance

totale parcourue, l'angle final de la tête par rapport à l'angle de départ et un indice important pour retrouver la capacité du cerveau à produire une trajectoire : le rayon moyen. Pendant ces tâches locomotrices, qu'elles soient effectuées dans la lumière ou dans l'obscurité, la tête anticipe d'environ 300 ms sur le mouvement du corps. Chez les patients ayant des lésions vestibulaires (Takei *et al.*, 1997), on constate une segmentation de la trajectoire en petits éléments. Mais surtout les résultats suggèrent qu'il existe bien une dissociation entre le contrôle de la distance et le contrôle de la direction (la distance peut être correcte, mais non la direction par exemple), car les patients ayant des lésions vestibulaires bilatérales peuvent reproduire la distance (leur système somatique de contrôle du pas qui met en œuvre les membres inférieurs est intact), mais ils perdent l'orientation.

Par conséquent, le cerveau utilise les informations vestibulaires pour construire une représentation interne des mouvements du corps pendant la marche. Ceux qui ont nié le rôle du système vestibulaire dans la navigation (voir la revue récente de Burgess *et al.*, 2002, dans *Neuron*) n'ont pas compris que les informations vestibulaires sont utilisées pour construire cette simulation mentale dynamique du trajet désiré qui peut être mémorisée et réutilisée pour le guidage de la marche. La mémoire des trajets peut donc utiliser les kinesthèses dans un mécanisme cognitif de haut niveau qui guide l'exécution de l'action à partir d'une mémoire des mouvements. Mais nous devons encore comprendre les mécanismes neuronaux de cette remarquable propriété.

LA GESTION MENTALE DES CONFLITS SENSORIELS : PONDÉRATION OU DÉCISION ?

Pour comprendre les mécanismes de la mémoire des routes, et en particulier la contribution des informations sensorielles, il est indispensable de disposer d'un paradigme qui permette de manipuler séparément ces indices dans des tâches de navigation. Or cela est très difficile à faire dans la navigation réelle. Nous avons récemment élaboré un nouveau paradigme (Viaud Delmon, thèse 1998 ; Lambrey *et al.*, 2003a et b) destiné à accomplir plusieurs objectifs :

— permettre de tester la mémoire des trajets pendant des tâches de navigation et poser la question de la nature des informations qui sont mémorisées ;

— permettre la dissociation des informations kinesthésiques et de décharge corollaire pour pouvoir varier leurs poids respectifs et créer éventuellement des conflits ;

— permettre d'observer l'effet de l'adaptation au conflit sur la mémorisation de l'espace parcouru ;

— enfin, donner au sujet une tâche active de navigation qui mette en jeu les circuits qui construisent la cognition spatiale (figures 4A et B).

Les sujets étaient assis sur une chaise tournante (une simple chaise qui pouvait tourner sur elle-même sous l'impulsion des pieds du sujet). Ils étaient soumis à deux situations différentes. La première situation est une condition de « navigation virtuelle » : des images visuelles d'un couloir comprenant plusieurs segments rectilignes joints par des angles étaient présentées dans un casque de réalité virtuelle dont le champ monoculaire était d'environ 50 degrés par 40 degrés. L'ordinateur imposait aux images dans le casque un mouvement de translation à vitesse

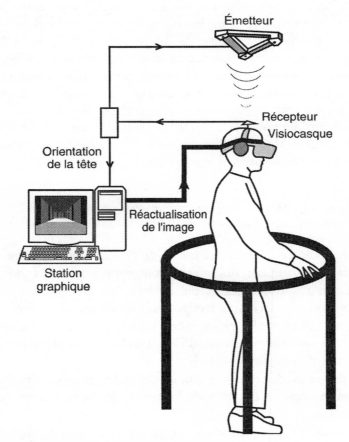

Figure 4A – *Dispositif pour la « navigation virtuelle ».*
(D'après Viaud Delmon, Lambrey et Berthoz.)

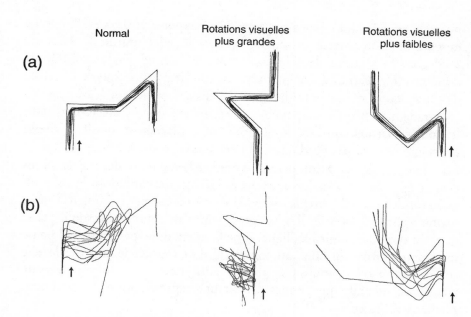

Figure 4B – *Trajectoires obtenues pendant la navigation et pendant la reproduction du trajet virtuel dans lequel les translations sont imposées par l'ordinateur dans le monde virtuel, et les rotations sont effectuées par le sujet dans le monde réel.*

constante dans le couloir virtuel correspondant à une vitesse de locomotion normale. Le sujet était donc soumis à une translation visuelle passive dans le couloir virtuel, mais la rotation de sa trajectoire dans le couloir virtuel était active. La rotation horizontale de la tête du sujet était mesurée par un système à ultrasons qui pouvait modifier l'image du couloir dans le casque de réalité virtuelle. Par exemple, si, lorsqu'il arrivait dans le couloir virtuel à l'extrémité d'une branche rectiligne du couloir, le sujet ne faisait rien avec son corps, il heurtait le mur. Pour tourner dans le monde virtuel, il *fallait qu'il tourne dans le monde réel* sur sa chaise. Nous avons testé les sujets dans deux conditions : sujet assis et debout. Dans ce dernier cas, les sujets devaient tourner leur corps pour effectuer la rotation. Il s'agit donc d'une « locomotion virtuelle », assise ou debout, dans laquelle seules les rotations sont réelles.

L'avantage de ce dispositif est que l'on peut modifier les relations entre le monde virtuel (visuel) et le monde réel (la rotation sur la chaise ou le corps debout). Par exemple, pour tourner de 90 degrés dans le monde virtuel, le sujet peut être obligé de tourner de 120 degrés dans le monde réel. Cela permet de briser la cohérence des traitements des informations visuelles, somatiques et vestibulaires. Le rapport est donc normalement 1. Nous avons employé deux rapports de 0,66 et de 1,5. Le rapport de 0,66 correspond au fait que, si le sujet tourne la chaise de 90 degrés, la rotation dans le couloir virtuel est de 59,4 degrés. Il est donc possible d'étudier l'adaptation à ce conflit pour découvrir la nature de l'interaction qui se produira entre les deux « mondes ». L'avantage de ce paradigme est qu'il est possible de construire une « trajectoire », dans le couloir virtuel, qui est la somme du déplacement passif à vitesse constante imposé par l'ordinateur et des rotations du sujet.

La seconde condition permet d'étudier la mémoire des trajets. Nous l'avons appelée « navigation mentale ». Dans cette condition, le sujet est assis, ou debout, et ferme les yeux. Il doit mentalement simuler la navigation visuelle à laquelle il a été précédemment soumis. Lorsqu'il pense qu'il est dans le couloir rectiligne, il ne bougera donc pas ; lorsqu'il pense qu'il doit tourner au bout du couloir, il doit tourner le corps et la tête sur sa chaise ou debout. On obtient ainsi une « trajectoire » de cette navigation mentale qui permet d'avoir une représentation des processus mentaux du sujet.

Les sujets accomplissent la tâche de navigation visuelle sans aucun problème aussi bien lorsque le gain est 1 que lorsqu'il y a conflit.

Cette expérience a donné plusieurs résultats remarquables.

D'abord, chez 53 sujets ayant subi la navigation avec un conflit (gain 0,66 ou 1,5), aucun sujet n'a été *conscient* de ce conflit. Cela est probablement dû au fait que les plages de rapports utilisées ne sont pas très au-dessus de la gamme des rapports qui sont compensés par des mécanismes sous-corticaux. Par exemple, lorsque nous mettons nos lunettes, il se produit un conflit entre la vision (car le mouvement du monde visuel est soudain plus rapide que d'habitude en raison du grossissement des verres) et le système vestibulaire. Cette différence est automatiquement compensée par des mécanismes cérébelleux.

Lorsqu'on demande aux sujets de reproduire, les yeux fermés, les angles de rotation qu'ils ont effectués dans la situation de navigation visuelle, on constate que les sujets reproduisent les mouvements qui ont été perçus par la modalité (visuelle ou kinesthésique) dont l'amplitude est la plus importante dans le rapport de gain entre vision et rotation du corps. Cela nous suggère que, dans le cas d'un conflit comme celui-ci, *le cerveau ne mémorise pas une combinaison pondérée des informations mais semble choisir, opérer une sélection, entre les deux principales sources d'information et attribuer une priorité à l'une d'entre elles,* celle dont l'amplitude est la plus élevée. Les meilleurs témoins de ce fait sont les dessins que réalisent les sujets après l'expérience. Cela montre bien que c'est l'une ou l'autre des informations qui est mémorisée, et non un mélange des deux.

Le cerveau semble prendre des décisions pour gérer des conflits (voir Berthoz, 2003).

Les conséquences de ces observations sont importantes pour comprendre les stratégies cognitives associées au contrôle de l'action. Le cerveau ne se contente pas de traiter passivement les informations des sens. Suivant le contexte et la tâche, il sélectionne et décide d'attribuer un rôle prépondérant à telle ou telle information. Cette hiérarchie de sélection dépendant du contexte et du but de l'action a été suggérée (Nashner et Berthoz, 1977) dans le cas de l'adaptation aux prismes (Melvill Jones et Berthoz, 1985) et de la compensation des déficits vestibulaires (Berthoz, 1985, 1989). Cette capacité de jouer sur un répertoire de stratégies est sans doute dépendante d'un jeu subtil entre l'inhibition et l'excitation dans le système nerveux central (Berthoz, 1996). Un système appartenant au répertoire sensori-moteur peut être choisi qui se substitue au système déficient. L'adaptation requiert une décision.

Un troisième résultat important de ces expériences concerne les caractéristiques de la trajectoire qui est mémorisée. Lorsqu'on demande au sujet de dessiner la trajectoire, on découvre que la précision de la reproduction sur un plan en coordonnées cartésiennes, donc sous forme d'une carte, n'est pas très bonne (bien que, dans le cas de conflit, elle reflète le choix entre mémorisation de la vision ou des perceptions somato-vestibulaires). Par contre, si on prend la dérivée de cette trajectoire, c'est-à-dire la vitesse angulaire des rotations du corps par exemple, cette vitesse varie en forme de cloche lorsque le sujet tourne sur sa chaise. Le résultat remarquable est la similarité des courbes ainsi obtenues lorsqu'on compare ces courbes pour la condition de navigation virtuelle visuelle et pour la navigation mentale dans le noir. Malgré de grandes variations d'un essai à l'autre, et d'un sujet à l'autre, la forme de ces courbes est très reproductible entre ces deux conditions de navigation. Cette ressemblance pourrait être due à une « mémoire motrice » de la rotation du corps (le sujet se rappellerait les commandes motrices qu'il a données pour tourner). Pour vérifier que cela n'est pas le cas, nous avons introduit entre la session de navigation visuelle et la reproduction mentale un changement de la raideur de la chaise tournante (dans le cas où le sujet est assis). Cela n'a pas modifié le résultat, et les deux courbes de vitesse pendant la navigation visuelle et la navigation mentale restent très proches.

Ces données nous suggèrent, une fois de plus, que le cerveau mémorise un aspect dynamique de la trajectoire, et pas seulement le déplacement d'un point sur une « carte cognitive ».

Ces études suggèrent l'existence d'une classe particulière de mémoire spatiale qui pourrait être appelée « mémoire topokinétique » ou

« topokinesthésique » (Berthoz, 1999) qui implique plusieurs structures du cerveau (le cortex pariétal, le cortex pariéto-insulaire ; l'insula ; le cortex cingulaire, la formation hippocampique, le cortex frontal dorso-latéral, etc.), et donc un système impliqué dans le processus de navigation active. Par mémoire topokinesthésique, nous voulons dire une mémoire du mouvement construite pendant la navigation et associée à une série d'événements ou de repères visuels. Il s'agit d'une mémoire motrice particulière qui met en relation des actions dans l'environnement et des indices sensibles, des configurations d'indices. Cette mémoire a un rapport avec la mémoire épisodique, mais concerne une séquence d'épisodes. C'est une mémoire épisodique séquentielle, un script rétroactif des relations entre le corps et le monde environnant. C'est une mémoire hautement cognitive qui ne peut pas se réduire aux informations des sens. Un des caractères les plus importants de cette mémoire est qu'elle concerne des événements auto-induits par une recherche active d'un environnement. Il est bien connu que les cellules de lieu de l'hippocampe et les cellules de direction de la tête ne construisent leurs propriétés que si l'animal explore activement l'environnement. Ce mécanisme contient par conséquent des secrets importants pour comprendre le rôle de l'activité et peut-être même de la conscience.

Bases neurales de la mémoire des trajets

DONNÉES DE LA NEUROPSYCHOLOGIE

La mémoire des déplacements est donc un processus mental complexe qui associe l'ensemble des souvenirs perceptifs et les souvenirs de nos actions.

On trouve dans les données de la neuropsychologie des indications intéressantes à ce sujet. Des dissociations claires entre les différentes stratégies ont été trouvées chez divers patients porteurs de lésions cérébrales. De nombreuses études ont montré des déficits de mémoire topographique, et une dissociation a été trouvée entre la capacité de reconnaître des repères familiers et celle de décrire des routes bien connues avec des repères (Whiteley, 1978 ; Gavrilov, 1996 ; Pallis, 1955 ; Paterson, 1994). Parfois, des patients peuvent décrire leurs routes et reconnaître des repères, mais se perdent quand même parce que les repères ne contiennent plus, pour eux, des informations de direction (Haecan et al., 1999). L'hippocampe n'est pas nécessairement la seule zone du cerveau impliquée dans ces déficits de la mémoire spatiale (Habib et Sirigu, 1987). Chez certains patients, les déficits de la mémoire topographique étaient associés à la lésion d'une structure du lobe temporal, le parahippocampe, et au subiculum, mais ne s'étendaient pas à l'hippocampe, ce qui rejoint les travaux récents de l'imagerie cérébrale. De plus, le patient R. B., qui avait une amnésie rétrograde sévère après la lésion de l'hippocampe, n'était pas perdu dans son voisinage (Zola-Morgan *et al.*, 1999).

Le patient étudié par Incisa della Rochetta, Cipolotti et Warrington (1996) avait des déficits sévères pour décrire des routes familières dans son environnement, mais aucune difficulté à identifier des pays d'après les cartes de leurs frontières et à nommer une ville dans un pays lorsqu'on l'identifiait par un point. La mémoire épisodique et la mémoire sémantique étaient atteintes chez ce patient. La suggestion est que ce patient avait un déficit spécifique pour la connaissance catégorielle d'objets inanimés (collines, bâtiments et autres objets). Il semble donc exister un codage spécifique des objets topographiques, distinct d'autres classes d'objets, et une séparation entre les objets qui demandent qu'on les atteigne par la locomotion et d'autres objets situés dans l'espace de préhension par exemple. Il est intéressant de remarquer que cette dissociation rappelle la distinction entre les diverses catégories d'espaces (personnel, extrapersonnel, environnemental) sur lesquelles neurologues et psychologues ont souvent insisté (voir à ce sujet Grüsser et Landis, 1991).

DONNÉES DE L'IMAGERIE CÉRÉBRALE

Pour étudier les bases neurales des stratégies de navigation mentale, deux expériences ont été réalisées (Ghaem *et al.*, 1997). La question abordée était la suivante : s'il y a réellement des mécanismes différents dans notre capacité à mémoriser les déplacements en utilisant une stratégie de type route et une stratégie de type carte, peut-être pourrions-nous observer chez l'homme l'activation de structures différentes lorsqu'on donne aux sujets ces deux types de tâches. Nous avons proposé d'abord une tâche de type route. Les sujets se promenaient à pied dans la ville d'Orsay sur un trajet inconnu, et on leur indiquait des repères visuels (station d'essence, porche, etc.). On leur demandait ensuite d'effectuer une locomotion mentale le long de ce trajet. Pour essayer de vérifier que ces sujets effectuaient bien une route mentale, nous avons utilisé des travaux montrant qu'il faut le même temps pour imaginer un déplacement que pour le réaliser effectivement. Dans de nombreuses tâches, il existe en effet une isochronie entre le déplacement effectué et le déplacement mental (Decety et Jeannerod, 1995 ; Decety et Michel, 1989 ; Decety *et al.*, 1989). La comparaison des données temporelles a été effectuée (il y a bien sûr une compression dans le temps, cette isochronie n'est pas valable pour toutes les distances).

Cette « locomotion mentale » a de nouveau été effectuée par le sujet enregistré par la caméra à émission de positons. Il lui était alors demandé de se rendre mentalement d'un point de repère à un autre le long du trajet qu'il avait mémorisé. Trois conditions ont été étudiées : repos, imagination simple des repères (tâche de mémoire visuelle), trajet mental. Les deux hippocampes, le gyrus cingulaire postérieur et des régions du gyrus temporal médian ainsi que du gyrus précentral ont été activés de façon significative. Le deuxième dépouillement a consisté à comparer les régions activées pendant la locomotion mentale à celles activées pendant le repos. Il y a plus de régions activées : le gyrus préfrontal dorso-latéral, des régions hippocampiques gauche et droite, le noyau précunéus situé dans le lobe pariétal, le gyrus cingulaire, l'AMS activée en association avec la préparation du mouvement, des régions du gyrus occipital, du gyrus fusiforme et des régions prémotrices.

On effectue ensuite une comparaison entre la condition de simulation mentale du trajet et la condition d'imagerie visuelle des repères. On constate cette fois que les régions actives sont l'hippocampe gauche, le précunéus et l'insula. Cette activation de l'hippocampe gauche est un peu surprenante, car une grande partie de la littérature attribuait plutôt à l'hippocampe droit son rôle dans les représentations de l'espace. Nous avons récemment montré que des patients ayant des lésions de l'hippocampe gauche ont des déficits dans le rappel des séquences des objets qu'ils rencontrent sur leur chemin (Lambrey *et al.*, 2003).

Cela suggère qu'au cours de l'évolution s'est produite une latéralisation des fonctions qui est connue pour le cortex cérébral. Le cortex gauche est impliqué dans le langage et dans les aspects catégoriels du traitement de l'espace, et le cortex droit plus particulièrement dans l'aspect global et euclidien de l'espace. De même, l'hippocampe droit pourrait être impliqué dans la perception et la mémoire allocentrique, et le cortex gauche dans l'aspect séquentiel du traitement de l'information. Toutefois, le rôle de l'hippocampe gauche reste encore à définir.

Le noyau précunéus est une structure intéressante. Il a été montré que cette zone, située au voisinage de l'aire 7 de Brodman, est activée dans plusieurs types de tâches. Il serait « l'œil de l'esprit » (*mind's eye*). Cette expression est due à Fletcher (1995). Ce noyau serait requis pour l'imagerie consciente visuelle, et serait fondamental pour l'évocation de souvenirs épisodiques impliquant une imagerie visuelle et non pas une imagerie sémantique. Il serait impliqué dans de nombreuses tâches visuo-spatiales : le traitement mental des attributs (caractéristiques visuelles et spatiales des objets) visuo-spatiaux, le traitement de l'attention spatiale lors de l'apprentissage, du rappel (à partir de la mémoire) ou de la reconnaissance de figures géométriques complexes, et enfin lors de l'imagerie visuelle et visuo-spatiale, lorsque nous imaginons des objets ou des lieux.

Le précunéus a été activé dans une autre expérience récente (Mellet *et al.*, 1995) en utilisant le paradigme de l'île de Kosslyn (paradigme de psychologie cognitive dans lequel les sujets doivent examiner, explorer soit visuellement, soit mentalement la carte d'une île). L'exploration visuelle de l'île a été comparée à l'exploration mentale. Pendant l'exploration visuelle, les auteurs ont trouvé une activation des aires visuelles primaires, des gyri occipitaux supérieur et inférieur, des gyri fusiforme et lingual, du cunéus et du précunéus, des gyri pariétaux supérieurs bilatéraux et des aires prémotrices. Pendant l'exploration mentale, seules quelques zones sont activées, comme le cortex occipital supérieur, l'AMS et le vermis cérébelleux.

Une seconde expérience a été menée sur l'exploration mentale d'une carte (Bricogne *et al.*, 1999). Cette fois, les sujets devaient imaginer mentalement une carte et accomplir plusieurs tâches reliant les repères entre eux, par exemple une exploration mentale de la carte de type allocentrique. Ces données, qui ont été résumées dans une méta-analyse qui compare aussi les aires activées par la navigation avec celles activées pendant des mouvements des yeux (Mellet *et al.*, 2000), suggèrent donc que la navigation mentale à l'aide de cartes et à l'aide de mémoire de routes utilise des réseaux du cerveau qui sont pour une part communs mais aussi différents. Par exemple, la stratégie allocentrique utilisant des cartes active le lobe temporal et particulièrement l'hippocampe. Des travaux semblables ont été menés récemment avec d'autres tâches de navigation qui éclairent ces mécanismes (Maguire *et al.*, 1997, 1998 ; O'Keefe *et al.*, 1998).

De façon très résumée, on peut aujourd'hui dire que la mémoire des trajets est réalisée par les réseaux suivants dans le cerveau. Un réseau pariéto-frontal, principalement à droite, est important pour la simulation mentale des trajets d'un point de vue égocentré. Il est connu que les patients souffrant de lésions du cortex pariétal droit (principalement) présentent le syndrome dit de négligence spatiale qui s'accompagne d'un décalage de la perception du droit devant. Nous avons montré (Vallar *et al.*, 1999 ; Galati *et al.*, 2001) que la perception égocentrique de l'axe sagittal du corps est associée à l'activation d'un système impliquant les aires du cortex pariétal postéro-inférieur et prémoteur frontal bilatérales, mais principalement dans l'hémisphère droit. Plus précisément, les aires activées étaient le gyrus occipital supérieur et le sillon précentral gauches, d'une part, le sillon intrapariétal, le gyrus angulaire et le gyrus frontal inférieur droits, d'autre part. Ces aires sont aussi connues pour être impliquées dans les lésions qui entraînent la « négligence spatiale ». Dans cette maladie, les patients souffrant de lésions du cortex pariétal droit négligent l'espace visuel gauche (négligence perceptive). Ceux qui ont des lésions du cortex frontal gauche ne peuvent manipuler les points de vue égocentrés, c'est-à-dire, par exemple, décrire une place dans une ville de différents points de vue (négligence imaginale ou représentationnelle). Le parahippocampe participe à ce réseau dans la mesure où le sujet doit analyser ou mémoriser des scènes de l'environnement.

Un réseau pariéto-temporal s'active lorsqu'il est nécessaire de construire une représentation allocentrée de type « survol ». L'hippocampe est une aire cruciale de ce réseau, principalement l'hippocampe droit. Cela correspond bien à la fonction générale du cerveau droit qui est impliqué dans les aspects globaux et spatiaux. L'hippocampe gauche semble impliqué dans l'ordonnancement séquentiel des événements et épisodes. Cela correspond bien, chez l'homme, à la fonction du cerveau gauche et au langage.

DIFFÉRENCE ENTRE LES SEXES

Les hommes et les femmes ne traitent pas l'espace perçu de la même façon. Cette idée avait déjà été avancée dans les années 1950 par Witkin : il avait placé des sujets dans une pièce dont les murs (mais non le sol) étaient inclinés et leur avait demandé d'indiquer la direction de la verticale gravitaire. Les femmes étaient plus « dépendantes du champ », c'est-à-dire qu'elles étaient plus influencées par leur vision de l'inclinaison de la pièce que les hommes. Depuis, de nombreux travaux ont confirmé cette différence et l'ont étendue à des tâches de navigation. Les femmes semblent préférer la stratégie de route pour décrire ou mémoriser un trajet. Elles manipulent moins les aspects allocentriques de l'espace. Elles s'adaptent différemment à des conflits sensoriels (Viaud Delmon *et al.*, 1997) et elles sont beaucoup plus susceptibles à l'anxiété spatiale (Viaud Delmon *et al.*, 1999).

L'imagerie cérébrale a révélé que les femmes utilisent plutôt le module pariéto-frontal égocentré dans des tâches de navigation (Grön *et al.*, 2000), alors que les hommes utilisent aussi le lobe temporal qui, nous l'avons vu, est sans doute le siège d'opérations allocentrées. Si cette découverte est confirmée, elle a des conséquences majeures sur le problème de la pédagogie en mathématiques, mais peut-être aussi sur la différence entre les hommes et les femmes dans la compréhension et l'appréhension du monde perçu, et peut-être aussi vécu.

Données de la neurophysiologie chez l'animal :
ségrégation du codage des rotations, de la direction et de la position de la tête dans l'espace

Dans ce qui précède, nous avons analysé les propriétés de la stratégie de route et l'avons brièvement comparée avec la stratégie de survol. Les données récentes de la neurophysiologie suggèrent une ségrégation des systèmes neuronaux qui traitent des informations sur les mouvements de la tête pendant la navigation. Trois systèmes, à la fois distincts et en interaction, ont été découverts à ce jour. Ils concernent respectivement le codage des rotations, de la direction et des lieux ou de la position.

Ce principe de ségrégation des variables semble un des fondements de l'organisation des bases neurales de la perception des déplacements. La similarité entre ces variables et celles qui ont été inventées par les géomètres suggère que la géométrie reflète peut-être ces mécanismes cérébraux. D'où l'idée que j'ai proposée dans mon cours au Collège de France d'un ancrage des concepts de la géométrie dans les mécanismes des relations perception-action.

CODAGE DES ROTATIONS

Les rotations de la tête mesurées par le système vestibulaire sont transmises aux noyaux vestibulaires où elles sont combinées avec les informations sur le mouvement visuel données par le système optique accessoire. Nous savons maintenant qu'une voie conduit ces informations vers le cortex cérébral à travers le thalamus sensoriel et qu'une structure du lobe pariéto-temporal (le cortex pariéto-insulaire) contient des neurones (Grüsser *et al.*, 1982) qui codent les rotations de la tête chez le singe. Cette découverte récente a été confirmée par des travaux d'imagerie cérébrale chez l'homme qui ont montré l'activation de cette région du cortex par la stimulation calorique (Bottini *et al.*, 1994) et galvanique (Lobel *et al.*, 1998). Il est intéressant de constater que cette dernière étude a montré l'activation d'une région du cortex frontal qui correspond à l'aire 6, laquelle est aussi activée dans des tâches de mémoire spatiale et donne lieu à des syndromes de négligence d'origine frontale.

CODAGE DE LA DIRECTION

Dans plusieurs parties du cerveau chez le rat (Rank, 1984 ; Taube *et al.*, 1990), il existe des neurones appelés « neurones de direction de la tête ». Ces neurones présentent une décharge maximale lorsque l'animal a la tête dans la direction particulière d'un lieu connu. Cette direction est contrôlée par des indices visuels et par la kinesthésie. Ce système, qui implique plusieurs aires du cerveau (le noyau antérieur du thalamus, les corps mamillaires, le présubiculum), posséderait la capacité de prédire en quelque sorte la position future de la tête (Sharp *et al.*, 1995). Cette anticipation neuronale pourrait être à l'origine de l'anticipation que nous avons trouvée dans des tâches de locomotion (voir ci-dessus les travaux de Grasso *et al.*).

Ce système de codage neuronal de la direction de la tête est certainement le système fondamental de notre orientation dans l'espace. Il culmine dans le cortex cérébral, dans une structure appelée cortex rétrosplénial qui est en relation avec le cortex pariétal et est sans doute impliqué dans les transformations de référentiels spatiaux.

CARTES COGNITIVES ET CODAGE DE LIEUX

Une théorie essentielle en ce domaine est celle proposée par O'Keefe et Nadel (O'Keefe *et al.*, 1998). Ces auteurs attribuent à l'hippocampe un rôle crucial pour la constitution et la manipulation de « cartes cognitives ». Leur théorie est basée sur les propriétés des « neurones de lieu » qui codent la position du rat dans une pièce familière quelle que soit la direction de sa tête. Chacun de ces neurones n'est activé que lorsque l'animal est dans un endroit particulier de la pièce.

Les neurones de l'hippocampe qui codent les lieux peuvent aussi être activés par les signaux vestibulaires. Nous avons cherché s'il était possible de trouver dans l'hippocampe des neurones sensibles aux mouvements chez le singe. Nous avons trouvé des neurones activés par des mouvements particuliers (exemple : translation vers la porte, mais non pas en s'éloignant de la porte) (O'Mara *et al.*, 1992). Nous avons reproduit ces expériences chez le rat avec un robot mobile et montré, d'abord, que le rythme thêta de l'hippocampe est modifié avec la vitesse de la rotation de la tête (Gavrilov *et al.*, 1996) et, ensuite, que les neurones de l'hippocampe peuvent être sensibles au mouvement, mais associent ce mouvement avec une partie de la pièce dans laquelle se trouve l'animal (Gavrilov *et al.*, 1998). Autrement dit, le codage du mouvement dans l'hippocampe est associé au codage des lieux. Nous avons aussi pu montrer chez l'homme, par enregistrement de l'activité par IRM fonctionnelle, que la stimulation vestibulaire calorique activait la région de l'hippocampe sur laquelle se projette le cortex vestibulaire par l'intermédiaire du cortex cingulaire (Vitte *et al.*, 1996).

Il existe un degré supplémentaire de complexité dans le codage des lieux. Le codage dans l'hippocampe ne concerne pas seulement l'espace, mais également d'autres dimensions (Eichenbaum et Wiener, 1989 ; Shapiro *et al.*, 1997 ; Wiener *et al.*, 1989 ; Rolls, 1991 ; Booth et Rolls, 1998 ; Tamura, 1992). Un grand nombre de neurones de l'hippocampe ne codent pas seulement la position de l'animal dans un lieu donné, mais également des conjonctions, des associations entre différents indices de l'espace (visuels, de texture, olfactifs). Chez le singe, on a même proposé (Tamura *et al.*, 1992) que certains de ces neurones sont sensibles à des objets naturels importants pour l'animal et à la signification de ces indices pour l'animal (plaisir, danger).

BASES NEURALES DE LA RÉACTUALISATION DYNAMIQUE

L'utilisation de la stratégie de route, la mémoire du mouvement, suppose qu'il y ait dans le cerveau des mécanismes dynamiques capables de lier mouvement et perception sensorielle. Nous avons proposé (Droulez *et al.*, 1985 ; Droulez et Berthoz, 1988, 1990, 1991) l'idée que le cerveau ne représente pas l'espace sur des cartes spatiotopiques seulement. Nous avons suggéré que, pour produire et contrôler des mouvements, le cerveau utilise un processus de réactualisation dynamique utilisant un mécanisme de « mémoire dynamique ». Cette mémoire consiste en fait en une réactualisation permanente de la localisation de l'action sur une carte par des signaux réentrants corollaires de signaux de commande motrice, ou combinant des signaux proprioceptifs avec la décharge corollaire. Selon cette théorie, le cerveau n'aurait pas besoin de construire une représentation de l'espace absolu, en coordonnées spatiales, pour contrôler un mouvement de l'œil, du bras ou un déplacement locomoteur. Il suffit que le mouvement de l'effecteur (ou même sa vitesse) soit réinjecté sur la carte sensorielle où le point de l'espace que l'on veut atteindre est codé en coordonnées « sensori-topiques », c'est-à-dire dans l'espace que les roboticiens appellent l'espace des capteurs.

RÉFÉRENCES

– Allen G. L., Siegal A. W., Rosinski R. R. (1978), « The role of perceptual context in structuring spatial knowledge », *J. Exp. Psychology : Human Learning and Memory*, 4 : 630.

– Amorim M. A., Glasauer S., Corpinot K., Berthoz A. (1997), « Updating an object's orientation and location during non visual navigation : a comparison between two processing modes », *Perception and Psychophysics*, 59 : 404-418.

– Assaiante C. (1990), « Head trunk coordination and equilibrium coodination in 3 to 8 years old children », *in* Berthoz A., Graf, W., Vidal P. P., *The Head-Neck Sensorimotor System*, Oxford, Oxford University Press.

– Berthoz A. (2003), *La Décision*, Paris, Odile Jacob.

– Berthoz A. (1985), « Adaptive mechanisms in eye-head coordination », *in* Berthoz A., Melvill Jones G. (éds.), « Adaptive mechanisms in gaze control », *Review of Oculomotor Research*, Amsterdam, Elsevier, 177-201.

– Berthoz A. (1989), « Coopération et substitution entre le système saccadique et les réflexes d'origine vestibulaires : faut-il réviser la notion de réflexe ? », *Revue neurologique*, 145 : 513-526.

– Berthoz A. (1996), « The role of inhibition in the hierarchical gating of executed and imagined movements », *Cognitive Brain* Research, 3 : 101-113.

– Berthoz A. (1997), *Le Sens du mouvement*, Paris, Odile Jacob. Traduction en anglais, *The Brain Sense of Movement*, Harvard University Press (2000). En italien : *Il Senso di movimento*, McGraw Hill, (1999).

– Berthoz A. (1999), « Hippocampal and parietal contribution to topokinetic and topographic memory », *in* Burgess N., Jeffery K. J., O'Keefe J. (éds.), *The Hippocampal and Parietal Foundations of Spatial Cognition*, Oxford, Oxford University Press, p. 381-399.

– Berthoz A., Amorim A., Glasauer S., Grasso R., Takei Y., Viaud-Delmon I. (1999), « Dissociation between distance and direction during locomotor navigation », *in* Golledge R. G. (éd.), *Wayfinding Behaviour*, John Hopkins University Press, Baltimore, p. 328-348.

– Berthoz A., Israël I., Georges-François P., Grasso R., Tsuzuku T. (1995), « Spatial memory of body linear displacement : what is being stored ? », *Science*, 269 : 95-98.

– Berthoz A., Pozzo T. (1988), « Intermittent head stabilisation during postural and locomotory tasks in humans », *in* Amblard B., Berthoz A., Clarac F. (éds.), *Posture and Gait : Developement Adaptation and Modulation*, Amsterdam, New York, Oxford, Elsevier, p. 189-198.

– Booth M. C. A., Rolls E. T. (1998), « View-invariant representations of familiar objects by neurons in the inferior temporal visual cortex », *Cerebral Cortex*, 8 : 510-523.

– Bottini G., Sterzi R., Paulelscu E., Vallar G., Cappa S., Erminio F., Passingham R. E., Frith C. D., Frackowiack R. S. J. (1994), « Identification of the central vestibular projections in man : a positron emission tomography activation study », *Exp. Brain Res.,* 99 : 164-169.

– Burgess N., Jeffery K. J., O'Keefe J. (1999), *The Hippocampal and Parietal Foundations of Spatial Cognition,* Oxford, Oxford University Press, p. 1-490.

– Carruthers M. (2002), *Machina memorialis,* Paris, Gallimard.

– Decety J., Jeannerod M., Prablanc C. (1989), « The timing of mentally represented action », *Behavioural Brain Research,* 34 : 35-42.

– Decety J., Jeannerod M. (1995), « Mentally simulated movements in virtual reality : Does Fitts's law hold in motor imagery », *BBR,* 72 : 127-134.

– Decety J., Michel F. (1989), « Comparative analysis of actual and mental movement times in two graphic tasks », *Brain and Cognition,* 11 : 87-97.

– Denis M., *Langage et cognition spatiale,* Paris, PUF.

– Droulez J., Berthoz A. (1988), « Servo-controled conservative versus topological (projective) modes of sensory motor control », *in* Bles W., Brandt Th. (éds.), *Disorders of Posture and Gait,* Amsterdam, Elsevier, p. 83-97.

– Droulez J., Berthoz A. (1990), « The concept of dynamic memory in sensorimotor control », *in* Humphrey D. R., Freund J. R. (éds.), *Motor Control : Concepts and Issues,* Wiley and sons, Chichester.

– Droulez J., Berthoz A. (1991), « A neural network model of sensoritopic maps with predictive short term memory properties », *Proc. Nat. Acad. Sci. USA,* 88 : 653-657.

– Droulez J., Berthoz A., Vidal P. P. (1985), « Use and limits of visual vestibular interaction in the control of posture. Are there two modes of sensorimotor control ? », *in* Igarashi M., Owen Black F. (éds.), *Vestibular and Visual Control on Posture and Locomotor Equilibrium,* Karger, Basel, p. 14-21.

– Eichenbaum H., Wiener S. (1989), « Is place the (only) functional correlate ? » *Psychobiology,* 17 : 217-220.

– Fletcher P. C., Frith C., Baker S. C., Shallice T., Frackowiack R. S., Dolan R. J. (1995), « The mind's eye : precuneus activation in memory-related imagery », *Neuroimage,* 2 : 195-200.

– Garling T., Book A., Ergenzen N. (1982), « Memory for the spatial layout of the physical environment : differential rates of acquisition of different types of information », *Scandinavian J. of Psychology,* 23 : 23-35.

– Ghaem O., Mellet E., Crivello F., Tzourio N., Mazoyer B., Berthoz A., Denis M. (1997), « Mental navigation along memorized routes activates the hippocampus, precuneus and insula », *Neuroreport,* 8 : 739-744.

– Glasauer S., Amorim M. A., Vitte E., Berthoz A. (1993), « Goal directed linear locomotion in normal and labyrinthine defective subjects », *Exp. Brain Res.,* 98 : 323-335.

– Golledge R. (1999), *Wayfinding Behaviour,* Baltimore, The John Hopkins University Press, Baltimore, p. 1-428.

– Grasso R., Assaiante C., Prévost P., Berthoz A. (1998a), « Development of anticipatory orienting strategies during locomotor tasks in children », *Neurosci. Biobehav. Rev.,* 22 : 533-539.

– Grasso R., Prévost P., Ivanenko Y. P., Berthoz A. (1998b), « Eye-head coordination for the steering of locomotion in humans : an anticipatory synergy », *Neurosci. Lett.*, 253 : 115-118.
– Grön *et al.* (2000), « Brain activation during human navigation : gender-different neural networks as substrate of performance », *Nature Neuroscience*, 3 : 404-408.
– Grüsser O. J., Landis T. (1991), « Visual agnosias and related disorders », *in* Cronly-Dillon J. (éd.), *Vision and Visual Dysfunction*, Londres, MacMillan.
– Grüsser O. J., Pause M., Schreiter U. (1982), « Neuronal responses in the parieto-insular vestibular cortex of alert Java monkeys (Macaca fascicularis) », *in* Roucoux A., Crommelinck M. (éds.), *Physiological and Pathological Aspects of Eye Movements*, La Hague, Junk Publishers, p. 251-270.
– Habib M., Sirigu A. (1987), « Pure topographical disorientation : definition and anatomical basis », *Cortex*, 73-85.
– Haecan H., Tzortzis C., Rondot P. (1999), « Loss of topographical memory with learning deficits », *Cortex*, 16 : 525-542.
– Incisa della Rocchetta A., Cipolotti L., Warrington K. (1996), « Topographical disorienttation : selective impaorment of locomotor space ? » *Cortex*, 32 : 732-735.
– Israël I, Berthoz A. (1989), « Contribution of the otoliths to the calculation of linear deplacement », *J. Neurophysiol.*, 62 : 247-263.
– Israël I., Fetter M., Koenig E. (1993), « Vestibular perception of passive whole body rotation about the horizontal and vertical axes in humans : goal directed vestibulo-ocular reflex and vestibular memory contingent saccades », *Exp. Brain Res.*, 96 : 335-346.
– Israël I., Rivaud S., Gaymard B., Berthoz A., Pierrot-Deseilligny C. (1995), « Cortical control of vestibular-guided saccades in man », *Brain*, 118 : 1169-1183.
– Israël I., Rivaud S., Pierrot-Deseilligny P., Berthoz A. (1991), « "Delayed VOR" : an assessment of vestibular memory for self motion », *in* Requin J., Stelmach J. (éds.), *Tutorials in Motor Neuroscience*, Kluwer Academic Pub., Netherlands, p. 599-607.
– Kosslyn S. M. (1980), *Image and Mind*, Cambridge, Mass., Harvard University Press.
– Kosslyn S. M., Alpert N. M., Thompson W. L. (1993), « Visual mental imagery and visual perception : PET studies », *in* Le Bihan D., Turner R., Mosley M., Hyde J. (éds.), *Functional MRI of the Brain : A Workshop Presented by the Society of Magnetic Resonance Medicine and the Society for Magnetic Resonance Imaging. Society of Magnetic Resonance in Medicine*, Arlington, VA, USA, p. 183-190.
– Lambrey S., Viaud Delmond I., Berthoz A. (2003), « Spatial memory during navigation : what is being stored maps or movements ? », *in* Galaburda A. M., Kosslyn S., Christen Y., (éds.) *The Languages of the Brain*, Cambridge, Mass., Harvard University Press, chap. XVII, p. 288-306.
– Lambrey S., Viaud Delmon I., Berthoz A. (2003), « Influence of a sensory conflict on the memorisation of a path travelled in virtual reality », *Cognitive Brain Research*, 14, 1 : 177-186.

– Lambrey S., Samson S., Dupont S., Baulac M., Berthoz A. (2003), *Reference Frames and Cognitive Strategies during Navigation : Is the Left Hippocampal Formation Involved in the Sequential Aspects of Route Memory ?* (À paraître).

– Lobel E., Kleine J. F., Le Bihan D., Leroy-Willig A., Berthoz A. (1998), « Functional MRI of galvanic vestibular stimulation », *J. Neurophysiol.*, 80 : 2699-2709.

– Maguire E., Frith C., Burgess C., Donnett J. G., O'Keefe J. (1998), « Knowing were things are : parahippoacampal involvment in encoding objects locations in virtual large-scale space », *J. of Cognitive Neuroscience*, 10 : 61-76.

– Maguire H., Frackowiack R., Frith C. (1997), « Recalling routes around London : activation of the right hippocampus in taxi drivers », *J. of Neuroscience*, 17 : 7103-7110.

– Mellet E., Tzourio N., Denis M., Mazoyer B. (1995), « A positon emission tomography study of visual and mental exploration », *J. of Cogn. Neuroscience*, 7 : 433-445.

– Mellet E. *et al.* (2000), « Neural correlates of topographic mental exploration : the impact of route versus survey perspective learning », *Neuroimage*, 12,5 : 588-600.

– Melvill Jones G., Berthoz A. (1985), « Mental control of the adaptative process », *in* Melvill Jones G., Berthoz A. (éds.), *Adaptative Mechanisms in Gaze Control*, Amsterdam, Elsevier, p. 203-208.

– Mittelstaedt H., Mittelstaedt M. L. (1992), « Homing by path integration in a mammal », *Naturwiss.*, 67 : 566-567.

– Nashner L. M., Berthoz A. (1978), « Visual contribution to rapid motor responses during postural control », *Brain Res.*, 150 : 403-407.

– Nico D., Israël I., Berthoz A. (2002), « Interaction of visual and idiothetic information in a path completion task », *Exp. Brain Research* (on line).

– O'Keefe J., Burgess N., Donnett J. G., Jeffery K. J., Maguire E. A. (1998), « Place cells, navigational accuracy, and the human hippocampus », *Philos. Trans. R. Soc. Lond.* [Biol.], 353 : 1333-1340.

– O'Mara S. M., Rolls E. T., Berthoz A., Walsh V. (1992), « Whole-body motion cells in the primate hippocampus », *Soc. for Neurosci. Abstr.*, 18.

– Pallis C. A. (1955), « Impaired identification of faces and places with agnosia for colours », *J. Neurol. Neurosurg. Psych.*, 18 : 218-224.

– Paterson A. (1994), « A case of topographical disorientation associated with unilateral cerebral lesion », *Brain*, 68 : 212.

– Poincaré H. (1970), *La Valeur de la science* (1905), Paris, Flammarion.

– Pozzo T., Berthoz A., Lefort L. (1990), « Head stabilisation during various locomotor tasks in humans. I. Normal subjects », *Exp. Brain Res.*, 82 : 97-106.

– Ranck J. B. (1984), « Head direction cells in the deep layers of the dorsal presubiculum in freely moving rats », *Soc. for Neurosc. Abstr.*, 599 (Abstract).

– Rieser, J. J., *Journal of Experimental Psychology : Learning Memory and Cognition*, 15 : 1157-1165.

– Rolls E. T. (1991), « Functions of the primate hippocampus in spatial and non-spatial memory », *Hippocampus*, 1 : 258-261.

– Rolls E. T., O'Mara S. M. (1992), « Neurophysiological and theorical analysis of how the hippocampus functions in memory », *in* Ono T. (éd.), *Brain mechanisms of perception : from neuron to behavior*, Oxford, Oxford University Press.

– Shapiro M. L., Tanila H., Eichenbaum H. (1997), « Cues that hippocampal place cells encode : dynamic and hierarchical representation of local and distal stimuli », *Hippocampus*, 7 : 624-642.

– Sharp P. E., Blair H. T., Etkin D., Tzanetos D. B. (1995), « Influences of vestibular and visual motion information on the spatial firing patterns of hippocampal place cells », *J. Neurosci.*, 15 : 173-189.

– Tamura R., Ono T., Fukuda M., Nishijo H. (1992), « Monkey hippocampal neuron response to complex senory stimulation during object discrimination », *Hippocampus*, 2 : 287-306.

– Taube J. S., Muller R. U., Ranck J. B. Jr. (1990), « Head-direction cells recorded from the postsubiculum in freely moving rats. I. Description and quantitative analysis », *J. Neurosci.*, 10 : 420-435.

– Thomson J. (1983), « Is continuous visual monitoring necessary in visually guided locomotion ? », *Journal of Experimental Psychology*, 9-3 : 427-443.

– Thorndyke P. W., Hayes-Roth B. (1982), « Differences in spatial knowledge acquired from maps and navigation », *Cogn. Psychol.*, 14 : 560-589.

– Tolman E. C. (1948), « Cognitve maps in rats and men », *Psychological Review*, 55 : 189-208.

– Tolman E. C. (1949), « There is more than one kind of learning », *Psychological Review*, 56 : 144-155.

– Touretzky D. S., Redish A. D. (1996), « Theory of rodent navigation based on interacting representations of space », *Hippocampus*, 6 : 247-270.

– Trullier O., Wiener S., Berthoz A., Meyer J. A. (1997), « Biologically-based artificial navigation systems. Reviews and prospects », *Prog. Neurobiol.*, 51 : 483-544.

– Tversky B. (2001), *in* Gattis M. (éd.), *Spatial Schemas and Abstract Thought*, Cambridge, Mass., The MIT Press, chap. IV, p. 77-112.

– Vallar G., Lobel E., Galati G., Berthoz A., Pizzamiglio L., Le Bihan D. (1999), « A fronto-parietal system for computing the egocentric spatial frame of reference in humans », *Exp. Brain Research*, 124 : 281-286.

– Viaud Delmon I., Ivanenko Y., Berthoz A., Jouvent R. (1997), « Sex, lies, and virtual reality », *Nature Neuroscience*, 1 : 15-16.

– Viaud Delmon I., Ivanenko Y., Berthoz A., Jouvent R. (1999), « Anxiety and integration of visual vestibular information studied with virtual reality », *Biological Psychiatry*, 47 : 112-118.

– Vitte E., Derosier, Caritu C., Berthoz A., Hasboun D., Soulié D. (1996), « Activation of the hippocampal formation by vestibular stimulation : a functional magnetic resonance study », *Exp. Brain Research*, 112 : 523-526.

– Whiteley A. M., Warrington E. K. (1978), « Selective impairement of topographical memory : A single case study », *J. Neurol. Neurosurg. Psych.*, 41 : 575-578.

– Wiener S. I., Paul C. A., Eichenbaum H. (1989), « Spatial and behavioral correlates of hippocampal neuronal activity », *J. Neurosci.*, 9 : 2737-2763.

– Yates F. A. (1984), *The Art of Memory*, Chicago, The University of Chicago Press, p. 1-400.
– Zola-Morgan S., Squire L. R., Amaral D. G. (1999), « Human amnesia and the medial temporal region : enduring memory impairement following a bilateral lesion limited to the CA1 field of the human hippocampus », *J. Neuroscience*, 6 : 2950-2967.

Troisième partie

Qualités, couleurs, transparence

Le concept
de propriété phénoménale

———

par FRANÇOIS CLEMENTZ

La perception n'est pas seulement notre première source d'information sur le monde qui nous entoure. Parce qu'elle se présente aussi comme une forme particulière d'*expérience*, dotée de propriétés phénoménales qui lui sont propres, au sein de laquelle les choses nous apparaissent toujours sous un certain aspect, elle possède, à l'évidence, une dimension irréductiblement subjective. Dans quelle mesure les caractéristiques intrinsèques de l'expérience perceptive contribuent-elles à déterminer la façon dont les propriétés des objets perçus apparaissent au sujet percevant ? Celle-ci, à son tour, ne détermine-t-elle pas en partie la nature de ces propriétés elles-mêmes — ou, du moins, de certaines d'entre elles, comme les couleurs, les sons ou les odeurs ? La première question est au cœur de la problématique contemporaine des *qualia*, la seconde, au centre des discussions suscitées par le regain d'intérêt auquel a donné lieu, au cours de la période récente, la distinction entre qualités premières et qualités secondes.

Quoiqu'il soit consacré, pour l'essentiel, à cette dernière question, l'essai qu'on va lire se propose de mettre au jour quelques-uns des liens qu'elle entretient avec la première. Dans un cas comme dans l'autre, en effet, les difficultés auxquelles se trouve confronté le philosophe — surtout s'il entend rejeter toute forme de théorie indirecte de la perception — sont du même ordre, qui tournent, me semble-t-il, autour de la notion de « propriété phénoménale ».

La notion de propriété phénoménale

Un simple survol de l'abondante littérature philosophique consacrée désormais à ces sujets suffirait à établir que l'expression « propriété phénoménale » s'y trouve employée dans plusieurs acceptions qui ne sont, *a priori*, nullement équivalentes :

(1) Au sens le plus large, les propriétés phénoménales sont simplement les qualités « manifestes[1] » des choses, par opposition non seulement à leurs propriétés physiques ou chimiques non directement observables, mais aussi à certaines de leurs propriétés relationnelles, quantitatives ou sortales. Ainsi, par exemple, la couleur de mon stylo fait partie de ses propriétés phénoménales, comme aussi bien le fait qu'il se trouve pour le moment à droite de mon agenda, mais non pas sa fragilité, ni le fait qu'il occupe une position géographique très au nord d'Abidjan, qu'il m'a été offert par ma fille à mon dernier anniversaire, ou même qu'il s'agit d'un stylo. Une propriété phénoménale, dans cette première acception du terme, est donc tout simplement ce que les philosophes de la période classique auraient appelé une « qualité sensible ».

(2) En un sens plus étroit, qui retiendra davantage notre attention, le terme s'applique à *certaines* qualités sensibles dont la nature comme l'existence même — ou, pour user d'un terme plus technique, les conditions d'exemplification — seraient étroitement liées à la façon dont elles nous apparaissent dans la perception. On parlera en ce cas, avec John McDowell[2], de propriétés « *essentiellement* phénoménales » — ou, avec Michael Dummett[3], de propriétés « intrinsèquement perceptives » —, pour désigner ce sous-ensemble des qualités sensibles en général dont la couleur est tenue généralement pour le paradigme. Il est, à vrai dire, plusieurs manières de comprendre cette idée (et, avec elle, l'idée qu'il existe, de ce point de vue, une différence fondamentale de nature entre la couleur des objets, par exemple, et leur forme, leur taille ou leur masse d'autre part), dont la distinction, d'origine galiléenne, entre qualités pre-

---

1. C. McGinn, *The Character of Mind*, Oxford, Oxford University Press, 1982, ch. III.
2. J. McDowell, « Values and secondary qualities », *in* T. Honderich (éd.), *Morality and Objectivity*, Londres, Routledge & Kegan Paul, 1985 ; trad. « Valeurs et qualités secondes », *in* R. Ogien (éd.), *Le Réalisme moral*, Paris, PUF, 1999.
3. M. Dummett, « Common sense and physics », *in* G. F. Macdonald, *Perception and Identity*, Londres, Macmillan, 1979.

mières et qualités secondes ne constitue à tout prendre qu'une interprétation parmi d'autres, même si c'est celle qui vient aussitôt à l'esprit. Qui plus est, parmi les philosophes qui regardent au contraire cette distinction avec faveur, tous ne souscrivent pas pour autant à l'interprétation dite « dispositionnelle » des qualités secondes, au moins sous sa forme la plus courante. Les uns et les autres n'en ont pas moins pour point commun de poser en principe que l'être de la couleur est en quelque manière lié à son apparaître. Naturellement, j'emploie ici le mot « apparaître » dans ce qu'il est convenu d'appeler, à la suite de C. D. Broad[4], son sens « phénoménologique », par opposition à son sens « épistémique » (ou « doxastique »), qui correspond seulement à l'expression d'une disposition au jugement.

(3) En un autre sens encore, les qualités phénoménales sont les propriétés observables des choses « telles qu'elles nous apparaissent » (c'est en ce sens, par exemple, que Brentano parle du « vert phénoménal[5] »). Il est à noter que les propriétés phénoménales des objets matériels, ainsi comprises, ne s'opposent pas forcément à leurs propriétés réelles. Du moins n'y a-t-il pas lieu, en principe, pour la plupart des auteurs dont je me propose d'examiner les vues (et bien que la forme ou la couleur d'un objet puisse, bien entendu, m'apparaître, le cas échéant, autrement qu'elle n'est, ce type de décalage entre apparence et réalité, illustré par le phénomène de l'illusion perceptive partielle, restant toutefois localisé à l'intérieur du champ même du phénoménal), de distinguer entre les deux sortes de qualités. L'emploi du terme « propriété phénoménale » ne s'en justifie pas moins à leurs yeux — et dans le cadre, par conséquent, d'un réalisme perceptif direct — du fait, par exemple, que les couleurs « telles qu'elles nous apparaissent » possèdent un certain nombre de traits que l'on serait de tenté de considérer comme intrinsèques s'ils n'étaient pas, au moins pour partie, de nature relationnelle (je pense notamment aux relations de ressemblance, de contraste ou d'incompatibilité qui sont au centre de la « grammaire » wittgensteinienne des couleurs).

(4) En un dernier sens, les propriétés phénoménales sont au contraire les qualités *subjectives* des objets perçus, par opposition à leurs qualités objectives ou réelles. À vrai dire, l'opposition pertinente, ici, est moins d'ordre épistémique qu'*ontologique*. L'idée sous-jacente est moins celle d'« apparence trompeuse » que l'idée selon laquelle les couleurs, par

---

4. C. D. Broad, *Scientific Thought*, Londres, Routledge & Kegan Paul, 1923, p. 236.
5. *Cf.* J. Bouveresse, *Langage, perception et réalité*, t. 1, Nîmes, Jacqueline Chambon, 1995.

exemple, en tant que qualités phénoménales, n'existent qu'« en nous », et non pas « au-dehors[6] ».

Dans ce qui suit, je m'intéresserai principalement aux rapports entre les acceptions (2) et (3) du terme « propriété phénoménale ». Une fois de plus, le défi auquel se trouve confronté le partisan du réalisme direct consiste à rendre compte des relations complexes qu'entretiennent les deux notions sans succomber à la tentation de réifier les apparences sensibles à la façon de (4) et de les ériger ainsi, fût-ce à son corps défendant, au rang de *sense-data* ou de *sensa*.

Qualités secondes et propriétés essentiellement phénoménales

Rappelons brièvement quelques-unes des considérations communément invoquées en faveur de l'idée que certaines qualités sensibles entretiennent une relation particulièrement étroite avec l'apparence qu'elles tendent à revêtir au sein de l'expérience sensorielle. Les unes, apparues avec la révolution galiléo-cartésienne (et qui ont conduit à la relégation durable des couleurs, des sons, des goûts et des odeurs au rang de simples « qualités secondes »), partent du constat que les propriétés de ce type ne semblent devoir jouer aucun rôle dans le cadre de l'explication scientifique du monde — y compris, du reste, dans l'explication de leur propre perception — et paraissent plus généralement dépourvues de la moindre efficacité causale. Les autres ont trait à l'extrême variabilité des impressions de couleur, de chaleur, etc., ou encore aux conditions de possession respectives des concepts de qualités premières et de qualités secondes : alors qu'il ne saurait suffire, par exemple, de savoir à quoi ressemble une surface carrée pour posséder le concept *carré*, il est non pas seulement nécessaire mais suffisant, pour comprendre le sens du mot « rouge », de savoir en quoi consiste le fait, pour un objet donné, de paraître rouge. Bien que chacun de ces arguments puisse naturellement prêter à discussion, je tiendrai ici leur validité pour acquise — et, par voie de conséquence, celle du principe suivant, considéré aujourd'hui par de nombreux philosophes comme un truisme :

---

6. *Cf.* M. Lockwood (*Mind, Brain, and the Quantum. The Compound « I »*, Oxford, Basil Blackwell, 1989, p. 6) : « Par qualité phénoménale, j'entends, par exemple, le rouge tel qu'il se trouve, pour ainsi dire, en moi lorsque je regarde cette tomate — ce qu'un matérialiste dans la veine de Hobbes appellerait "le rouge dans la tête". »

(T) (*x*) *x* est rouge si et seulement si *x* paraît rouge dans des conditions adéquates d'observation.

Une telle formule peut assurément se comprendre de différentes manières. S'ils s'accordent pour y voir l'expression d'une vérité *a priori*, tous les auteurs qui souscrivent aujourd'hui à ce principe sont loin, en revanche, de s'accorder sur son interprétation. En particulier, tous n'en concluent pas forcément que l'être de la couleur, par exemple, *consiste* dans son apparence (entendue au sens large de disposition à apparaître de telle ou telle façon). De même, tous n'en tirent pas nécessairement la conclusion que la nature des qualités « essentiellement phénoménales » se donne tout entière à voir au travers de leur apparence : il existe à cet égard un véritable débat autour de ce que Mark Johnston[7] appelle la thèse de la « révélation ». En revanche, tous se retrouvent pour souligner le caractère « anthropocentrique » des propriétés concernées, ainsi, du même coup, que leur *relativité* fondamentale : si la couleur des tomates revêt pour les martiens une apparence subjectivement indiscernable de celle que revêt pour nous la couleur de l'herbe ou des sapins, il convient d'admettre que les tomates sont rouges pour nous et vertes pour les martiens. Tous se retrouvent encore pour affirmer que, quelle que soit la part de subjectivité qui entre dans la détermination de leurs conditions d'exemplification, les couleurs et autres propriétés « intrinsèquement perceptives » constituent autant de propriétés parfaitement *réelles* des objets matériels.

La théorie dispositionnelle des qualités secondes

Que la rougeur des tomates, par exemple, consiste dans la propriété qu'elles ont de paraître rouges, tel est le postulat fondamental de toute théorie dispositionnelle des propriétés « essentiellement phénoménales ». Un des traits les plus frappants du renouveau de la réflexion sur la connaissance perceptive qui a marqué la période récente tient, de ce point de vue, à la remise en circulation de la distinction, d'origine galiléenne, entre qualités premières et qualités secondes. Dans l'esprit des auteurs qui se sont employés, ces dernières années, à réhabiliter cette distinction, il ne saurait évidemment s'agir, en principe, d'endosser la théorie représentative de la perception qui la sous-tendait chez des auteurs comme Galilée, Descartes, Boyle ou Locke, mais, au contraire, en reformulant cette distinction

---

7. M. Johnston, « How to speak of the colours », *Philosophical Studies*, vol. 68, 1992, p. 221-263.

dans les termes d'un réalisme perceptif direct, de montrer que la prise en compte de la part inéliminable de subjectivité qui entre dans l'expérience des couleurs, des goûts ou des odeurs n'est pas nécessairement en conflit avec la métaphysique prétendument naïve du sens commun. On s'est souvent demandé comment Locke, par exemple, pouvait à la fois — et de façon à première vue contradictoire — définir les qualités secondes en termes dispositionnels et soutenir que les objets n'ont pas de couleur dans l'obscurité. La réponse est complexe, mais réside pour une large part dans la conception « idéiste » du théoricien du *way of ideas*, qui l'amène à concevoir la distinction entre qualités premières et qualités secondes en termes de ressemblance, ou d'absence de ressemblance, entre nos « idées » des qualités sensibles et leurs idéats (ou leurs « modèles ») dans la réalité extérieure. Les qualités secondes, en d'autres termes, sont bien « dans » les choses considérées en elles-mêmes, mais elles ne figurent parmi les propriétés réelles de ces dernières que pour autant qu'elles ne recouvrent finalement rien d'autre qu'une simple disposition à susciter une apparence — une « idée sensible » — d'un type déterminé, dans certaines conditions d'observation. En tant que propriétés *phénoménales,* en revanche, elles n'existent que « dans notre esprit ». Par contraste, l'une des principales caractéristiques de la grande majorité des théories dispositionnelles contemporaines — de G. Evans à C. Peacocke, en passant par C. McGinn et J. McDowell — tient au fait que leurs avocats, en dépit de tout ce qui les sépare par ailleurs, souscrivent au contraire, officiellement, à une forme de réalisme perceptif *direct,* en vertu duquel les qualités immédiatement perçues qui composent l'apparence sous laquelle se manifeste à nous la couleur, l'odeur ou le goût des objets matériels ne font qu'un avec ces mêmes propriétés considérées en tant que propriétés *réelles* des choses. Comme l'écrit McDowell, « une qualité seconde est une propriété dont l'attribution à un objet ne peut se comprendre comme vraie, si elle est vraie, que si l'objet possède une disposition à présenter une certaine apparence perceptive : plus spécifiquement, une apparence que l'on peut caractériser en faisant usage d'un mot désignant la propriété elle-même, pour dire comment cet objet apparaît dans la perception[8] ». Ainsi, on dira d'un objet qu'il est rouge s'il est de nature « à apparaître (dans certaines circonstances) précisément comme rouge » (*ibid.*).

Or, si elle permet, en principe, d'échapper à certaines difficultés inhérentes à la version classique de la théorie dispositionnelle — et notamment à la distinction, qu'implique cette dernière, entre les couleurs « réelles » des choses et leurs couleurs « telles qu'elles nous apparaissent » —, et

---

8. J. McDowell, « Values and secondary qualities », *op. cit.*

si elle fournit en outre, au travers du concept de propriété « liée à une réaction » (*response-dependent*) un modèle théorique susceptible de s'appliquer à d'autres catégories de propriétés (morales, esthétiques, etc.) dont tout porte à croire qu'elles ne possèdent, elles aussi, qu'une sorte d'« objectivité faible », cette redéfinition de la notion de qualité seconde se heurte à son tour à toute une série d'objections bien connues. L'une d'elles, que je laisserai ici de côté[9], tient au caractère à première vue circulaire d'une définition qui, pour caractériser l'apparence qu'est censée susciter la couleur rouge, commence par faire référence à cette couleur elle-même. Une autre objection tient au caractère en fin de compte assez disparate des propriétés, ou des entités, regroupées sous le nom de « qualités secondes » : en quel sens, par exemple, les odeurs (sans même parler des sons) peuvent-elles être regardées comme des dispositions ?

Toutefois, l'objection la plus redoutable consiste à faire remarquer que les couleurs ne nous apparaissent justement pas comme des dispositions (et donc comme des propriétés *relationnelles*), mais comme des propriétés *occurrentes* (ou *catégoriques*) et *monadiques*. Face à cette objection répandue[10], le philosophe néolockien ne saurait se contenter d'invoquer l'opacité référentielle propre aux contextes d'apparence, ou, comme naguère C. McGinn, le caractère « hyperintensionnel » (au sens de B. Mates) des expressions placées dans la portée des verbes « paraître », « apparaître », etc. Ainsi que le même auteur l'a reconnu par la suite, cette réponse purement sémantique passe quelque peu à côté du problème, qui tient au fait que l'analyse dispositionnelle semble tout simplement infidèle à la *phénoménologie* même de l'expérience perceptive. Aussi bien, comme le relève encore C. McGinn[11] (que cette difficulté a conduit en fin de compte à renoncer à une conception dont il s'était pourtant fait, en 1983, l'un des principaux promoteurs dans son livre *The Subjective View*[12]), nous ne *voyons* jamais — au sens du « voir simple » de Dretske — les dispositions des corps en général, telles leur fragilité ou leur solubilité ; nous n'observons, à proprement parler, que leur manifestation.

---

9. *Cf.* F. Clementz, « Qualités secondes et propriétés morales », *in* P. Livet (éd.), *L'Éthique à la croisée des savoirs*, Paris, Vrin, 1996.

10. *Cf.*, par exemple, J. Mackie, *Problems from Locke*, Oxford, Clarendon Press, 1976 ; P. Boghossian et J. Velleman, « Colour as a secondary quality », *Mind*, XCVIII, 1998, p. 81-103.

11. C. McGinn, « Another look at colour », *The Journal of Philosophy*, vol. XCIII, n° 11, 1996.

12. C. McGinn, *The Subjective View*, Oxford, Clarendon Press, 1983.

Le partisan de la théorie dispositionnelle pourrait évidemment tenter de contester la réalité de l'« évidence » qu'on prétend lui opposer.
L'argument le plus souvent mis en avant, de ce point de vue, repose sur
le phénomène de la « constance » de la couleur, qui semble indiquer,
selon certains auteurs, que nous percevons bel et bien les couleurs comme
autant de dispositions à revêtir une certaine apparence susceptible de
varier en fonction des conditions d'observation. Supposons que je roule
derrière une voiture rouge, en été, sur une route de campagne bordée, à
intervalles plus ou moins réguliers, d'une rangée de platanes. Comme le
note Christopher Hookway[13], à qui j'emprunte cet exemple, il n'est pas
déraisonnable de penser qu'au moment où la voiture qui est devant moi
s'engage sous l'ombre des platanes, pour réapppparaître quelques secondes
plus tard en pleine lumière, je m'attends à voir sa couleur apparente
s'assombrir avant de retrouver son aspect normal, et il n'est pas non plus
absurde de supposer que ce type d'attente s'inscrit, à sa manière, dans
notre *expérience* de la couleur. D'une façon générale, la faculté que nous
avons d'identifier la couleur d'un objet en dépit des changements successifs de conditions d'éclairage fait partie intégrante de notre aptitude « à
voir et à comprendre les couleurs ». On peut ainsi légitimement supposer
qu'il y a « des aspects de notre expérience de la couleur qui en révèlent le
caractère dispositionnel[14] ». L'objection qui vient immédiatement à
l'esprit est qu'il est difficile de faire ici la part des choses entre ce qui
nous est effectivement *donné* à voir et ce que nous *savons* par ailleurs du
« comportement » des objets colorés, de sorte que le genre d'attente spontanée auquel se réfère Hookway recouvre, en réalité, une sorte de *jugement* qui accompagne l'expérience proprement dite plutôt qu'elle n'en
fait véritablement partie. Néanmoins, j'aurais tendance à penser que la
remarque de Hookway contient un élément de vérité. Je suis loin d'être
convaincu, pour ma part, qu'en règle générale l'identification de la couleur, ou de la forme, constante d'un objet relève d'un quelconque jugement, postérieur (et par conséquent extérieur) au processus perceptif
proprement dit. Tout porte à croire, désormais, qu'elle s'effectue au
contraire à un niveau infra-doxastique, de sorte qu'il n'est pas interdit de
supposer, en effet, qu'elle se trouve reflétée en quelque manière au sein
même du contenu de notre expérience. Mais, d'une part, le phénomène
de la constance vaut aussi bien pour les formes et la plupart des autres
qualités premières — lesquelles s'accompagnent évidemment d'une dis-

---

13. C. Hookway, « Two conceptions of moral realism », *Proceedings of the Aristotelian
Society*, suppl. vol. LX, 1986, p. 189-205.
14. *Op. cit.*, p. 200.

position à revêtir une certaine apparence, mais dont il ne saurait être question de soutenir qu'elles *consistent* en une telle disposition. Et, d'autre part, il demeure que, dans l'expérience que nous faisons de la couleur d'une chose dans des conditions relativement stables d'éclairage, la couleur en question ne nous apparaît manifestement pas comme une disposition.

Bien entendu, cette affirmation elle-même pourrait être contestée. Ainsi McDowell soutient-il qu'elle repose sur une conception philosophiquement erronée du contenu de l'expérience perceptive. Selon lui, à partir du moment où nous avons renoncé à l'idée que la relation entre ce que les choses sont et la façon dont elles apparaissent dans une expérience donnée, lorsque cette expérience est véridique, serait affaire de ressemblance entre certaines caractéristiques intrinsèques de l'expérience elle-même — supposées servir de vecteurs du contenu représentationnel — et les propriétés réelles de l'objet perçu, rien ne nous empêche plus de « prendre cette apparence pour ce qu'elle est[15] ». En effet, « à quoi pourrait bien ressembler l'expérience d'une chose qui est telle qu'elle nous paraît rouge, si ce n'est le fait précisément que cette chose nous paraît (dans des circonstances adéquates) rouge ? » (*ibid.*). L'ennui, comme le soulignent Casati et Dokic, est que nous ne voyons justement pas, en principe, les choses *apparaître* rouges. En d'autres termes, leur couleur ne nous apparaît, au sens strict du terme, ni comme une disposition à apparaître ni même « comme une disposition actualisée, c'est-à-dire comme une apparence de couleur[16] ». On mesure à quel point il est décidément malaisé, pour le partisan de la théorie dispositionnelle, de refermer la brèche au travers de laquelle risque de s'introduire à nouveau, qu'il le veuille ou non, la tentation d'opposer la couleur phénoménale des choses (leur « couleur-telle-qu'elle-nous-apparaît ») à leur couleur réelle.

Les couleurs sont-elles des qualités premières ?

Face à cette objection, il semble effectivement difficile de défendre la théorie dispositionnelle, au moins sous la forme que nous lui avons donnée jusqu'à présent. Du même coup, et sauf à revenir à l'idée que les

---

15. J. McDowell, *op. cit.*, trad., p. 251.
16. R. Casati et J. Dokic, *La Philosophie du son,* Nîmes, Jacqueline Chambon, 1994, p. 174.

couleurs et autres qualités « secondes » n'existent, en fin de compte, que dans notre esprit, n'est-ce pas au principe même de la distinction entre qualités premières et qualités secondes qu'il convient de renoncer ? En d'autres termes, il semblerait que nous n'ayons d'autre choix que de sous-crire à la théorie physicaliste, dite parfois « australienne » (du fait qu'elle été initialement défendue par David Armstrong), qui regarde les couleurs comme des qualités *premières*, ou, plus exactement, les identifie avec les propriétés physiques causalement responsables des sensations de couleur que les objets suscitent en nous. Mais, dans ce cas, ne faut-il pas renoncer aux intuitions qui sous-tendent la conception dispositionnelle (et, plus généralement, la conception « subjectiviste ») des couleurs, des parfums et des saveurs ?

C'est tout le mérite de Franck Jackson que d'avoir tenté, au cours des dernières années, de relever le défi en montrant qu'il était possible de rendre compte d'une bonne partie de ces intuitions dans le cadre d'une conception physicaliste et « objectiviste » de la couleur[17]. Le rai-sonnement de Jackson s'appuie sur deux prémisses, présentées l'une et l'autre comme des truismes, ou des évidences du sens commun : (1) le rouge est la propriété présentée visuellement dans l'expérience de voir un objet comme rouge ; (2) une propriété ne peut être présentée visuel-lement que si elle est elle-même la cause de l'expérience au sein de laquelle elle apparaît comme telle au sujet percevant. De ces deux pré-misses, Jackson tire naturellement, pour commencer, la conclusion sui-vante : (3) le rouge est la propriété des objets qui a pour effet que ces objets paraissent rouges. Or (4) il n'est pas vrai que les dispositions soient des causes : en particulier, loin qu'elles soient à l'origine de leurs propres manifestations, celles-ci sont causées par les propriétés physiques non dispositionnelles qui les sous-tendent. D'où il suit (5) que la théorie dispositionnelle est fausse et (6) que les couleurs sont des propriétés physiques — à savoir « certaines qualités premières extrêmement complexes impliquant la forme, l'extension, le mouvement et la force électromagnétique » des objets, dont la nature exacte demeure encore largement à établir[18]. Plus exactement, les couleurs sont les propriétés physiques des objets matériels qui sont causalement responsables du fait que ces mêmes objets paraissent rouges. Toutefois, la question de savoir

---

17. F. Jackson F. et R. Pargetter, « An objectivist's guide to subjectivism about colour », *Revue internationale de philosophie*, n° 160, 1987, p. 127-141 ; F. Jackson, « The pri-mary quality view of colour », *Philosophical Perspectives*, n° 10, 1996, p. 199-219 ; F. Jackson, *From Metaphysics to Ethics. A Defence of Conceptual Analysis*, Oxford, Claren-don Press, 1998.
18. F. Jackson, « The primary quality view of colour », *op. cit.*, p. 91-94.

quelle propriété est à l'origine du fait que l'objet O paraît rouge au sujet S dépend en partie de la constitution physiologique de S et des circonstances. Par conséquent, une formulation plus précise de la thèse physicaliste serait la suivante : « La rougeur est, pour S, la propriété qui fait que certains objets paraissent rouges à S dans les circonstances C et à l'instant t ». D'où il suit que la couleur d'un objet est susceptible de varier non seulement d'un individu à l'autre, mais aussi d'un moment à l'autre au gré des circonstances. Sur ce point, Jackson est tout à fait prêt à donner quitus au partisan du subjectivisme : la couleur apparente des objets physiques est éminemment variable, sans qu'il y ait lieu de trancher en faveur de telle apparence phénoménale au détriment des autres. Certes, ce que nous regardons comme *la* couleur d'un objet correspond à la propriété physique qui est à l'origine de l'apparence que cet objet tend à revêtir aux yeux de sujets dotés de capacités visuelles « normales » et qui observent cet objet dans des conditions elles-mêmes normales. Mais cela ne veut pas dire que la propriété physique en question serait la « vraie » couleur de l'objet dans l'absolu. Autrement dit, c'est la couleur transitoire des objets qui doit être tenue pour fondamentale : « Les couleurs constantes [sont] simplement les couleurs transitoires [perçues] dans les conditions normales[19]. » Néanmoins, « les couleurs sont des propriétés objectives du monde qui nous entoure », la seule part de subjectivité qui entre dans leurs conditions d'exemplification tenant à la question de savoir *quelles* propriétés physiques constituent « la couleur de tel ou tel objet pour tel ou tel sujet percevant dans telles ou telles conditions d'observation » (*op. cit.*, p. 141).

La thèse de Jackson présente incontestablement le mérite de proposer une version infiniment plus plausible de la conception « australienne » de la couleur que celle qu'avait initialement proposée D. Armstrong dans son livre *A Materialist Theory of the Mind*[20]. Néanmoins, elle me paraît se heurter à plusieurs objections.

Une première série de difficultés a trait à la prémisse (2) de l'argument de Jackson, ainsi qu'aux conséquences que celui-ci croit pouvoir en tirer à l'encontre de la théorie dispositionnelle. Tout d'abord, on peut se demander, avec D. McFarland et A. Miller[21], jusqu'à quel point cette partie de son raisonnement s'accorde avec la distinction qu'il a lui-même formulée par ailleurs à plusieurs reprises (avec Philip Pettit) entre « perti-

---

19. F. Jackson et R. Pargetter, *op. cit.*, p. 136.
20. D. Armstrong, *A Materialist Theory of the Mind*, Londres, Routledge & Kegan Paul, 1968.
21. D. McFarland et A. Miller, « Jackson on colour as a primary quality », *Analysis*, vol. 58, n° 2, 1998, p. 76-85.

nence » et « efficace » causales[22]. Mais on peut aussi s'interroger sur la validité de la prémisse (2) elle-même. Selon Jackson, une propriété ne peut être présentée dans une expérience de type E que si elle est elle-même causalement responsable de l'expérience en question. Or il est permis de se demander jusqu'à quel point il s'agit là d'une condition véritablement nécessaire. Les réserves que m'inspire (2) n'ont rien à voir avec celles que suscite, chez certains philosophes, le principe même d'une théorie causale de la perception au sens de Grice, suspecte à leurs yeux d'introduire une forme d'indirection dans le processus perceptif et de laisser par là même la porte ouverte au scepticisme. Ce n'est pas le lieu d'exposer les raisons pour lesquelles ce genre d'inquiétude (qui a conduit différents auteurs à opter plutôt pour une théorie « disjonctive » de l'expérience) ne me paraît pas fondé. Je dirai simplement que je ne vois, quant à moi, aucune objection à l'idée qu'une condition nécessaire (quoique non suffisante) pour qu'une expérience E puisse être tenue pour la (re)présentation perceptive de l'objet O est que O soit à la source de l'occurrence de E, ou, en d'autres termes, que O cause E de façon appropriée. Toutefois, et ne serait-ce que pour tenir compte du fait que deux objets numériquement distincts peuvent fort bien nous apparaître comme ayant les mêmes propriétés, il importe, me semble-t-il, d'admettre que le contenu d'une expérience perceptive ne détermine jamais son objet.

---

22. Un des principaux exemples cités par Jackson et Pettit (« Functionalism and Broad Content », *Mind*, 97, 1988, p. 381-400) à l'appui de cette distinction concerne précisément les dispositions. Nous n'hésitons pas à dire que le verre s'est brisé parce qu'il était fragile. Pour autant, dirons-nous que, si le verre s'est brisé, c'est sa fragilité qui en est la cause ? Si tel était le cas, et puisqu'il existe une relation interne entre les dispositions et leurs manifestations, ce serait en violation du principe de Hume en vertu duquel les relations causales sont (logiquement) contingentes. La vérité est que, pour autant que la fragilité du verre n'est pas une disposition « ultime », il doit y avoir une propriété catégorique du verre — mettons, un certain type de structure moléculaire — qui est, quant à elle, causalement responsable du fait que le verre, dans sa chute, s'est brisé. Supposer que la fragilité du verre pourrait être, elle aussi, causalement responsable de cet événement reviendrait à « admettre une forme curieuse et ontologiquement extravagante de surdétermination ». La fragilité du verre n'est pas elle-même efficace, mais elle n'en est pas moins causalement pertinente en ce qu'elle « programme » l'existence d'une propriété physique sous-jacente qui sera, quant à elle, causalement efficace. Dès lors, demandent McFarland et Miller, pourquoi ne pas admettre que la disposition qu'ont certains objets à paraître rouge dans des conditions normales d'observation est « causalement pertinente » eu égard à l'expérience que nous faisons des mêmes objets comme étant de cette couleur, et pourquoi ne pas considérer un critère plus lâche que (2) — en l'occurrence (2*) : une propriété F ne peut être présentée dans l'expérience E que si elle est soit causalement efficace, soit causalement pertinente, dans la production de E ? Mais, si l'on accepte cette version affaiblie de (2), la principale objection de Jackson contre la théorie dispositionnelle des couleurs tombe en quelque sorte d'elle-même.

D'une façon générale, il convient de distinguer, avec Dretske[23], entre la relation causale qui détermine, dans des circonstances données, l'objet particulier d'une expérience perceptive et la relation informationnelle qui détermine la nature des propriétés que cet objet est perçu comme possédant. Or c'est une question controversée que de savoir si le type de relation nomique que recouvre la notion de lien informationnel (au sens qui nous intéresse ici, c'est-à-dire au sens de Dretske lui-même) doit nécessairement revêtir la forme d'une relation causale. Qui plus est, la notion d'information, comme l'observe encore Dretske, n'est que *faiblement* intensionnelle[24]. Autrement dit, si tout objet qui exemplifie la propriété F exemplifie aussi la propriété G en vertu d'une corrélation nomique, alors tout signal porteur de l'information que O est F véhiculera également l'information que O est G. À la différence des croyances et autres attitudes propositionnelles, les états sensoriels (pour autant que leur contenu est en partie analogique, non conceptuel) se caractérisent précisément par ce faible degré d'intensionnalité. Or supposons à présent que la couleur H de l'objet O consiste en une disposition à susciter une expérience de type E. Selon toute vraisemblance, H n'est pas une disposition primitive : elle repose sur un fondement catégorique. Admettons, au moins provisoirement, que H ne soit pas, en tant que disposition, la cause de ses propres manifestations : ce qui est causalement responsable de l'occurrence de E est, en réalité, la propriété physique (catégorique) C sous-jacente. Même ainsi, et puisque H survient sur C — disons que toute exemplification de C entraîne l'exemplification de H en vertu d'une nécessité nomique —, il semble que nous soyons fondés à soutenir que E véhicule, sous une forme analogique, l'information que O est H et que, par conséquent, E constitue (*inter alia*) la représentation de O comme étant H. Ainsi, même si nous accordons à Jackson qu'il doit exister une connexion causale ou informationnelle entre l'exemplification d'une certaine propriété dans l'environnement du sujet S et l'occurrence d'un état perceptif E de S qui puisse être tenu pour la (re)présentation de cette même propriété, il ne s'ensuit nullement que les couleurs, par exemple, ne sont pas des dispositions.

J'en viens à présent aux difficultés soulevées par la thèse (6) ci-dessus. L'objection la plus courante, sans doute, contre toute forme de réduction physicaliste de la couleur tient à la « réalisabilité multiple » de la disposition des objets physiques à susciter l'apparence phénoménale du

---

23. F. Dretske, *Naturalizing the Mind*, Cambridge, Mass., the MIT Press, 1995, p. 25-27.
24. F. Dretske, *Knowledge and the Flow of Information*, Oxford, Basil Blackwell, 1981, p. 70 *sq.* (Sur tous ces points, voir P. Jacob, *Pourquoi les choses ont-elles un sens ?*, Paris, Odile Jacob, 1997.)

rouge, du bleu, etc., ou de la propriété relationnelle complexe, connue sous le nom de « réflectance », dont elle est supposée dépendre. Une des conséquences de cette découverte empirique est qu'une couleur comme le rouge ne saurait être identifiée avec telle ou telle propriété physique en particulier, mais, dans le meilleur des cas, avec une disjonction de telles propriétés. Cela fait inconstablement problème pour la thèse physicaliste, dans la mesure où il ne va nullement de soi que les propriétés disjonctives — à plus forte raison celles qui enveloppent un nombre *a priori* indéfini de « membres » — soient d'authentiques propriétés, et encore moins (mais les deux points sont évidemment liés) qu'elles puissent se voir reconnaître la moindre efficace causale[25]. Jackson soutient, quant à lui, que la difficulté concerne uniquement les propriétés « excessivement » disjonctives, et non pas celles dont les membres présentent (comme c'est vraisemblablement le cas, selon lui, pour les couleurs) une certaine « unité » sous-jacente[26]. L'examen de cette question m'entraînerait trop loin de mon propos. Aussi me contenterai-je d'observer ici, avec McFarland et Miller[27], que les propriétés disjonctives en général ne sauraient — à s'en tenir à la lettre même d'un des principaux critères employés par Jackson et Pettit pour distinguer entre pertinence et efficacité causales — être considérées comme causalement efficaces.

À mon sens, toutefois, la principale objection que l'on est en droit d'adresser à la théorie physicaliste de la couleur est qu'elle contrevient encore plus ouvertement que la théorie dispositionnelle à la phénoménologie de l'expérience perceptive. Après tout, comme nous l'avons vu, il n'est pas entièrement absurde de supposer que, dans certains cas au moins, la disposition d'un objet à paraître de telle ou telle couleur soit effectivement perçue comme telle. Mais, de toute évidence, nous ne *voyons* pas les couleurs comme des propriétés microstructurales, consistant en une certaine forme d'organisation moléculaire, ni à plus forte raison comme des propriétés disjonctives. La difficulté, bien entendu, n'a pas échappé à Jackson, dont la réponse consiste à rejeter purement et simplement le principe de « transparence » (ou de « révélation ») en vertu duquel l'être de la couleur se donnerait tout entier dans son apparaître. À l'encontre de ce prin-

---

25. *Cf.*, par exemple, D. Armstrong, *A Theory of Universals : Universals and Scientific Realism*, vol. II, Cambridge, Mass., Cambridge University Press, 1978 ; pour une tentative récente de réexamen de cette question, voir L. Clapp, « Disjunctive properties : multiple realizations », *The Journal of Philosophy*, vol. XCVIII, n° 3, mars 2001, p. 111-136.
26. *Op. cit.*, p. 108-112.
27. D. McFarland et A. Miller (2000), « Disjunctions, programming and the Australian view of colour », *Analysis*, vol. 60, n° 2, p. 209-212.

cipe, il avance les trois arguments suivants. En premier lieu, ne faisons-nous pas quotidiennement l'expérience de voir la forme, la taille ou la couleur des objets qui nous entourent sous une apparence différente de celle qui est la leur dans des conditions optimales d'observation ? Deuxièmement, n'avons-nous pas appris de Hume que les termes de toute relation causale doivent constituer des « existences distinctes » ? Par conséquent, et dès lors qu'il doit y avoir, en principe, une connexion causale entre la couleur d'un objet physique et l'expérience de voir cet objet comme présentant une certaine apparence, l'idée d'une différence de nature entre celle-ci et la couleur considérée en elle-même, en tant que propriété physique, ne devrait pas susciter *a priori* de réserve ou d'étonnement. Enfin, en dépit de tout ce qui sépare par ailleurs les deux phénomènes, on ne voit pas pourquoi le cas de la couleur devrait être totalement différent de celui de la chaleur, dont personne ne conteste désormais l'identification avec un certain type d'agitation moléculaire, en dépit du fait qu'à l'évidence celle-ci n'est pas appréhendée comme telle dans la sensation.

À mon sens, les deux premiers arguments de Jackson ne sont pas convaincants. Sans doute sommes-nous habitués, en effet, à admettre que les propriétés des objets physiques sont susceptibles de nous apparaître autrement qu'elles sont (ou, plus exactement, autrement qu'elles ne devraient normalement nous apparaître) : sans même parler de l'expérience familière de l'illusion perceptive, il suffit de penser à l'exemple classique de la pièce de monnaie circulaire qui paraît elliptique lorsqu'elle est vue de côté. Néanmoins, il s'agit là d'un décalage entre propriétés phénoménales, fréquent mais épisodique, et que l'observation elle-même nous permet de corriger, alors que celui que Jackson se dit prêt à admettre entre la couleur des choses et la façon dont elle apparaît concerne deux catégories différentes de propriétés : il risque d'introduire un véritable divorce entre propriétés réelles et propriétés phénoménales, et aurait finalement pour conséquence que nous serions tous, en voyant les couleurs telles qu'elles nous apparaissent, victimes d'une sorte d'erreur, ou d'illusion, systématique. Le deuxième argument me semble reposer sur une confusion entre l'idée que, s'il doit y avoir une connexion causale entre la couleur d'une chose et l'expérience que nous faisons normalement de la voir de cette couleur, l'expérience et la couleur en question doivent elles-mêmes constituer deux existences distinctes, et l'idée — qui n'en découle aucunement — selon laquelle l'apparence que l'expérience présente l'objet comme possédant (et qui contribue à en former le contenu) devrait être nécessairement distincte de la couleur dont elle est la représentation.

Le troisième argument, en revanche, mérite plus ample réflexion, tant le cas de la chaleur est particulier et, à bien des égards, délicat. Sans doute la chaleur ne nous apparaît-elle pas, phénoménalement, sous les traits de la propriété physique à quoi la science l'identifie, c'est-à-dire comme une forme d'agitation moléculaire. Encore faudrait-il, pour que l'on soit fondé à tirer de ce genre de contre-exemple un argument contre la thèse de la transparence cognitive de la couleur, que les deux sortes de propriétés puissent être mises véritablement sur le même plan. Or, bien que le chaud et le froid figurent traditionnellement sur la liste officielle des qualités secondes, il semble bien que nous ayons affaire, en réalité, à deux catégories de propriétés de nature assez différente. D'une part, en effet, s'il est vrai que nous détectons le plus souvent la chaleur d'un objet en éprouvant à son contact, ou en sa présence, une *sensation* de chaleur, celle-ci se présente comme une expérience de nature proprioceptive (une « sensation interne »), qui ne saurait, pour cette raison même, être confondue avec la perception de la chaleur elle-même[28] et qui, en tout état de cause, ne semble pas avoir d'équivalent (indépendamment même des objections que suscite par ailleurs la notion de « sensation visuelle ») dans le cas de la perception de la couleur. D'autre part, comme le remarque M. Ayer, alors qu'il est permis de penser qu'un aveugle de naissance ne saurait savoir exactement ce que le mot « rouge » signifie, en revanche, « même un sujet insensible à la chaleur pourrait comprendre ce qu'on entend par "chaud"[29] ». L'important, en l'occurrence, est qu'il en allait ainsi avant que la science ne découvre en quoi consiste en dernier ressort la chaleur, « celle-ci ayant toujours pu être identifiée à partir de toutes sortes d'effets ou de manifestations observables autres que les sensations qu'elle occasionne » (*ibid.*). J'en conclus, quant à moi, que la chaleur n'est pas une propriété essentiellement phénoménale (ce qui ne veut pas dire, du reste, qu'il faille la compter pour autant au nombre des qualités premières), de sorte que la distance qui sépare sa nature physique véritable de son apparence sensorielle ne saurait valoir argument contre la thèse de la « révélation », qui n'a de plausibilité, bien sûr, qu'appliquée aux propriétés de ce type.

---

28. P. M. S. Hacker, *Appearance and Reality*, Oxford, Basil Blackwell, 1987, p. 92-93.
29. M. Ayer, *Locke. Ideas and Things*, Londres, Phoenix, 1997 ; trad. *Locke*, Paris, Seuil, 2000, p. 38.

La théorie « impressionniste » de McGinn

Ainsi, ni la conception dispositionnelle ni le réductionnisme physica-liste ne sont en mesure, semble-t-il, de rendre compte du mode d'exis-tence spécifique de la couleur. Comment échapper à cette alternative ? Dans un article paru en 1996[30], Colin McGinn propose ce qu'il présente d'abord lui-même comme une simple révision de la théorie disposition-nelle. McGinn se dit à présent convaincu de la portée de l'objection — qu'il avait écartée, dans un premier temps, en 1983 dans son livre *The Subjective View* — selon laquelle les couleurs ne nous apparaissent pas comme des dispositions. La thèse qu'il défend dans cet article, sous le nom de théorie « *impressionniste* » de la couleur, est qu'à défaut de consister en une disposition celle-ci est une qualité *sui generis* des objets physiques, qui *survient* sur la disposition de ces mêmes objets à produire un certain type d'apparence. L'avantage d'une telle supposition, selon McGinn, est qu'elle permet de rendre compte de la plupart des intuitions concernant le statut particulier des qualités secondes qui étaient au cœur de l'analyse disposi-tionnelle (et qu'elle demeure, de ce point de vue, fidèle à l'inspiration qui anime les théories « subjectivistes »), tout en échappant aux difficultés liées à la conception dispositionnelle proprement dite.

Que faut-il penser de cette solution, qui se recommande de prime abord par sa simplicité ? Il a été fait, au cours des deux dernières décen-nies, un usage tellement immodéré de la notion de survenance en phi-losophie qu'on éprouve *a priori* quelque méfiance à la perspective de la voir mise une fois de plus à contribution. McGinn, au demeurant, reconnaît lui-même que la solution qu'il propose risque de paraître, à première vue, quelque peu *ad hoc* (p. 553). On peut aussi avoir l'impres-sion qu'il s'agit d'une solution purement formelle, qui nous laisse large-ment sur notre faim quant à la question de savoir ce qu'*est* en fin de compte la couleur. Ce dernier reproche, toutefois, serait relativement injuste. L'hypothèse défendue par McGinn, comme il le souligne lui-même, n'a nullement pour ambition de nous dire *en quoi* consiste le phénomène de la couleur, pas plus qu'elle ne prétend constituer une analyse de la signification des termes de couleurs, ou des concepts qu'ils expriment ; sa seule ambition est de chercher à circonscrire le statut

---

30. C. McGinn, « Another look at colour », *op. cit.*

ontologique de la couleur à la fois en tant que propriété réelle et en tant que propriété phénoménale. Du même coup, sa validité dépend crucialement de la supposition selon laquelle la survenance des couleurs sur les dispositions des objets à paraître colorés n'implique aucunement l'identité des deux catégories de propriétés.

À suivre le raisonnement de McGinn, toute disposition à susciter une certaine apparence de rouge entraîne la survenance, ou l'émergence, de la couleur correspondante : les deux propriétés sont strictement co-extensives. Pour autant, McGinn refuse d'y voir une raison pour identifier les deux sortes de propriétés l'une à l'autre : selon lui, l'exemple des propriétés *triangulaire* et *trilatère* suffit à établir que même le fait que deux propriétés ont même extension dans tous les mondes possibles n'implique pas leur identité. Nombreux, pourtant, sont les philosophes qui souscrivent sans état d'âme au principe de ce que David Armstrong a appelé plaisamment la doctrine du « déjeuner ontologique gratuit », en vertu de laquelle les entités survenantes n'ajoutent rien, ontologiquement parlant, par rapport aux entités sous-jacentes. À défaut de pouvoir entrer ici dans le détail de cette question complexe, j'accorderai à McGinn que ni l'existence d'une corrélation d'ordre nomique, ni même celle d'une relation de co-extensivité nécessaire entre propriétés survenantes et propriétés sous-jacentes, n'implique l'identité des deux sortes de propriétés considérées en tant que *types*. Toutefois, cela ne veut pas dire que les propriétés en question ne pourraient pas être tenues, le cas échéant, pour identiques occurrence par occurrence. En d'autres termes, la forme de réductibilité la plus plausible, en la matière, est entre *instances* de propriétés. À vrai dire, pour tout un ensemble de raisons que je ne puis développer ici (et contrairement à Stephen Mumford, par exemple[31]), je serais enclin à soutenir qu'il est plus facile d'envisager pareille réductibilité lorsque les occurrences en question sont conçues non comme des exemplifications d'universaux, mais comme des tropes (ou « particuliers abstraits »). Quoi qu'il en soit, j'admettrai ici que la survenance (forte) d'une famille de propriétés sur une autre, à défaut d'entraîner leur identité en tant que *types*, est en revanche compatible avec leur identification au cas par cas. Mais, pour autant, l'*implique*-t-elle ?

Tout dépend évidemment du critère retenu pour décider de l'identité de deux instances de propriétés. Le critère qui semble prévaloir désormais dans la littérature repose sur l'idée que deux occurrences des propriétés F et G doivent être tenues pour ontologiquement distinctes si et seulement si leur rôle causal est lui-même distinct. Considérons, par

31. S. Mumford, *Dispositions*, Oxford, Clarendon Press, 1998, p. 159-160.

exemple, le cas des dispositions. Les pouvoirs causaux et autres traits dispositionnels ont-ils eux-mêmes un quelconque rôle causal ? Comme nous l'avons vu, l'hypothèse la plus plausible est que les dispositions sont, en effet, « causalement pertinentes », mais qu'elles ne possèdent pas, néanmoins, de rôle causal autonome, soit qu'elles se bornent à « programmer » (au sens de Jackson et Pettit) l'existence d'une propriété sous-jacente causalement efficace, soit que leur rôle causal soit lui-même purement « survenant » par rapport à celui de la propriété catégorique qui les sous-tend. Si tel est bien le cas, il devient effectivement possible d'envisager une réduction *token/token* des propriétés dispositionnelles aux propriétés non dispositionnelles sur lesquelles elles surviennent. De surcroît, le même raisonnement me paraît devoir s'appliquer aux couleurs émergentes postulées par McGinn, dont je doute qu'elles puissent se voir attribuer le moindre rôle causal et dont je vois mal, en tout cas, comment on pourrait leur attribuer un rôle causal distinct de celui des dispositions sur lesquelles elles surviennent à leur tour.

Théorie des tropes ou réalisme des universaux ? Il n'entre évidemment pas dans mon intention d'aborder ici un tel débat, qui dépasse largement, du reste, le cadre de la philosophie de la perception. Aussi me bornerai-je à relever les implications qu'il me paraît comporter pour l'interprétation et la discussion de la thèse de McGinn. Considérons d'abord, en effet, l'hypothèse où les propriétés devraient — en tant que *types* — être conçues comme des universaux. Dans ce cas, il me semble que nous devrions accorder à McGinn que la couleur des objets — à supposer qu'elle survienne, comme il le suggère, sur leur disposition à présenter visuellement un certain type d'apparence — constitue une catégorie ontologique autonome, qu'il s'agit d'une propriété émergente (dont McGinn soutient qu'elle n'est, à strictement parler, ni physique ni mentale) dont la survenue résulte d'une interaction causale entre les objets physiques et les sujets percevants, sans qu'il y ait lieu pour autant de la considérer elle-même comme une propriété relationnelle (en quoi la théorie « impressionniste » de la couleur présente bel et bien l'avantage, par rapport à la théorie dispositionnelle, de s'accorder, au moins sur ce point, avec le réalisme naïf du sens commun). Mais supposons, en revanche, que nous nous placions dans la perspective d'une théorie des tropes. En ce cas, et toujours en vertu du raisonnement qui précède, il y a quelque motif de penser que les couleurs survenantes de McGinn sont réductibles aux dispositions dont elles dépendent, et qu'à leur tour celles-ci (et donc, finalement, les couleurs elles-mêmes) ne font qu'un, prises individuellement, avec les propriétés physiques qui les sous-tendent. Dans cette perspective, la nuance particulière, le trope de couleur qui m'est présenté visuellement lorsque je regarde la surface d'un objet coloré, *est* tout simplement une propriété physique (elle-même particulière, non répétable), aussi complexe que l'on voudra.

Toutefois, l'histoire ne s'arrête pas là. Que les couleurs phénoménales puissent, en tant que tropes, être identifiées à des propriétés physiques ne signifie évidemment pas qu'elles se réduisent à ces dernières, lorsqu'elles sont considérées en tant que *types*. Du point de vue d'une théorie des particuliers abstraits, les propriétés types doivent être regardées comme des classes d'équivalence de propriétés individuelles, modulo une relation de ressemblance plus ou moins parfaite. Par hypothèse, de tels « universaux » n'ont pas de réalité ontologique — ce qui, dans le cas qui nous intéresse, permet de donner tout son sens à l'idée que les couleurs phénoménales, les dispositions sur lesquelles elles surviennent et enfin les fondements catégoriques de ces dernières constituent autant de propriétés ontologiquement identiques entre elles, mais « conceptuellement » distinctes. Il est à noter que les mêmes tropes peuvent ainsi figurer dans des classes d'équivalence (et donc relever de types de propriétés) différentes, en fonction de la relation de ressemblance retenue[32]. Or, lorsque les similitudes pertinentes sont des similitudes observables, rien n'empêche d'envisager que le regroupement des propriétés individuelles en *types* de propriétés perçues s'ébauche, pour commencer, au niveau perceptif lui-même. Ainsi, on peut fort bien faire l'hypothèse que certaines des propriétés physiques perçues par l'organisme, et dont la présence dans l'environnement du sujet fait partie de l'information dont sont porteurs certains de ses états perceptifs, sont représentées sous un certain mode de présentation, à un niveau de contenu perceptif que j'appellerai pour faire vite protopropositionnel, et moyennant un début de digitalisation de l'information en question, sur la base de la similitude entre la disposition à présenter une certaine apparence qu'elles confèrent aux objets qui les instancient — comme on peut faire aussi, et surtout, l'hypothèse que ces mêmes tropes individuels sont perçus sous un autre mode de présentation et comme présentant un certain *type* d'apparence, à un autre niveau du contenu perceptif, du fait des similitudes existant entre les propriétés qualitatives des états sensoriels eux-mêmes.

Nul doute qu'il faille, dans une telle hypothèse, renoncer, en un sens, à ce que j'ai appelé tout à l'heure le « principe de transparence » — mais jusqu'à quel point, et à quel prix ? Dans sa discussion de la théorie dispositionnelle, et en relation avec l'objection qui veut que les couleurs ne nous apparaissent pas *comme* des dispositions, McGinn envisage, pour la

---

32. D. Ehring, « Tropeles in Seattle : the cure for insomnia », *Analysis*, n° 261, 1999.

Figure 1

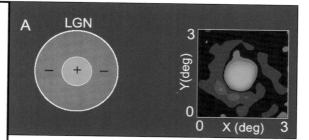

À **droite** : *forme simplifiée du profil récepteur d'une cellule ganglionnaire ou d'un neurone du corps genouillé latéral.*

À **gauche** : *lignes de niveau du profil récepteur réel. (D'après De Angelis et al., 1995.)*

Figure 3

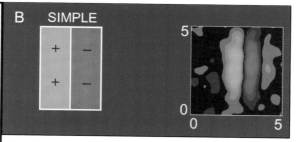

À **droite** : *forme simplifiée du profil récepteur d'une cellule simple de V1.*

À **gauche** : *lignes de niveau du profil récepteur réel. (D'après De Angelis et al., 1995.)*

Figure 6

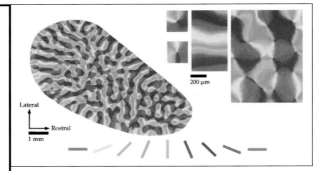

À **gauche** : *la structure en* pinwheels *de l'aire V1*
d'un tree shrew.
Les différentes orientations sont codées par des couleurs.

À **droite** : *zoom sur des exemples de points réguliers*
et de points singuliers de chiralités opposées (voir texte).
(D'après Bosking et al., 1997.)

Figure 8

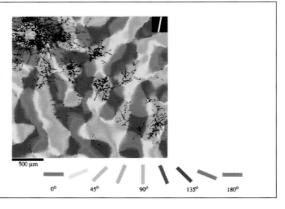

La diffusion du marqueur de la biocytine le long
des connexions horizontales.
(D'après Bosking et al., 1997.)

rejeter, la possibilité de distinguer entre l'objet *de re* et le contenu *de dicto* de l'expérience que nous faisons du jaune ou du rouge. Son objection est qu'un tel contenu devrait inévitablement consister dans la représentation d'une nouvelle propriété[33]. Effectivement, le risque, pourrait-on ajouter, est d'aboutir à la conclusion qu'une propriété (réelle) est perçue sous les traits d'une autre propriété (phénoménale). Dans la perspective que je viens de dessiner, et que je n'ai évoquée qu'à titre de simple possibilité théorique, tel serait en un sens le cas, mais en un sens seulement : d'un côté, c'est bien la propriété physique individuelle causalement responsable de l'expérience du sujet qui apparaît à ce dernier ; mais, de l'autre, cette propriété individuelle — cet « accident singulier » — lui apparaît comme instanciant un type caractérisé, précisément, par son apparence phénoménale.

Le rôle des qualia

Il est temps, pour finir, d'aborder brièvement le problème des *qualia*, que mes dernières remarques ont eu pour effet d'introduire indirectement dans la discussion. Deux conceptions principales, on le sait, s'opposent aujourd'hui à leur sujet. Alors que, selon la première, les aspects proprement sensoriels de l'expérience perceptive sont, en eux-mêmes, dépourvus de tout contenu intentionnel, la seconde les identifie au contraire avec les propriétés phénoménales des objets perçus. Ce n'est évidemment pas le lieu d'exposer à nouveau les raisons qui me conduisent à penser qu'aucune de ces deux théories n'est véritablement satisfaisante[34]. Mon sentiment est que la théorie « phénoméniste » et la théorie « représentationnelle » des *qualia* aboutissent paradoxalement, l'une et l'autre, à une forme de réification des propriétés phénoménales, du fait qu'elles reposent en fin de compte sur le même postulat en vertu duquel le contenu représentationnel de la perception se réduit à l'ensemble des propriétés que les objets perçus sont représentés comme possédant. Aussi convient-il, selon moi, de rejeter ce présupposé et d'admettre

---

33. C. McGinn, *op. cit.*, p. 538.
34. F. Clementz, « *Qualia* et contenus perceptifs », *in* J. Proust (éd.), *Perception et intermodalité*, Paris, PUF, 1997 ; « Contenu représentationnel et contenu phénoménal », *in* P. Engel (éd.), *Philosophie analytique*, Cahiers de philosophie de l'université de Caen, n° 31-32, 1998 ; « La notion de contenu perceptif », *in* P. Livet (éd.), *De la perception à l'action*, Paris, Vrin, 2000.

que les *qualia* contribuent, à leur manière, à déterminer le contenu intentionnel des états perceptifs, en tant que modes de présentation qualitatifs des propriétés représentées. Certes, en elle-même, l'observation selon laquelle ces propriétés, qui composent en grande partie l'apparence que les choses revêtent à nos yeux, sont toujours perçues, à leur tour, sous un certain aspect n'a rien de particulièrement original : on la retrouve sous de nombreuses formes dans la littérature philosophique, depuis les « esquisses » (*Abschattungen*) de Husserl jusqu'aux « façons de percevoir » de C. Peacocke. J'ai bien conscience, au demeurant, de ses limites, de son caractère à première vue passablement vague et des interrogations qu'elle peut, à bon droit, susciter. Initialement, chez Frege, le concept de « mode de présentation » ne renvoie-t-il pas, justement, à l'idée d'une ou plusieurs *propriétés* par le truchement desquelles une certaine *Bedeutung* est appréhendée dans le langage et la pensée ? Dès lors, qu'est-ce qu'un mode de présentation d'ordre purement « qualitatif » ? Une telle notion n'est-elle pas finalement vouée à baptiser la difficulté, comme s'il pouvait exister un moyen terme entre la solution consistant à rabattre les *qualia* sur les propriétés phénoménales des objets perçus et celle qui revient à les concevoir comme de simples modalités de l'expérience sensorielle ?

Peut-être les remarques qui précèdent sont-elles de nature à dissiper, au moins en partie, ces interrogations. En quoi — pour résumer celles-ci d'un trait — les aspects qualitatifs de l'expérience peuvent-ils contribuer à en déterminer le contenu représentationnel ? Un premier élément de réponse me paraît résider dans l'idée, évoquée par de nombreux auteurs, selon laquelle les *qualia*, pour autant qu'ils font partie du produit de sortie des systèmes périphériques, apportent au système central une indication sur la provenance modale de l'information qui lui est transmise (ce qui signifie qu'ils ont en fin de compte un rôle causal ou fonctionnel, au regard tant du contrôle de l'action que de la formation des croyances perceptives). Toutefois, si l'on se place dans la perspective de la version quelque peu hérétique de la théorie « impressionniste » de la couleur que j'ai tenté d'esquisser dans la section précédente, il se pourrait que les *qualia* contribuent de façon beaucoup plus décisive à la formation du contenu représentationnel de l'expérience, en décidant (au moins dans le cas des qualités secondes, ou « essentiellement phénoménales ») de la représentation d'une propriété physique singulière comme instance d'un « universel », ou d'un type, qui (puisque les universaux, du point de vue d'une théorie des tropes, n'*existent* pas) ne constitue pas, en dernière analyse, une propriété réellement distincte de celle qui est présentée au sujet percevant, mais le mode de présentation non conceptuel, ou préconceptuel, sous lequel elle lui apparaît[35]. Il va de soi que la plausibilité éventuelle d'une telle hypothèse est tout entière suspendue à celle de la théorie des tropes elle-même. Le paradoxe, en ce cas, est que nous serions en situation de voir un problème fondamental de la philosophie de la perception dépendre d'un débat métaphysique de portée, à l'évidence, beaucoup plus générale.

RÉFÉRENCES

– C. Hookway, « Two conceptions of moral realism », *Proceedings of the Aristotelian Society*, suppl. vol. LX, 1986.

– F. Jackson, « The primary quality view of colour », *Philosophical Perspectives*, n° 10, 1996, p. 199-219.

– F. Jackson et R. Pargetter, « An objectivist's guide to subjectivism about colour », *Revue internationale de philosophie*, n° 160, 1987, p. 127-141.

– F. Jackson, *From Metaphysics to Ethics. A Defence of Conceptual Analysis*, Oxford, Clarendon Press, 1998.

– J. McDowell, « Values and secondary qualities », *in* T. Honderich, *Morality and Objectivity : a Tribute to John Mackie*, Londres, Routledge, 1985 ; trad. *in* R. Ogien, *Le Réalisme moral*, Paris, PUF, 1999.

– D. McFarland et A. Miller, « Jackson on colour as a primary quality », *Analysis*, vol. 58, n° 2, 1998, p. 76-85.

– C. McGinn, *The Subjective View*, Oxford, Clarendon Press, 1983.

– C. McGinn, « Another look at colour », *The Journal of Philosophy*, vol. XCIII, n° 11, 1996.

---

35. En dépit de certaines apparences, la présente suggestion se situe donc très exactement aux antipodes de l'hypothèse récemment formulée par J. Foster (*The Nature of Perception*, Oxford, Oxford University Press, 2000), selon laquelle l'expérience sensible ne met directement en relation le sujet percevant ni avec la propriété physique causalement responsable de son occurrence, ni avec un *sense-datum* de nature strictement privée, mais avec une propriété phénoménale conçue comme un « universel concret », susceptible d'être appréhendée par des sujets différents.

Y a-t-il une « logique des couleurs » ?

par Jacques Bouveresse

Les propositions de la grammaire des couleurs peuvent-elles être expliquées ?

Dans les *Remarques sur la couleur*, Wittgenstein examine toute une série de propositions, à première vue surprenantes, qui, selon lui, expriment des faits significatifs concernant la « logique » ou la « grammaire » (c'est-à-dire, finalement, la nature) de la couleur. Et une des raisons pour lesquelles elles peuvent sembler surprenantes est justement qu'il ne semble pas y avoir, pour parler comme McGinn, de nécessités ontologiques[1] clairement reconnaissables qui leur correspondent et qui soient capables de les justifier.

Jonathan Westphal[2] en énumère six principales :

(1) Il ne peut pas y avoir de blanc transparent.

(2) Blanc est la plus claire de toutes les couleurs.

(3) Le gris ne peut être lumineux.

(4) Il ne peut y avoir de brun pur ou de lumière brune (le brun est essentiellement une couleur de surface).

(5) Il n'y a pas de jaune noirâtre.

---

1. McGinn a proposé de distinguer entre les « nécessités concernant la façon dont le monde peut *apparaître* » ou « nécessités de la *phénoménologie* » (par exemple, les incompatibilités entre couleurs) et les « nécessités concernant la façon dont le monde peut *être* » ou « nécessités de l'*ontologie* » (par exemple, les incompatibilité entre formes). Colin McGinn, *The Subjective View. Secondary qualities and indexical thoughts*, Oxford, Clarendon Press, 1983, p. 24.

2. Jonathan Westphal, *Colour. Some philosophical problems from Goethe to Wittgenstein*, Oxford, Basil Blackwell, 1987, p. 1.

(6) Il peut y avoir un vert bleuâtre, mais non un vert rougeâtre.

Les propositions (1) et (6) sont tirées directement d'une lettre célèbre, datée du 3 juillet 1806, du peintre Philipp Otto Runge à Goethe[3], qui est reproduite à la fin de la partie didactique de la *Théorie des couleurs*[4] ; et la même chose est vraie de la proposition selon laquelle le noir « salit[5] ». Il se peut que Wittgenstein se souvienne également de Runge, lorsqu'il observe que « l'analyse phénoménologique (comme, par exemple, Goethe la voulait) est une analyse conceptuelle et ne peut concorder avec la physique, ni la contredire[6] ». Runge lui-même avait écrit à propos de sa propre construction, qui reflète avant tout le point de vue et les intérêts du peintre : « Cette conception ne contredira pas et ne rendra pas non plus inutiles les essais physiques que l'on peut faire pour apprendre quelque chose de complet sur les couleurs[7]. » Wittgenstein pense que, si la physique ne peut ni confirmer ni contredire l'analyse phénoménologique, elle ne peut, bien entendu, pas davantage espérer résoudre ses problèmes : « Je peux comprendre au moins ceci, qu'une théorie physique (comme celle de Newton) ne peut pas résoudre les problèmes qui ont motivé Goethe, même s'il ne les a pas lui-même résolus[8]. » Mais c'est justement un point délicat et sur lequel les théoriciens et les philosophes de la couleur sont loin d'être d'accord. Certains partisans contemporains de Goethe estiment que ce n'est pas — en tout cas pas seulement — parce que la théorie de Newton est une théorie physique qu'elle est incapable de traiter et de résoudre les problèmes de Goethe, et que la *Farbenlehre* contient après tout, elle aussi, bel et bien une théorie physique de la couleur.

Le problème que posent les propositions de Wittgenstein apparaît très clairement si on considère, par exemple, le cas de la troisième. Comme il le dit : « Que l'on ne puisse pas se représenter une chose "d'un gris incandescent", cela n'appartient pas à la physique ou à la psychologie de la couleur. On me dit qu'une certaine substance brûle avec une flamme grise. Je ne connais tout de même pas la couleur des flammes de toutes les substances ; pourquoi, par conséquent, cela ne devrait-il pas

---

3. Johann Wolfgang Goethe, *Farbenlehre*, Gerhard Ott et Heinrich O. Proskauer (éds.), Verlag Freies Geistesleben, Stuttgart, 1979, Band 1, p. 311-316.
4. Wittgenstein les commente dans *Bemerkungen über die Farben*, I, § 21 et III, § 94 [Ludwig Wittgenstein, *Remarques sur les couleurs*, édition bilingue, traduit de l'allemand par Gérard Granel, TER, 1983].
5. Wittgenstein la commente dans *Bemerkungen über die Farben*, *op. cit.*, III, § 105 et 156.
6. *Ibid.*, II, § 16.
7. *Farbenlehre, op. cit.*, p. 313.
8. *Bemerkungen über die Farben, op. cit.*, III, § 206.

être possible[9] ? » Si quelqu'un me dit qu'il connaît une substance qui brûle avec une flamme grise, je considérerai la chose avec un sentiment d'incrédulité ou d'incompréhension pure et simple. Mais ce n'est pas parce que je sais quelles sont les couleurs des flammes de toutes les substances. Qu'est-ce qui me rend donc si certain que cela n'est pas possible ? Si les propositions de cette sorte suscitent un sentiment de perplexité, c'est parce que 1) on sait de façon apparemment certaine qu'elles sont vraies, 2) on sait que leur vérité ne résulte pas d'une décision plus ou moins arbitraire, et 3) on ne sait pas vraiment pourquoi elles sont vraies.

Un des reproches principaux que Westphal adresse à Wittgenstein est d'avoir écarté trop tôt la possibilité de donner une explication proprement dite d'impossibilités comme celles dont traitent les propositions auxquelles il s'intéresse. La démarche de Westphal consiste à montrer qu'il est possible de donner des définitions réelles des couleurs, à proposer effectivement des définitions de cette sorte et à établir que les propositions (1)-(6) peuvent être déduites de ces définitions. Une conséquence importante qui résulte de cela est que, contrairement à ce que Wittgenstein s'est cru obligé d'admettre au début des années 1930 et a maintenu par la suite, aucune « logique des concepts de couleur » particulière n'est requise pour répondre à la question que soulèvent ces propositions. Ce qui, bien sûr, implique du même coup qu'il n'y a aucune raison de les considérer comme correspondant à des nécessités qui sont seulement phénoménologiques. Les impossibilités qu'elles expriment ne sont rien de plus que des contradictions logiques directes de l'espèce standard, et donc bel et bien des impossibilités *logiques*, au sens du *Tractatus*. Pour Westphal, les impossibilités ontologiques que nous cherchons sont donc clairement de l'espèce logique, et non pas naturelle. Mais il faut remarquer, cependant, qu'elles dépendent de façon essentielle du contenu de définitions réelles qui incluent un élément empirique. S'il ne peut pas y avoir, par exemple, de brun pur, c'est parce que le brun peut être défini comme étant un jaune assombri. Il n'est même pas nécessaire de dire que la sensation de brun est la sensation d'un jaune assombri. On peut oublier la sensation et ne retenir comme explication que le fait que le brun est un jaune assombri. Westphal souligne, par conséquent, que « la solution du puzzle de Wittgenstein est conceptuelle, et non psychologique. Mais cela ne veut pas dire qu'elle n'est pas scientifique[10] ».

La solution peut effectivement être dite, si l'on veut, conceptuelle ; mais la proposition selon laquelle il n'y a pas de brun pur n'est pas une

---

9. *Ibid.*, I, § 40-41.
10. Jonathan Westphal, *op. cit.*, p. 53.

vérité conceptuelle, au sens que Wittgenstein donne à cette expression. Elle n'exprime pas, en effet, de façon directe une relation interne entre les deux concepts impliqués dans la proposition, mais seulement une incompatibilité qui résulte logiquement de la définition réelle des deux entités concernées. Cela ne l'empêche pas, cependant, d'être une vérité nécessaire : « Je ne crois pas que l'incorporation de faits empiriques empêche l'explication de l'impossibilité d'un brun pur et des autres propriétés asymétriques du brun de déboucher sur des vérités nécessaires. La vérité exprimée dans une définition réelle doit être une vérité empirique, quoi qu'elle puisse être par ailleurs, mais, la vérité une fois fixée, des conséquences logiques s'ensuivront. Il n'y a rien à craindre ici pour le phénoménologue au cœur tendre ou le philosophe du langage[11]. »

Dans le cas de l'impossibilité d'un blanc transparent, la réponse à la question de Wittgenstein est donnée par le fait qu'« un objet blanc transparent transmettrait presque toute la lumière incidente et ne refléterait presque rien de la lumière incidente (il est transparent), et il refléterait presque toute la lumière incidente (il est blanc) et n'en transmettrait presque aucune[12] », ce qui constitue une double contradiction immédiate. Dans le cas d'une impossibilité comme celle d'un vert rougeâtre, l'explication est la suivante : « Nous pouvons dire que, pourvu qu'il ne change pas la couleur, un objet ne peut pas à la fois absorber ou assombrir la proportion pertinente de la lumière rouge relativement aux lumières des autres couleurs, et absorber ou assombrir la proportion pertinente de la lumière verte relativement aux lumières des autres couleurs, y compris le rouge. Un objet vert est un objet qui absorbera ou assombrira presque la totalité d'une lumière incidente rouge quelconque, et réfléchira ou n'assombrira pas des proportions plus élevées de la lumière des autres couleurs. La définition correspondante d'un objet rouge nous donne une contradiction logique directe[13]. »

L'argument principal du livre de Westphal est que les lois « phénoménologiques » qui sont exprimées dans les propositions (1)-(6) doivent être considérées, dans une perspective foncièrement réaliste, comme une expression directe, non pas de la nature de notre expérience perceptuelle ou de celle des concepts que nous avons adoptés pour décrire les couleurs, mais « de la nature de la couleur, de la nature des différentes couleurs et de ce que c'est pour une chose que d'être colorée[14] ». Westphal traite les couleurs comme étant des essences réelles et il en donne des

---

11. *Ibid.*, p. 55.
12. *Ibid.*, p. 20.
13. *Ibid.*, p. 84.
14. *Ibid.*, p. 8.

définitions qui résultent d'une réinterprétation moderne de la *Théorie des couleurs* de Goethe. On peut dire, de façon très schématique, qu'il traite la couleur, à la manière goethéenne, comme étant une certaine espèce d'ombre ou, pour être plus précis, comme une capacité qu'a la surface d'un objet d'assombrir d'une certaine façon la lumière incidente. Pour lui, les parties de la théorie goethéenne qu'il utilise sont de la science en bonne et due forme, et non, comme on le dit souvent, de la poésie ou de la phénoménologie ; et elles ne constituent pas non plus, comme Wittgenstein l'a cru, une recherche logique ou conceptuelle, que Goethe lui-même aurait prise à tort pour une recherche scientifique.

L'à priori *et le nécessaire*

Dans la façon de considérer les choses qui vient d'être décrite, les vérités exprimées dans les définitions réelles, bien qu'empiriques, peuvent avoir des conséquences logiques que rien n'empêche d'être, comme le croient les partisans de l'approche phénoménologique, nécessaires. Cependant, même si les vérités en question sont nécessaires, il n'en est pas moins vrai que, conformément à une caractéristique fondamentale des théories de la référence du type « Leibniz-Putnam-Kripke », elles ne sont pas pour autant connues *a priori*. En d'autres termes, il n'est pas vrai qu'une vérité nécessaire doive nécessairement pouvoir également être reconnue *a priori*. Westphal est d'accord avec Wittgenstein pour maintenir que des vérités nécessaires concernant les couleurs (par exemple le fait que le jaune saturé est — nécessairement — plus clair que le bleu saturé) ne peuvent pas être inférées de vérités contingentes concernant la manière dont les objets sont colorés. Elles ne peuvent être inférées que de définitions réelles concernant les couleurs elles-mêmes. Mais la faiblesse de la position de Wittgenstein réside (1) dans sa méfiance à l'égard d'idées comme celles de l'essence, ou du caractère, d'une couleur et de ce qu'ils peuvent contenir ou impliquer, et (2) dans sa tendance à sous-estimer les possibilités de l'explication scientifique. Wittgenstein dit que « l'essence est exprimée dans la grammaire[15] ». Westphal soutient que « la grammaire découle de l'essence, et l'essence est révélée par la science ou par n'importe quelle autre activité qui contribue à répondre à la question

---

15. Ludwig Wittgenstein, *Philosophische Untersuchungen / Philosophical Investigations*, texte allemand et traduction anglaise de G. E. M. Anscombe, Oxford, Basil Blackwell, 1953/1998, § 371.

"Qu'est-ce que ?"[16] ». Et elle ne peut, bien entendu, être révélée que progressivement. Wittgenstein sous-estime simplement les possibilités que nous avons d'expliquer, et d'expliquer de mieux en mieux, la signification de termes comme « bleu », « rouge », « blanc » ou « noir » dans les propositions sur lesquelles il s'interroge et le degré auquel les progrès réalisés dans la science de la couleur elle-même peuvent contribuer à affiner et à modifier nos capacités et nos incapacités de « concevoir » comme possibles des choses dans un domaine comme celui dont il s'agit[17]. Nous ne pouvons pas dire littéralement d'une couleur qu'elle a une « constitution interne » qui explique les impossibilités dont traitent les propositions de Wittgenstein, au sens auquel Leibniz dit qu'un objet physique a une constitution interne dont découlent, par exemple, sa couleur et son poids et qui, si nous la connaissions, expliquerait ces propriétés-là et toutes celles qu'il possède par ailleurs. Mais cela ne signifie pas que les propositions dont il est question dans les *Remarques sur les couleurs* soient inanalysables, et les questions qui leur correspondent impossibles à résoudre autrement qu'en invoquant simplement ce que savent déjà tous ceux qui connaissent la grammaire des termes de couleur concernés. Car la signification réelle des termes de couleur peut dépendre aussi de choses que nous ne savons pas ou pas encore.

D'après Westphal : « Aucune des propositions qui suscitent la perplexité n'est une proposition dont nous savons *a priori* qu'elle est vraie, mais toutes sont nécessaires. Dans la mesure où l'idée de la nécessité épistémique dépend de l'*a priori*, les propositions énigmatiques ne sont donc pas épistémiquement nécessaires[18]. » Cela soulève déjà une question difficile. Si les propositions concernées ne sont pas connues *a priori*, une recherche empirique plus poussée pourrait nous révéler non seulement qu'elles ne sont pas nécessaires, mais même tout simplement qu'elles ne sont pas vraies. Or il apparaît finalement qu'elles sont toutes, comme on le pressentait, non seulement vraies, mais également nécessaires, ce qui pourrait sembler à première vue à la fois rassurant et passablement surprenant. Si ces propositions ne sont pas connues *a priori*, d'où vient l'impression que nous avons qu'elles sont nécessaires, une impression qui pourrait très bien être contredite par les résultats de la recherche empirique, mais qui, dans leur cas, a été confirmée ? L'objection que l'on a envie de formuler contre Westphal est évidemment la suivante : si la grammaire, qui est une chose qui a dû en principe être créée par nous, a

---

16. Jonathan Westphal, *op. cit.*, p. 56.
17. *Ibid.*, p. 54.
18. *Ibid.*, p. 11.

découlé de l'essence, bien que nous ne connaissions pas celle-ci et que nous ne puissions espérer la connaître que difficilement et graduellement par des méthodes qui sont celles de la science et, plus généralement, de la connaissance empirique, de quelle façon a-t-elle pu le faire ? On serait presque tenté de dire : par quel miracle a-t-elle pu le faire ? L'impression que l'on a est que la grammaire a eu, comme on dit, de l'« intuition » : elle a pris un risque considérable en se permettant de devancer aussi sérieusement la science et les réponses qu'elle donne au problème de la signification réelle des termes de couleur ; et pourtant elle a eu raison de le faire.

Westphal nie que nous puissions savoir et que nous sachions effectivement *a priori* qu'il ne peut pas y avoir de vert rougeâtre ; ce qui soulève la question de savoir quel statut exact nous accordons à la proposition, avant d'avoir établi qu'elle est effectivement nécessaire. Si elle n'est pas nécessaire épistémiquement, cela signifie que nous devons la traiter comme une proposition qui est susceptible d'être contredite par les faits et qui pourrait, par conséquent, se révéler fausse. Wittgenstein a donc tort de suggérer que la proposition « Il n'y a pas de vert rougeâtre » a un statut comparable à celui de la proposition « Un objet ne peut pas avoir à la fois 1 m et 2 m de long » ou « Il n'y a pas de nombre entier compris entre 2 et 3 ». Mais est-il plus satisfaisant de considérer que la proposition exprime simplement une certitude empirique révisable ou, si l'on préfère, une nécessité hypothétique, qui pourrait se révéler en fin de compte ne pas être du tout une nécessité ? Ce que nous ne savons pas, d'après Westphal, et que nous devons découvrir empiriquement est que la proposition se réduit, en fait, à une vérité logique de l'espèce usuelle, et que c'est là la véritable raison de son caractère *a priori* et nécessaire. Mais qu'est-ce qui nous permet, justement, d'être certains que les impossibilités grammaticales de cette sorte doivent constituer une simple conséquence d'impossibilités logiques dont nous pouvons très bien ignorer, pour le moment, complètement la nature ? Autrement dit, de deux choses l'une : ou bien les propositions de Wittgenstein ne sont pas connues *a priori*, parce que nous ne pouvons pas connaître *a priori* la raison pour laquelle elles sont vraies, qui est que ce sont des vérités logiques et donc effectivement, dans l'usage que l'on fait habituellement du mot « *a priori* », des vérités *a priori* ; ou bien elles sont connues *a priori*, mais, dans ce cas, qu'est-ce qui nous autorise à supposer que des connaissances auxquelles nous attribuons le caractère de l'*a priori* vont se révéler effectivement être telles, quand nous serons plus avancés dans la connaissance des essences réelles dont découle la vérité des propositions dans lesquelles elles sont exprimées ? Si les propositions que Wittgenstein appelle

« grammaticales » ne sont pas *a priori*, bien qu'elles soient nécessaires, quelles peuvent bien être les propositions qui sont susceptibles de l'être ?

La théorie de la référence de Kripke entraîne une dissociation, qui peut sembler à première vue surprenante, entre les deux notions d'apriorité et de nécessité. La nécessité, au sens où il la comprend, est une notion métaphysique, alors que l'apriorité pourrait être identifiée à la nécessité épistémique. Kripke soutient que les noms propres sont des désignateurs rigides, c'est-à-dire désignent le même objet dans tous les mondes possibles dans lesquels ils désignent quelque chose. Il résulte de cela que, si une identité comme « Shakespeare = Bacon » est vraie, alors elle est nécessairement vraie. Car si « Shakespeare » et « Bacon » désignent le même objet dans le monde réel, il s'ensuit qu'ils désignent aussi le même objet dans tous les mondes possibles, ce qui signifie que l'identité est nécessaire. Mais qu'ils désignent le même objet dans le monde réel et donc également dans tous les mondes possibles est une chose qu'il est, bien entendu, impossible de savoir *a priori* ; et la proposition « Shakespeare = Bacon » n'est sûrement pas une proposition *a priori*. Il s'ensuit qu'il est pour le moins difficile de comparer son statut à celui d'une proposition comme « Rien ne peut être à la fois vert et rouge », à laquelle on est obligé, semble-t-il, d'attribuer au moins une nécessité épistémique, même si on ne sait pas sur quoi repose exactement la nécessité métaphysique que l'on peut espérer réussir aussi à lui attribuer. Puisque, d'après Westphal, les deux propriétés « vert » et « rouge », une fois analysées scientifiquement, se révèlent être logiquement contradictoires, il est sûrement vrai que ces deux propriétés ne peuvent, dans aucun monde possible, appartenir à un même objet. Mais, dans ce cas, il s'agit, semble-t-il, de faire coïncider la vérité *a priori* que nous reconnaissons à la proposition avec sa nécessité, et sûrement pas, comme dans le cas de « Shakespeare = Bacon », de montrer que l'énoncé est vrai et, du même coup, nécessaire.

Je n'ai pas abordé le problème que soulève la position de ceux qui soutiennent que l'énoncé « Il n'y a pas de vert rougeâtre » non seulement n'est pas nécessaire, mais n'est même tout simplement pas vrai. Brentano, dont la réaction correspond sur ce point à celle de nombreux peintres, affirme qu'il y a bel et bien des tons de couleur, par exemple le vert olive, que nous avons de bonnes raisons d'appeler « vert rougeâtre » ou « rouge verdâtre ». Je me contenterai de citer sur ce point ce que dit Wittgenstein dans ses *Leçons sur la psychologie philosophique* des années 1946-1947. Il ne nie pas que, dans certaines conditions, différentes de celles que nous connaissons, une expression comme « rouge verdâtre » pourrait avoir un sens et un usage, mais il maintient que, pour nous, elle ne dit rien :

« "Rouge verdâtre" ne vous dit rien. Des gens ont dit qu'olive était rouge verdâtre. Il est vrai qu'une feuille qui se flétrit passe du vert au rouge dans une transition continue. Mais si on voyait une couleur olive transitionnelle, personne ne l'appellerait rouge verdâtre ; alors que "jaune blanchâtre" est indépendant d'une transition blanc-jaune-ocre : de même également "brun rougeâtre" — ils pourraient, bien sûr, appeler olive "rouge verdâtre" et ils pourraient *se rappeler* toujours la transition[19]. »

Il faut se souvenir ici que Wittgenstein dit qu'un mot a le sens qu'on lui a donné. Et on pourrait sûrement, si on y tient, donner un sens à l'expression « rouge verdâtre », par exemple en associant son usage à une transition qui a lieu régulièrement dans la nature entre vert et rouge. Mais cela ne rendrait pas « rouge verdâtre » plus semblable à « jaune blanchâtre », auquel nous attribuons immédiatement un sens, indépendamment d'une transition de cette sorte. Et il resterait encore à décider si cet usage présente un intérêt réel et peut-être d'une utilité quelconque. La vraie question est donc plutôt de savoir à quel genre de motivation obéissent les peintres, dont beaucoup tiennent apparemment à donner un sens à l'expression « rouge verdâtre ». Il y a des gens, dont Brentano fait partie, qui préféreraient sans doute dire qu'ils utilisent cette expression parce qu'ils ont des capacités de discrimination plus développées que celles de l'homme ordinaire et voient, en l'occurrence, une couleur que la plupart d'entre nous ne voient pas ; mais il n'est pas certain que ce soit la meilleure réponse possible.

Les couleurs peuvent-elles être considérées comme des espèces naturelles ?

Westphal explique que ce qu'il a montré pourrait être exprimé en disant que « "blanc" et les autres termes de couleur sont des termes désignant des espèces naturelles, au sens de Putnam, ou sont très semblables à des termes de cette sorte[20] ». « Blanc » n'est pas ou pas seulement une « propriété phénoménale ». Le mot désigne plutôt, comme « eau » ou « tigre », une espèce dont nous devons explorer la nature par des méthodes

---

19. *Wittgenstein's Lectures on Philosophical Psychology, 1946-1947*, Notes by P. T. Geach, K. J. Shah, A. C. Jackson, Harvester-Wheatsheaf, 1988, p. 18 [Ludwig Wittgenstein, *Les Cours de Cambridge 1946-1947*, édition bilingue, traduit de l'anglais par Elisabeth Rigal, TER, 2001].
20. Jonathan Westphal, *op. cit.*, p. 10.

analogues et découvrir progressivement les propriétés. La théorie de la référence de Kripke insiste sur la nécessité de faire une différence entre ce qui sert à fixer la référence d'un terme et ce qui fait partie de son sens ou en constitue le sens. Ainsi, par exemple, on peut fixer initialement la référence du terme « chaleur » en disant que la chaleur est la propriété qui se manifeste à nous par la production d'une sensation spécifique, qu'on appelle la sensation de chaleur. Mais cela ne fait pas partie du sens du mot « chaleur », et cela ne nous dit pas ce qu'est la chaleur. Ce qu'est exactement la chaleur, à savoir l'énergie cinétique moyenne des molécules, est une chose qui n'a pu être découverte que progressivement par une recherche scientifique sur la nature de la référence. De façon générale, il est possible que la différence que l'on se sent obligé de faire entre les qualités premières et les qualités secondes ne renvoie à rien d'autre que cette distinction entre ce qui fixe la référence du mot et ce qui fait partie de l'essence de la chose désignée. Les termes désignant des qualités secondes sont simplement des termes dont la référence ne semble pas pouvoir être fixée autrement que de façon dispositionnelle par le renvoi à une sensation particulière qui nous permet de reconnaître la présence de la propriété concernée, alors que les termes désignant des qualités premières comme « rond » ou « carré » ne semblent pas être dans ce cas. Bien que les formes puissent, comme les couleurs, être appréhendées par la vue, on peut fixer la référence des termes qui désignent des formes sans avoir à faire usage des sensations de forme qu'elles suscitent. Mais cela n'empêche pas nécessairement la couleur elle-même d'avoir un statut ontologique que rien ne distingue fondamentalement de celui d'une qualité première.

Kripke estime qu'un mot comme « jaune » peut très bien désigner une essence réelle et physique, et non pas, comme on le croit souvent, une espèce déterminée par une relation d'abord à notre appareil sensoriel et ensuite à la façon dont nous avons choisi nos concepts de couleur : « Le jaune n'est pas une propriété dispositionnelle, bien qu'il soit relié à une disposition. Bien des philosophes, faute d'une autre théorie de la signification du terme "jaune", ont été enclins à le considérer comme exprimant une propriété dispositionnelle. En même temps, je soupçonne que beaucoup d'entre eux ont été préoccupés par le "sentiment viscéral" que jaune est une propriété manifeste, qui est tout autant "là devant nous" que la dureté ou la forme sphérique. L'explication appropriée, selon la conception présente, est, bien entendu, que la référence de "jaune" est fixée par la description "la propriété (manifeste) des objets qui fait que, dans des conditions normales, ils sont vus comme jaunes (c'est-à-dire, sont sentis par certaines impressions visuelles)" ; "jaune", bien entendu, ne *signifie* pas "tend à produire telle ou telle sensation" ; si nous avions eu des structures neurales différentes, si les conditions atmosphériques avaient été différentes, si nous avions été aveugles, etc., alors les objets jaunes n'auraient rien fait de tel. Si on essaie de réviser la définition de "jaune" et de la transformer en "tend à produire telles ou telles impressions visuelles dans les circonstances C", alors on trouvera que la spécification des circonstances C ou bien implique de façon circulaire le jaune ou bien fait de la définition que l'on avance une découverte scientifique plutôt qu'une synonymie. Si nous adoptons la conception de la "fixation de la référence", alors il incombe au scientifique physicien d'identifier la propriété ainsi sélectionnée dans tous les termes physiques plus fondamentaux qu'il peut vouloir introduire[21]. »

La plupart des historiens, des sociologues et des anthropologues ont tendance à défendre plutôt une conception qui est à peu près diamétralement opposée à celle-là, d'après laquelle les couleurs sont des espèces uniquement culturelles et presque entièrement conventionnelles. « La couleur, écrit Michel Pastoureau, n'est pas tant un phénomène naturel qu'une construction culturelle complexe, rebelle à toute généralisation, sinon à toute analyse. C'est sans doute pourquoi rares sont les ouvrages sérieux qui lui sont consacrés, et plus rares encore ceux qui envisagent avec prudence et pertinence son étude dans une perspective historique. Bien des auteurs préfèrent au contraire jongler avec l'espace et le temps, et rechercher de prétendues vérités universelles ou archétypales concernant la couleur. Or pour l'historien celles-ci n'existent pas. La couleur est d'abord un fait de société. Il n'y a pas de vérité transculturelle de la couleur, comme voudraient nous le faire croire certains livres appuyés sur un savoir neurobiologique mal digéré ou — pire — versant dans une psychologie ésotérisante de pacotille. De tels livres malheureusement encombrent de manière néfaste la bibliographie sur le sujet[22]. »

Il me semble que l'auteur confond ici deux choses très différentes. Que, pour l'historien, la couleur soit d'abord un phénomène social et historique est une chose dont personne ne s'étonnera. Et il est possible qu'un bon nombre d'historiens commettent l'erreur d'adopter une attitude beaucoup trop anhistorique sur le problème de la couleur, autrement dit, traitent celle-ci comme une donnée naturelle à peu près invariable, beaucoup plus que comme une réalité dont ils ont à faire l'histoire. Mais on ne voit pas pourquoi cela devrait signifier qu'il ne peut pas y avoir en même temps des vérités transculturelles et transhistoriques

---

21. Saul Kripke, *Naming and Necessity*, Oxford, Blackwell, 1980, p. 140, note 71. [*La Logique des noms propres*, Paris, Minuit, 1998].
22. Michel Pastoureau, *Bleu. Histoire d'une couleur*, Paris, Seuil, 2000, p. 7.

concernant la couleur. L'historien ne peut évidemment pas postuler qu'il y en a, mais il ne peut pas non plus l'exclure. Et même s'il incline à penser que les seules vérités que l'on peut espérer découvrir à propos de la couleur sont celles qui ont trait à l'histoire de la façon dont les couleurs ont été perçues, désignées, classées et utilisées par des sociétés différentes à des moments différents, il est difficile de comprendre pourquoi l'historien lui-même ne pourrait pas être amené à découvrir, également dans ce domaine, des universaux et des constances, et non pas seulement des évolutions et des différences.

De toute façon, on est obligé de demander à ceux qui s'expriment comme le fait Pastoureau s'ils sont prêts à aller jusqu'au bout et à soutenir également que des théoriciens comme Newton et, de façon bien différente, Goethe ont eu tort de s'imaginer que des vérités universelles pouvaient être cherchées et trouvées à propos de la couleur. Que l'historien n'ait pas d'usage, dans son travail, pour des vérités de cette sorte est une chose, qu'il n'en existe pas en est une autre. On se heurte ici une fois de plus à l'usage ambigu et la plupart du temps désastreux de l'expression « construction sociale ou culturelle » et de ses équivalents. Il y a des gens qui disent que les « électrons », les « quarks » et les « gènes » sont des « constructions sociales » et qui diraient sûrement, avec encore plus d'assurance, la même chose des couleurs. Ce qu'ils disent est sûrement vrai, mais l'est-ce autrement que dans un sens tout à fait trivial ? La vraie question est ici celle que pose Ian Hacking : des constructions sociales *de quoi* ? D'une réalité qu'elles ont créée et qui est uniquement sociale ? Ou bien d'une réalité naturelle qui a été socialement construite et peut l'avoir été de façon différente par des sociétés différentes ? La démarche que l'on adopte est, sur ce point, à peu près toujours la même. On commence par remarquer que la couleur n'est pas seulement un phénomène naturel, ce qui est tout à fait vrai, ou qu'elle n'est pas tant un phénomène naturel qu'un phénomène social et culturel, ce qui peut déjà être discuté ; et on la traite ensuite comme si elle n'était pas du tout un phénomène naturel, autrement dit, comme si la nature n'avait pas eu son mot à dire (en l'occurrence, le premier mot) et n'était pour rien ou à peu près rien dans les systèmes de couleurs que nous utilisons.

Un peu plus loin, Pastoureau écrit : « Rappelons par exemple que, pendant des siècles et des siècles, le noir et le blanc ont été considérés comme des couleurs à part entière ; que le spectre et l'ordre spectral des couleurs sont inconnus avant le XVIIe siècle ; que l'articulation entre couleurs primaires et couleurs complémentaires n'émerge que lentement au cours de ce même siècle et ne s'impose vraiment qu'au XIXe ; que l'opposition entre couleurs chaudes et couleurs froides est purement conventionnelle et fonctionne différemment selon les époques (au Moyen Âge, par exemple, le bleu est une couleur chaude) et selon les sociétés. Le spectre, le cercle chromatique, la notion de couleur primaire, la loi du contraste simultané, la distinction des cônes et des bâtonnets dans la rétine ne sont pas des vérités éternelles, mais seulement des étapes dans l'histoire mouvante des savoirs[23]. » L'auteur de ces lignes, qui cherche à clarifier une situation effectivement embrouillée, introduit, à mon avis, en réalité une confusion à peu près complète. Il veut dire que la science des couleurs a une histoire et que ce que nous savons aujourd'hui n'a pas toujours été su et a même été appris lentement et difficilement. Mais qu'il n'y ait effectivement pas de connaissances éternelles (il n'y a en a nulle part, pas même en mathématiques) ne signifie nullement qu'il ne peut pas y avoir de vérités éternelles et n'a rien à voir avec cette question. La distinction des cônes et des bâtonnets, par exemple, n'a pas toujours été connue ; mais, s'ils existent, ils ont sûrement toujours été là et ils ont toujours joué et joueront toujours le même rôle dans la vision. La même chose est vraie d'une loi comme celle du contraste simultané. Qui plus est, une distinction comme celle des cônes et des bâtonnets n'a rien de conventionnel et ne devrait par conséquent pas être mise sur le même plan que celle des couleurs chaudes et des couleurs froides, qui est sûrement beaucoup plus culturelle que naturelle. On ne fait qu'aggraver la confusion quand on traite de la même manière l'histoire de la science des couleurs et l'histoire des systèmes de désignation et de classification qui ont été adoptés à différentes époques pour les couleurs, et néglige, du même coup, la distinction entre des vérités théoriques et expérimentales qui ont été établies à propos de la couleur et des vérités historiques qui peuvent l'être à propos de la façon dont la couleur a été traitée dans des lieux différents et à des époques différentes. La science des couleurs a, bien entendu, une histoire ; mais cela ne signifie sûrement pas qu'elle ne contienne, elle aussi, que des vérités historiques.

Universalisme et relativisme

Aucun argument historique ou sociologique n'autorise, en réalité, par lui-même à conclure que la couleur ne peut pas être une espèce naturelle, déterminée par la possession de caractéristiques intrinsèques. On

23. *Ibid.*, p. 9.

sait parfaitement que la fonction sociale, la place dans l'imaginaire collectif et le rôle symbolique des animaux et des végétaux peuvent varier dans
des proportions considérables d'une société et d'une époque à une autre.
Mais personne jusqu'ici n'a encore été tenté d'en déduire que les espèces
animales et végétales n'étaient pas des espèces naturelles. L'argument
essentiel, qui consiste à invoquer la variabilité considérable des systèmes
de couleur, a d'ailleurs été sérieusement remis en question par le livre qui
a été publié en 1969 par Berlin et Kay, *Basic Color Terms*. Avec les révi-
sions et les corrections qui ont été apportées entre-temps à la thèse défendue par les deux auteurs, on peut, semble-t-il, affirmer que toutes les
langues qui ne possèdent que deux catégories de couleur fondamentales
ont les mêmes, à savoir blanc-ou-rouge-ou-jaune et noir-ou-vert-ou-bleu.
Au nombre des régularités que l'on peut constater, il y a aussi le fait que
toutes les langues qui contiennent la catégorie de couleur fondamentale
rouge contiennent aussi la catégorie blanc, mais la réciproque n'est pas
vraie. Les vocabulaires de couleurs de toutes les langues semblent se
répartir en huit espèces, la première étant la plus simple (elle n'a que les
deux catégories de couleur que j'ai mentionnées) et la huitième étant la
plus complexe (elle comporte onze catégories de couleur fondamentales :
blanc, rouge, jaune, vert, bleu, noir, brun, rose, violet, orange et gris).
Bien que les conclusions de Berlin et Kay aient été contestées et soient
encore aujourd'hui discutées par certains, il y a actuellement un certain
consensus sur le fait que la sémantique des couleurs présente un nombre
beaucoup plus grand de régularités significatives et même de traits universels qu'on ne l'a dit et répété pendant longtemps.

Dans un article de 1978, Berlin et McDaniel écrivent que : « Berlin
et Kay ont soutenu qu'il y a des catégories de couleur fondamentales, et
que les inventaires des termes de couleur fondamentaux de la plupart des
langues se développent à travers le temps en lexicalisant ces catégories
dans un ordre universel, soumis à des contraintes très fortes. En plus de
cela, McDaniel a soutenu que ces universaux sont inhérents à la perception humaine de la couleur. La perception des couleurs de tous les
peuples est le résultat d'un ensemble commun de processus neurophysiologiques panhumains, et McDaniel suggère que des processus neurophysiologiques constituent la base des modes de structuration universels dans
les significations des termes de couleur fondamentaux. Nous soutenons
donc, en opposition directe à Gleason et à d'autres relativistes, que la
perception humaine des couleurs offre une explication de la raison pour
laquelle les locuteurs anglais segmentent le spectre visuel comme ils le
font — et de la raison pour laquelle, en outre, les locuteurs d'autres langues exhibent l'ensemble limité et systématique de segmentations alterna-

tives de l'espace des couleurs que l'on observe. En travaillant avec une compréhension des termes de couleur fondamentaux appuyée sur la biologie, nous pouvons montrer les relations naturelles qui existent entre les nombreuses catégories de couleur encodées dans des terminologies de couleur hautement différenciées comme celle de l'anglais et les catégories moins nombreuses encodées dans des langues qui possèdent des terminologies moins différenciées et donc superficiellement plus simples. Par conséquent, en étendant les arguments avancés par Berlin et Kay, nous présentons la catégorie lexicale de la couleur comme un exemple paradigmatique non pas de la relativité des structures sémantiques, mais de l'existence d'universaux sémantiques biologiquement fondés[24]. »

Autrement dit, il semble que, même au niveau anthropologique, il y ait bel et bien, et pour de bonnes raisons, des vérités universelles concernant la couleur. Bien entendu, si l'on incline à considérer les couleurs comme étant des espèces naturelles, il faut encore indiquer si le principe de spécification qui les détermine peut être purement physique ou bien s'il n'est pas plutôt, comme le pensent Kay et McDaniel, physiologique. Mais, même s'il est seulement physiologique, pour la raison que la division du spectre en un nombre déterminé de couleurs distinctes et d'autres faits importants concernant la nature de la couleur ne semblent pas avoir de base proprement physique, il reste que ce que l'on peut s'attendre à rencontrer à ce niveau est une certaine universalité, et non pas la relativité radicale dont on a tant parlé.

Si j'ai évoqué cette question, c'est parce que je crois que, de toute façon, on dénature sérieusement les choses lorsqu'on conclut du fait que la couleur ne semble pas être une espèce naturelle qu'elle est une espèce uniquement culturelle. Wittgenstein ne pensait sûrement pas que la couleur doive être considérée comme une espèce naturelle, même si c'est une chose que, d'après Westphal, il aurait pourtant très bien pu et même probablement dû faire. Mais il n'en a pas pour autant conclu que la couleur était seulement une espèce culturelle et historique. Il dit dans les *Fiches* : « Nous avons un système des couleurs comme nous avons un système des nombres. Les systèmes résident-ils dans *notre* nature ou dans la nature des choses ? Comment doit-on dire la chose ? — *Pas* dans la nature des nombres ou des couleurs[25]. »

---

24. Paul Kay et Chad K. McDaniel, « The linguistic significance of the meanings of basic color terms », *in* Alex Byrne et David R. Hilbert (éds.), *Readings on Color,* Cambridge, Mass., The MIT Press, 1997, vol. 2, p. 400.
25. Ludwig Wittgenstein, *Fiches*, traduit de l'allemand par Jacques Fauve, Paris, Gallimard, 1970, § 357.

Il faut, à mon avis, accorder une grande importance à la façon dont la réponse est formulée. Wittgenstein dit que nous ne pouvons pas, sous peine de vacuité ou de circularité, essayer d'extraire ou de déduire le système des nombres (ou celui des couleurs) de la nature des nombres (ou des couleurs). Mais il se garde bien, et pour de bonnes raisons, d'indiquer un autre endroit où nous devons le chercher. Dire qu'il réside uniquement dans notre système de représentation et de codification des couleurs, ou dans le jeu de langage que notre société a adopté pour parler des couleurs, serait une réponse exactement aussi mauvaise que les autres. Autrement dit, il ne faut pas confondre deux questions bien différentes : « De quelle façon devrions-nous nous y prendre, si nous voulions justifier le système des couleurs que nous avons ? » et « Notre système des couleurs a-t-il un fondement dans la nature ? » La réponse à la première question est que nous ne pouvons pas, par exemple, justifier le fait que notre système des couleurs comporte quatre couleurs primaires en disant que c'est parce qu'il y a *réellement* quatre couleurs primaires. Mais cela n'implique en aucune façon que la réponse à la seconde question doive être négative. Notre système des couleurs est bel et bien fondé d'une multitude de façons dans des faits de la nature, et pas seulement dans des faits de notre nature et encore moins de notre culture. On peut être tenté, comme le linguiste John Lyons, par une forme de relativisme modéré, qui consiste à soutenir que la couleur elle-même est réelle, au sens du réalisme naïf, mais que *les* couleurs ne le sont pas : « Elles sont le produit de la structure lexicale et grammaticale de langues particulières[26]. » Mais il se pourrait bien que ce soit une façon encore beaucoup trop optimiste d'envisager le problème que pose la possibilité d'isoler réellement la contribution que le langage apporte par lui-même, et à lui seul, à la façon dont nous parlons des couleurs.

---

26. John Lyons, « Colour in language », *in* Trevor Lamb et Janine Bourriau (éds.), *Colour : Art and Science*, Cambridge, Cambridge University Press, 1995, p. 197-198.

La transparence et le caractère double de l'expérience

par JEAN-MAURICE MONNOYER

La transparence jouit d'une excellente réputation dans le langage ordinaire. Le terme est aussi utilisé en infographie, au profit de la sélection des affichages sur fond d'écran. Mais la transparence perceptive, ou perçue, est bien plus complexe qu'on ne croit. Voyons-nous à travers la vitre (parce que nous ne voyons pas que l'air est transparent), ou voyons-nous que le verre est transparent ? Dans son sens le plus large, le mot révèle une double capacité à estimer et à estomper une profondeur quelconque dans un environnement quelconque suivant un modèle déterminé d'excitation rétinienne. La profondeur dont on parle se distingue ici de la mise en relief effective (*stereopsis*). Les milieux traversés n'ont qu'une épaisseur relative : ils peuvent être des films plastiques colorés ou des plans fictifs sur l'épure en coupe d'un architecte. De façon très générale, on est donc en droit de se demander si la transparence ne suppose pas, comme à l'égard de toute perception des surfaces étendues (en principe *opaques*), une interprétation qui se ferait dans un contexte ou par rapport à un contexte, étant donné qu'un signal de réplique est fourni, qui est *extrait* de ce même contexte, dès que deux surfaces se superposent ou se chevauchent dans un arrangement donné appelant la réponse de la rétine, c'est-à-dire dès que deux régions du champ sont mises en relation (l'une dite *d'occlusion* à l'avant-plan, l'autre que nous disons « transparaître » par rapport à celle-ci et qui est située à l'arrière-plan). Une partie du réseau visuel est alors considérée tel un contexte de ce genre. Mais cette façon de s'exprimer n'est pas irréprochable : un filtre transparent peut être plus ou moins sombre, et démultiplier sinon accentuer l'effet que produit une surface apparemment plus claire (ou plus sombre encore) qu'on situe en retrait. Certaines surfaces transparentes semblent entièrement réfléchissantes, et opèrent tels des miroirs. Une image photographique sera dite « transparente » au sens de K. Walton, parce qu'elle n'est pas *contrefactuellement* dépendante des croyances du photographe (1984, 264). La transparence du ciel en altitude, qui s'établit par le rapport du spectre d'absorption de la vapeur d'eau et des longueurs d'onde transmises, n'a rien de commun non plus avec la transparence de ma vitre. On utilise néanmoins ce schéma expérimental que j'ai décrit dans le seul plan bidimensionnel, pour justifier que les bordures critiques soient sélectionnées entre plusieurs parties de surfaces que l'on fait glisser l'une par rapport à l'autre.

Cette présentation rapide laisse de côté le « phénomène » de la transparence et l'expérience qui s'y rattache. Elle s'intéresse à la relation existant entre deux propriétés : la *transmittance* et la *réflectance*. L'une appartient à la surface d'occlusion qui laisse en partie passer la lumière ; l'autre correspond à la fraction de lumière incidente, reflétée par la surface recouverte (même si la réflexion en est fort atténuée), laquelle s'additionne en retour à la lumière réfléchie par la surface filtrante. Une explication de ce type, qu'on peut traduire graphiquement entre deux grandeurs mesurables, rend justice d'une physique de la transparence. Mais elle ne permet pas d'affirmer que certaines procédures neurologiques sont consacrées à la détection du phénomène proprement dit, qu'on étudie à l'intérieur d'une autre famille mieux connue des psychologues (celle de la reconnaissance des textures ou de la coïncidence de deux couleurs dans un même lieu, etc.[1]). Il y a, selon divers chercheurs, une raison à cela. La transparence n'est peut-être qu'un *cas limite*, et cependant très régulier, de la perception des ombres (G. Stoner, 1999, 846). Là où nous avons coutume d'identifier des surfaces enfermées par des lignes fictives, le phénomène demanderait qu'on explore mieux les situations d'*occlusion totale* que nous reconnaissons d'ordinaire par la suppression de tout contraste. Lorsqu'une source de lumière projette une ombre, à partir d'un objet rencontré, sur un autre plan, nous obtenons une région apparemment continue à l'intérieur de la plage ombrée (l'ombre portée). Elle tranche plus ou moins nettement sur la zone éclairée, mais les différences multiples de l'ombrage pourraient en principe, selon Stoner, être « reproduites » sur une surface transparente — qu'on pourrait intercaler à la place de l'objet —, dont la transmittance serait inférieure à l'unité, et le degré de réflectance zéro. Il n'y aurait plus d'impossibilité théorique, d'après lui, à élaborer un modèle de la détec-

---

1. D. Marr, 1982, p. 90 : Marr insiste dans son graphe sur la différence entre les frontières de la transparence et les frontières de l'ombre, mais il retient le fait pour nous essentiel que ce sont des fractions de luminosité, et donc des « qualités » abstraites, qui sont détectées indépendamment du modèle représentatif qui nous sert à les localiser.

tion neurologique des ombres qui autoriserait à penser que le phénomène de la transparence dérive du processus imparti à la réduction
progressive des contrastes.

Pourquoi ces indications ? Faisons-nous erreur à chercher une explication tantôt physique, tantôt computationnelle, pour un phénomène ne
se réduisant ni à l'une ni à l'autre ? Le fait est que nous parlons beaucoup
plus communément d'une *ombre transparente* : il est facile de l'identifier
dans des cas très fréquents de *pénombre* ou de *clair-obscur*. Je prendrai
d'emblée un exemple qui « exagère » notre perception naïve. J'espère qu'il
paraîtra utile, même s'il est emprunté au domaine des arts plastiques.
Parmi les gravures de Rembrandt, il existe une longue série d'auto-
portraits où le regard concentré du peintre vers le regardeur passe au travers de l'ombre que produit une touffe ébouriffée des cheveux (figure 1).
Le treillis ou la trame des traits gravés n'a pas pour rôle de nous communiquer l'inspection de l'œil du peintre, ni de nous aider à discerner la
forme amollie du visage. C'est bien le spectateur qui est provoqué mentalement. En dépit de l'aspect idiomatique de ces pièces, on peut leur
donner un rôle démonstratif : appeler à faire fonctionner de façon déroutante une caractéristique de nos manières de voir consistant à instruire
une *apparence* de transparence intimement liée au pouvoir de résolution
optique. N. Goodman a parlé très justement de la *non-transparence* du
symbole esthétique. Ici, la densité syntaxique du symbole sert à prêter
une réalité au phénomène perceptif : nous extrayons directement, semble-t-il, une valeur sémantique qui ne requiert pas d'autre interprétation[2].
Si cette apparence ne trompe pas, c'est qu'elle n'est pas illusoire pour
l'esprit dans le protocole graphique. Afin de voir ces portraits, j'ai besoin
que s'effectue une transaction causale effective ne devant rien aux intentions du peintre qui s'expose. La saillance du nez prête au visage une
direction, et cette direction vient croiser la direction de la lumière,
comme si Rembrandt produisait sciemment une erreur de centrage.
L'effet appelle une sorte de causalité indirecte, puis une correction immédiate de notre part. Plus simplement, ces gravures nous informent sur les
niveaux de *perspicacité* que le regardeur est apte à mobiliser.

Les mêmes contraintes sont acceptées et intégrées par tout sujet perceptif quand il n'est pas confronté à des objets *complets*, mais à des
« ambiances », où sont profilées des parties d'objets. D'autres situations
concrètes comme celles qui appartiennent à la disposition des stores et

---

2. C'est un tout autre problème que de déterminer la forme à partir des seules valeurs
de luminance (*shade*), qui ne dépendent pas seulement de la texture de la surface
éclairée.

Figure 1 – *Rembrandt,* Autoportrait *(Musée du Louvre).*

jalousies dans les grands immeubles de verre font comprendre que la transparence admet justement des degrés. Si la réfringence de l'air est de niveau 1, la réfringence d'un verre industriel (de 5 cm d'épaisseur) est de 1,6. Pour maintenir une transparence ambiante moyenne, on dispose des rétrolamelles très réfléchissantes en aluminium, placées contre la paroi externe (ou intégrées dans la paroi vitrée) afin d'ajuster la dispersion de la lumière ou pour éviter l'éblouissement. Nous devons faire plus d'effort cependant, à l'intérieur de ces locaux fonctionnels, pour reconstruire un « champ cognitif central » : les objets que nous y voyons disposés sont neutralisés dans leur unité conceptuelle. Inversement, pour la structure physique des réflecteurs d'ambiance. Ils laissent passer une quantité d'information contrainte en opacifiant localement la source de diffusion, ce qui suppose dans beaucoup de cas que la composition du matériau du réflecteur soit un peu moins *amorphe* que celle du verre blanc. La variété de ces contraintes pour la *pénombre vivante* qui constitue notre habitat quotidien (où il n'y a que très rarement une seule source de lumière) est donc exploitée, sans qu'il s'agisse là de considérer — en première intention — l'apparence conceptuelle d'un objet à la fois tridimensionnel et réfléchissant.

Pour une philosophie de la perception, le problème de l'apparence est structural. On ne va pas très loin « au-delà » des apparences, en ignorant ce qu'elles sont, aussi ne voudrait-on s'occuper ici que de l'apparence *manifeste*. Nous considérons, sous ce rapport, qu'un bon examen du problème est fourni quand on a rendu compte de l'apparence de transparence, qui n'est pas le résultat d'une méprise perceptuelle. Dans une conception rationaliste (au sens académique), l'apparence est jugée intuitivement trompeuse. Le problème théorique serait plutôt, d'après nous, de trouver une situation de contrôle dans laquelle il *n'y* aurait *pas* d'apparence illusoire. Seulement, l'usage du mot *transparent* n'est pas du tout arrêté : il peut prêter à confusion ; et prendre un tour métaphorique, notamment si on postule que la frontière entre perception et cognition est intégralement perméable, et que les données sensorielles sont complètement traitées avant d'être « données ». Nous serions satisfaits, pour notre part, quand on aurait déterminé que cette illusion est une source de connaissance parmi d'autres. Comme l'emploi du terme d'illusion est typiquement normatif, et que le mécanisme de correction est lui aussi adapté à certaines fins pratiques, je me limiterai (pour ne pas tourner en rond) à questionner d'abord le fait que la transparence physique et la transparence phénoménologique ne sont pas de même nature. J'examinerai ensuite seulement le *caractère* de conscience qu'on appelle *diaphane*, dans le langage des philosophes, au sens où une entité perçue nous serait révélée immédiatement, et n'a pas de certificat de provenance épistémologique. Ce « caractère » pose d'autres questions ennuyeuses, en introduisant un trouble profond dans l'expérience représentable.

La transparence est une propriété de l'apparence

Commençons par considérer un type d'environnement extrême, celui de la phase pélagique planctonique, où la quantité de lumière est la moins disponible : certains animaux marins sont si transparents qu'ils en sont virtuellement invisibles. Ainsi des larves de *phyllosoma* qui ne contiennent que des traces infimes de pigmentation. Il faut utiliser une pellicule hautement manipulable au développement pour que ces larves puissent être photographiées[3]. On nous opposera que ces animaux sont *translucides*. Mais les épreuves photographiques que nous obtenons font « apparaître » l'animal par un effet chimique du traitement de l'*Ektachrome* qui exagère le fond de l'eau. De même on peut forcer un bouddha en jade à nous sembler légèrement transparent par des éclairages d'arrière-plan, ou contrôler la flamme du gaz incandescent. Même s'il nous manque l'indice de profondeur qui commande la perception des volumes — ce qui, pour les différentes modalités sensorielles (le toucher, l'ouïe), nous intéresse spécialement —, toute chose translucide (ou qui a un degré de réflectance proche du zéro) peut servir de milieu interposé. Une surface transparente ne l'est pas nécessairement : elle peut être foncièrement ambiguë, comme pour le cube de Necker, dans la mesure où la séparation cognitive s'opère sur un même plan de référence. De nombreuses expériences ont d'ailleurs mis en évidence que la disparité binoculaire n'intervient pas sur le statut des bordures critiques.

Pour les besoins de l'argument, nous empruntons à Roberto Casati (2000, 147-153) l'expression de *milieu interposé* : « tout ce qui se trouve entre un sujet percevant et un objet perçu ». L'hypothèse qu'il a défendue est celle de la transparence *cognitive* des milieux interposés. Loin de prétendre trancher ce problème difficile, on peut tenter de radicaliser la dualité décrite de la façon suivante : « Le milieu qui transmet l'information de l'objet à l'état perceptif covarie avec l'état perceptif et le cause, sans que, dans la plupart des cas, nous soyons amenés à percevoir le milieu » (151). Le milieu interposé appartiendrait au *matériau*. Par opposition, le milieu *informationnel* servirait de médiateur pour la conversion spécifique de la lumière et n'est pas séparable en pareil cas de son traitement cognitif.

---

3. *Cf.* Peter Parks (1995), p. 170-171.

L'idée est qu'il n'y a pas d'information pertinente fournie par le milieu interposé : ce sont les choses qui structurent la lumière. « Le milieu covarie [...] avec l'objet, mais cette covariation ne peut pas contenir de l'information concernant le milieu lui-même » (153). On retiendra que cette covariation est spécifique. La transparence *causale* rend invisible le médium interposé.

La distinction des deux milieux est d'autant plus importante qu'elle explique de manière très élégante le processus. Si *p* est transparent, et si je vois *p*, je ne peux pas détacher logiquement la phrase : je vois « que » *p*. C'est bien pour cette raison qu'on colle une étiquette sur une vitrine, de manière à faire voir que la vitrine est une vitrine. La relation de covariation des conditions du milieu avec l'état perceptif (l'état phénoménologique) et la relation de covariation avec l'objet (dans le milieu interposé) sont néanmoins asymétriques : il suffit que je bouge pour que se modifie mon état (j'évite un éblouissement gênant, je touche la vitre), tandis que le fait que l'objet capture une unité variable et signifiante de lumière (l'unité structurale de l'objet) ne se communique pas au milieu matériel. Cette difficulté ne peut donc être surmontée qu'en externalisant une coordination « naturelle » entre des paquets de lumière et des types d'objets que nous avons privilégiés.

Dès qu'on interroge les cas de transparence perturbée ou les degrés d'opacification dans un milieu (comme la carpe que je ne vois que par intermittence à cause des reflets sur l'eau du bassin), il devient parfois difficile de soutenir que le médium interposé ne nous informe qu'indirectement, par le biais de l'objet, et ne nous dit rien de sa structure interne. On peut avancer à ce stade une autre hypothèse qui nous aide à mieux comprendre les conséquences de la première. Si le contenu informationnel n'était pas « coordonné » causalement avec la représentation, il n'y aurait plus de covariation univoque avec l'unité de l'objet (que ce soit le visage de Rembrandt ou bien l'insecte emprisonné dans un morceau d'ambre). La qualité de la gravure — les valeurs de la grisaille —, la limpidité de la résine fossile dans le second cas (et donc la structure du milieu interposé) entrent dans une interaction écologique. Mieux, si l'expérience que l'on a de la transparence n'était jamais véhiculée par le milieu physique, et ne l'était que par le milieu informationnel, elle resterait obstinément phénoménologique. On ne devrait pas conclure trop vite, à ce stade, que le genre de communication qui est *due à la structure physique du médium* ne covarie jamais avec le contenu sémantique. Prenons l'exemple de la transparence de l'image télévisée. Dans les faits, le bruit photonique peut être estompé de façon à créer une illusion parfaite[4]. La limite interne, dans ce genre de spéculation (surtout si elle est appuyée sur des procédures techniques), est évidente : pour discerner qu'une surface est masquée par une autre qui a la propriété d'être transparente, on n'a nullement besoin, dans la vie quotidienne, d'avoir une image devant les yeux — une prothèse calquée sur le modèle d'une transparence-écran —, pas plus que nous n'avons de motif de localiser quelque part, dans le milieu interposé, l'expérience que l'on « a » de cette propriété. Elle-même n'est jamais perçue en tant qu'expérience propre, y compris quand on se cogne contre une vitre.

Avant de se demander s'il y a une *transparence de l'expérience phénoménale*, ce qui pourrait être rappelé ici, dans le cadre de la vision monoculaire du moins, c'est que l'œil paraît construit également comme un milieu interposé entre l'architecture neurologique de la vision et la structure externe des milieux (c'est l'hypothèse initiale de Gibson). Peut-on en inférer que le comportement cognitif y est indifférent ? Les réactions physiques et nerveuses de l'organe à la luminance absolue dans un contexte variable obéissent à un processus aléatoire fort complexe et n'entrent pas dans une relation de dépendance univoque avec les processus photochimiques qui s'ensuivent. Le milieu extérieur, interposé entre le sujet et le monde, apparaît *manifestement* au sujet dès que ce milieu extérieur devient sensible au milieu intra-oculaire, par exemple s'il conduit dans le brouillard. L'inverse est vrai aussi s'il est myope (il dira de manière véridique que tous les objets ont une structure gélatineuse à courte distance), et ainsi de suite. Dans tous ces cas, percevoir signifie enregistrer, selon un traitement par définition soustractif, l'information transmise par le milieu optique, écologiquement « intégré » selon Gibson — et non pas seulement dans le champ visuel attentif —, pour en extraire des constantes. Si on accepte l'idée gibsonienne d'une « vision proprioceptive », il faut croire que le milieu informationnel serait justement interposé entre la rétine en 2-D et le monde en 3-D. Cette complication voudrait que nous parlions d'un milieu pris « dans » *un autre milieu ambiant*. Le « sketch primaire » de D. Marr offre une solution à cette équivoque qu'ont relevée R. Casati et J. Dokic (1994, 62). Une quantité d'information diffuse, si elle n'est pas relative à une scène définie, ne m'instruit pas de l'écart existant entre les objets réels occupant par saccades cet environnement (les objets dis-

---

4. *Cf.* A. Rose (1973). Albert Rose a testé le cas de l'utilisation d'un filtre optique neutre placé entre le sujet et l'écran d'un téléviseur (réduisant simplement la luminosité et préservant l'image). Quand on retire ce filtre, « l'œil (ou l'esprit) n'est pas conscient que le processus s'est opéré par la détérioration de la qualité visible des objets réels qui sont dans la pièce plutôt que par l'accroissement subit de la qualité de l'image télévisée » (103), alors que cette détérioration est bien transcrite sur une échelle scalaire.

taux) et une surface sensible à des indices (la rétine) ou retenant certains indices en fonction des gradients de luminosité qui me sont disponibles.

Il y a là une vraie difficulté, qui ne concerne plus les milieux, mais la « signature » de l'environnement. Quand on invoque ces variations de *luminance*, qui informent l'œil des changements d'une forme en 3-D dès qu'elle est éclairée de plusieurs côtés, il faut encore marquer la différence avec les valeurs discontinues de l'*illumination*. Elles dépendent pour leur part non de la forme en question, mais de la surface réfléchissante que nous reconnaissons pour chacune des facettes de l'objet. Notre capacité « en montée » à effectuer une reconnaissance de la distance ou de la profondeur, c'est-à-dire à décomposer puis à additionner ces deux incidences, reste en partie inconnue, bien que la signature de l'environnement causal demeure unique. Ce qui paraît certain est que les *stimuli* proximaux n'apportent pas d'information pertinente sur le trajet dans le canal sensoriel. Les perturbations de la transparence, quand elles sont manifestes pour l'œil, constituent néanmoins la première donnée, la première source de connaissance relative à ce qui nous est perceptible. C'est probablement par rapport à elles que nous mettons en jeu le genre de projection normative que l'espèce utilise pour distribuer les rôles du corps vitreux, du cristallin et de la cornée. Ce que la science ne dit pas, c'est comment ce genre de projection nous aide à organiser au-dehors les épaisseurs locales dans une résolution fine (pourquoi je vois mieux les veinures du bois en passant une couche ultramince de vernis), ou encore pourquoi nous voyons la boule du Soleil derrière un nuage en prenant pour vecteur la transparence de l'air (sans apprécier l'éloignement de l'astre). Toute perturbation du trajet informationnel est profitable ; cela noté : elle nous permet d'évaluer un certain *quantum* de distance. Dans les conditions normales, je peux accommoder, corriger l'erreur de parallaxe, diviser l'attention, etc. C'est donc une proportion donnée entre luminance et illumination — sans que nous ne parlions de l'éclairement rétinien — qui entre dans le processus d'estimation de la distance. Mais ce point est aussi source de désaccord entre les auteurs, certains ayant montré que l'arrangement spatial peut interférer avec la quantité de lumière du signal d'entrée (*input*) : des filtrations seraient possibles *avant* tout traitement cognitif. Fred Dretske (1981, 158-164) souligne lui-même quelque chose de très semblable quand il explique que l'information analogique est déjà encodée « à travers » les stimuli proximaux (*through which*). La transparence serait une précondition théorique, et non physiologique, une sorte de réduction, pour nous aider à concevoir la distalité. Dans les formes de l'approche haptique, la procédure exploratoire nous permet aussi de détecter, sous la surface touchée, des objets résistant à la pression. Enfin, il existe des cas plus rares de transparence auditive, lorsque des fréquences sonores sont synthétisées par autre chose que par nos outils ordinaires de résolution et semblent édifier tel un espace sonore en rideau que nous ne pénétrons pas.

Ces considérations tendraient à établir que la transparence est une *propriété occurrente* du milieu perçu, et non pas une propriété résultante de l'état perceptif. Ce qui semble contradictoire à première vue, puisque ce même état nous la rend *manifeste* quand elle n'est plus affectée ou brouillée. Elle serait — dans cette hypothèse — l'objet d'une attribution sortale pour certains des milieux que la lumière traverse, et à l'intérieur desquels nous évoluons. Le verre, l'air et l'eau, au sens usuel, sont *catégoriquement* transparents. Pourtant, toutes les perturbations — qui font obstacle à la transparence — sont aussi des occasions de manifester son défaut : elles jouent évidemment un rôle causal (si la vitre est embuée ou si mes lunettes sont sales, je suis averti que ma relation cognitive avec l'objet est « incorrecte »). On ne pourrait se passer d'un milieu informationnel distinct, qui ne covarie pas avec le milieu interposé, que s'il était *certain* que nous pouvions prévoir comment est encodée de manière systématique la surimpression de mes croyances de haut niveau, qui structurent l'objet sélectionné ou l'arrangement de la scène et sa signature. Mais, comme le rappelle à nouveau Dretske (2000 [1989], 104-110), il n'y a pas d'attestation épistémologique qui la garantisse. On regarde une photocopie sans être conscient du fait que l'original est sa « cause ».

Le fait est que nous ne parlons pas encore d'une impression de transparence. Ce qui sépare la perception de la cognition est peut-être justement « transparent », du fait qu'il n'y a pas de séparation *manifeste* qui l'établit. Peut-on examiner la détection possible d'une propriété qui ne serait pas dépendante du moteur sémantique que nous utilisons pour en parler ? Nous attribuons à la larve de *phyllosoma* une propriété générique (se rendre invisible pour le prédateur) que nous ne reconnaissons que sur le cliché. Nous considérons que les structures de l'œil en font un œil « transparent », parce qu'il y a des données physiques de l'environnement éclairé pour lesquelles la transmittance des tissus oculaires est pertinente, etc. Par là, nous ne rejetons pas non plus qu'il y ait quelque chose de factif, qui puisse être ontologiquement différent du domaine des valeurs de vérité pour nos attributions. Le lexique idéologique de nos prédicats, tel « être visible sous la lumière de la Lune », ne commande pas au fait qu'une lumière rétinienne (*Eigengrau*), de très faible intensité, permet de s'adapter à un éclairement fortement réduit. Nos stimulations nerveuses feraient donc aussi partie des entités prises en considération, avant même de savoir comment la transparence physique nous est représentable. Si cette hypothèse était juste, l'apparence serait le résultat de l'activation d'une certaine disposition à voir, nous rendant conscients de ce qu'une occurrence de transparence est manifestable : elle ne nous dirait rien de la perception indirecte de ces causes.

En résumé, et pour le spectre visible seulement, un objet (un fragment de quartz) est visuellement transparent quand des radiations frappant un de ses côtés se propagent à travers lui et émergent sur la surface opposée avec une réduction d'intensité minimale. Mais tous les objets dans le champ visuel ne peuvent entrer dans ce registre (nos corps sont opaques, mais transparents aux rayons X). D'autre part, un système doté d'une télécaméra, et connecté à un projecteur, satisfait aussi cette condition. La non-manifestabilité d'une « apparence » de transparence reste donc envisageable. Notre définition optique catégorique n'exclut pas qu'il y ait d'autres interactions : celles qui « courbent » les radiations, quand elles passent d'un médium transparent dans un autre médium transparent (entre l'air et l'eau, entre l'eau et le verre). Nous voyons une assiette *cassée* derrière un verre domestique posé sur la table, et à demi rempli d'eau par exemple, parce qu'il y a un enchâssement compliqué du *quantum* de luminosité dans les situations les plus simples. Tout dépend ici de la fragmentation des radiations, de leur cisaillement éventuel et donc des occurrences multiples qui me sont manifestes. Le médium ne sert de véhicule informationnel que si je « juge » que l'assiette est demeurée entière à travers l'arrangement visuel constitué par le verre d'eau en tant que milieu interposé.

La transparence phénoménique

Or tout cela n'est peut-être qu'un peu de sucre glace empirique sur le gâteau conceptuel que nous avons à découper. Qu'est-ce qui produit l'impression de transparence ? Est-ce une *séparation* qu'opère le jugement entre différents plans (J. Beck, 1978, 260) ou une procédure de bas niveau traitée dès le champ perceptif ? La meilleure présentation du problème (la moins technique aussi) a été donnée en 1923 par Wilhelm Fuchs.

Peut-il y avoir dans l'espace visuel une perception simultanée de deux objets l'un derrière l'autre ? Quand je regarde derrière un objet transparent, est-ce que je vois réellement une surface complète, qui n'est pas brisée devant moi, et exactement au même moment une autre surface

différente ? Ou bien serait-ce le cas que je voie seulement des parties de
l'objet proche, et à travers des trous dans sa surface des parties de l'autre
objet, et qu'à partir de ces sections fragmentaires, je reconstruise mentalement les deux surfaces ? Plus encore : sommes-nous capables de voir deux
couleurs complémentaires comme si l'une était derrière l'autre, même
lorsque les deux excitent la même surface de la rétine ? Il est facile dans
l'expérience commune avec des verres transparents et de la gélatine de les
confondre. Nous ne faisons pas ici référence à l'« espace réel », dans lequel
bien sûr un objet est plus proche de l'autre. Notre problème concerne
l'espace phénoménal et visuel (1923a, 1969, 89).

Fuchs pose trois questions essentielles : (1) celle de la simultanéité
dans le champ de deux objets intentionnés co-occurrents ; (2) celle de la
surface d'occlusion et de la reconstruction mentale ; (3) celle de l'espace
phénoménal où deux couleurs se fondent ou se dédoublent. Il relance
une discussion qui avait opposé H. Helmholtz et E. Hering, les deux
champions de la physiologie optique du XIXe siècle, pour ce qui est de la
troisième, mais il annonce aussi les travaux contemporains de Kersten
(1991) et Stoner (1993) sur la transmittance de la surface-écran, avec la
seconde. On admet comme lui aujourd'hui que la superposition (physique) ne commande plus l'interposition, mais que les surfaces préparées,
qui nous semblent transparentes (phénoménologiquement), sont quand
même opaques à un certain degré, certains trous minuscules laissant passer la lumière (*a fine were mesh*, dit Stoner). Le cœur de la discussion
porte, à l'époque de Fuchs, sur la transparence chromatique. Pour
Hering, si nous conservons la même direction visuelle (*Sehrichtung*), il
nous est impossible de percevoir en même temps deux couleurs distinctes
surimprimées sur la même région de la rétine : il devrait se produire une
« fusion » entre deux couleurs. C'est de cette idée que part Fuchs dans
une expérience très simple consistant à provoquer une apparence de
transparence, à la fois incontestable et modulable. On place à la perpen-
diculaire (sur tranche) un carreau de vitre incliné entre deux rectangles,
un jaune et un bleu : quand les rectangles sont de tailles identiques, la
transparence n'apparaît pas. Elle ne se produit pas non plus si un rectangle plus petit apparaît par miroitement, ou directement, et s'il est vu *en
avant* du rectangle bleu. Mais la transparence est manifeste quand le petit
rectangle est vu en inclinant le verre, et lorsqu'il est situé comme *en dessous* du rectangle bleu (les deux surfaces étant saisies comme des touts
d'abord séparés). Nous avons maintenant l'impression de voir un rectangle jaune *à travers* une surface bleue (figure 2). Si l'on concentre le regard
sur un point quelconque commun aux deux surfaces, l'impression se dis-
sipe. Il y a donc ici un phénomène corrigeant l'intuition de Hering au

bénéfice du *contour figural* : le mouvement de direction peut perturber la cohérence superficielle des surfaces (un rectangle de couleur peut trouer un autre rectangle et, par déplacement, créer des zones critiques), ou bien perturber la co-occurrence si seule une petite région du champ est isolée (on voit alors une couleur de fusion diversement miroitante et bleuâtre, en avant de la couleur jaune). Ces expériences ont été, depuis, souvent reprises avec des disques segmentés, tournant à grande vitesse, qui accentuent encore un tel effet de transparence artificielle[5].

La coopération du contexte intervient donc, qui ne dépend pas toujours de l'attitude du spectateur. Ce sont les contours qui viennent « qualifier » la surface point par point — même si aucune surface ne semble point par point transparente à l'égard d'une autre. Fuchs insiste également sur le rôle des ombres projetées, par exemple en collant une bande de gélatine bleue sur l'ampoule du projecteur qui éclaire la figure E découpée dans un carré jaune : dans ce cas, le E est vu « complètement » malgré l'ombre portée, car l'effet de transparence est obtenu par une restauration mentale de l'objet E (figure 3).

Figure 2

Figure 3

Ce type d'enquête s'est ensuite développé dans les années 1930 avec les travaux de Tudor-Hart, et de Koffka, puis dans les années 1950 avec ceux de Kanizsa, sans qu'il soit besoin d'y insister beaucoup. Le but était de fixer les conditions permettant de stimuler une apparence de transparence qui ne dépendait plus de milieux physiquement

---

5. On a longtemps considéré que les disques (hérités du disque de Maxwell) pouvaient produire une apparence de transparence tantôt pensée comme une double représentation, solidaire d'un gris proximal, et de couleurs perçues comme étant réelles, tantôt pensée comme une filtration en avant de la rétine. L'*episcotister* est un disque tournant avec certains secteurs en moins : il génère une forte impression de transparence. On peut varier indépendamment la taille des secteurs manquants (qui affecte le degré de transparence) et la couleur des secteurs restants (qui détermine la couleur de la couche transparente).

transparents. On doit à Fabio Metelli (1974) un changement radical du protocole d'analyse qui se faisait avec l'*episcotister*. Metelli a trouvé une solution algébrique à la sorte de clivage phénoménal entre deux couleurs (l'une opaque, l'autre transparente en rideau) sur les bases de teintes achromatiques d'abord. Ce qui nous importe est de cerner l'enjeu de l'entreprise, mais on ne peut passer sous silence son résultat fondamental. Le processus perceptif fonctionnerait *à l'inverse* du processus lié au *mélange additif* des couleurs : il ne relèverait donc pas de la fusion, telle que la postulaient encore Hering et Fuchs. À cet égard, la transparence ne serait pas seulement redevable de la *filtration* sélective du spectre de lumière naturelle. L'activation des cellules rétiniennes, loin d'être nécessairement compensatoire de cette dernière, serait d'abord raccordée au système nerveux central.

Pour résumer les recherches de Metelli, il faudrait dire que la transparence est selon lui *visible* en un sens dispositionnel. Il prouverait, très indirectement, ce que soutient aujourd'hui Mark Johnston (*The Manifest*) : à savoir que les propriétés qui causent en nous la réponse ne sont pas observables, au sens d'un contenu non conceptuel auquel je peux me référer. Mais c'est déjà une extrapolation de ma part. La détection de la propriété de transparence *phénoménique* procède, selon Metelli, d'une opération de calcul effectuée sur les contours, qui intègre à la fois la proportion de la luminance du fond à l'arrière-plan et l'éclairement périphérique de la rétine. Dans ce cas, comme disent les Italiens, la chose « visible », à l'arrière d'un plan de référence vertical, ou que nous voyons comme si elle était située à l'arrière de ce plan, est devenue une chose *visive* — mais alors le médium n'est plus *catégoriquement transparent*.

Que voulons-nous dire, lorsque nous disons que quelque chose est transparent ? Le terme possède actuellement deux significations. Si nous nous référons au fait que la lumière traverse une chose ou un médium, alors la signification que nous voulons exprimer de « transparent » est physique ; si, d'autre part, nous parlons de voir à travers quelque chose, alors la signification que nous tendons à exprimer est perceptive. La distinction ne serait pas très importante si la transparence physique et la transparence perceptive se trouvaient constamment ensemble. Cela, de quelque manière que nous en jugions, n'est pas le cas. [...] Quelqu'un perçoit la transparence quand il voit, non pas seulement les surfaces situées derrière un médium transparent, mais également le médium ou l'objet transparent lui-même. Selon cette définition, l'air et la plaque de verre ne sont pas transparents au sens perceptif, à moins qu'il n'y ait de la brume dans l'air ou qu'il y ait des traces ou des reflets sur le verre.

Le fait que la transparence physique ne s'accompagne pas toujours de la transparence perceptive peut être démontré. Prenez un carré de plastique transparent coloré (Plexiglas), et collez-le sur un carré plus large de carton noir. Pourvu que la couche de colle soit étalée uniformément, le plastique n'est plus perçu comme transparent, il apparaît opaque. [...]
Qu'est-ce qui cause la transparence perceptive ? Comme pour tout autre phénomène visuel, les causes doivent être recherchées à l'intérieur du modèle de stimulation et dans les processus du système nerveux résultant de la stimulation rétinienne. L'entrée à la rétine ne comporte aucune information spécifique sur les caractéristiques des couches transparentes à travers lesquelles la lumière a voyagé et a été filtrée. En ce sens, la perception de la transparence n'est pas le résultat de la filtration. [...]
La transparence perceptive dépend des relations d'espace et d'intensité de la lumière reflétée d'un champ relativement grand, et pas simplement de la lumière réfléchie par une surface locale. Cela peut être démontré en juxtaposant deux séries de carrés qui ne paraissent pas avoir de surface transparente. La juxtaposition produit une altération de l'opacité apparente qui se change en transparence, même si la lumière réfléchie par chaque région ne s'est pas modifiée (Metelli, 1974).

Metelli combine donc les effets mosaïque de Metzger avec les recherches sur la scission ou le clivage instantané. Ce qui est original est qu'il suppose un renversement de la technique de superposition en interrogeant trois conditions : (1) l'unité figurale de la couche transparente, (2) la continuité du contour critique et (3) la stratification phénoménale que l'on range d'ordinaire dans le camp des couleurs subjectives. La condition (1) n'est pas suffisante : l'unité figurale de la couche transparente (distincte de la forme géométrique) dépend de la limite fixée par la condition (2), qui divise la figure en deux régions (l'une claire, l'autre foncée), et cette limite est *perçue* comme un *effet* résultant des régions opaques. Bref, seule la condition (3) se révèle nécessaire et suffisante, dans un nombre de cas définis, pour obtenir un effet de transparence : ce qui signifie que ce n'est pas l'ordre des couches qui importe, c'est plutôt l'intégration des régions sous-jacentes dans la région transparente qui autorise la permutation des plans. La *stratification dans le phénomène* se révèle pour Metelli dès qu'il a établi que la luminosité perçue de la couche transparente peut paraître plus sombre que celle des zones adjacentes non recouvertes — ce qui n'était pas encore le cas pour Metzger et sa mosaïque de cartons opaques (figure 4). La méthode implique de se servir du gris seulement, puisqu'on peut fixer dans ce cas les *conditions de réflectance* et les maintenir constantes, sans plus considérer le paramètre de la transmittance ni la subjectivité induite par les variations chromatiques de fréquence. Comment se fait-il que deux nuances différentes de gris donnent naissance (par stratification) à la même nuance de gris dans la couche transparente qui est perçue ?

Figure 4 – *Modèle de Metzger.*

Il est vrai que la scission ou le fractionnement de la couleur stimulante est un fait prédictible et mesurable. La loi du mélange des couleurs connue comme la loi de Talbot est ainsi « inversée » : la couleur stimulante (le gris) peut se fractionner de façon très variable et aller soit vers la couche transparente, soit vers la couche opaque. Le problème est de savoir quelle quantité de stimulation est distribuée. Deux limitations à la scission sont obtenues.

> Si toute la couleur va à la couche transparente, elle devient opaque. Si toute la couleur rejoint la surface sous-jacente, la couche transparente devient invisible. La transparence n'est perçue que s'il y a une distribution de la couleur stimulante à la fois vers la couche transparente et vers la couche opaque. En outre, la transparence varie directement avec la proportion accordée à la couche opaque. Plus la couleur va à la couche opaque, moins elle va à la transparence, et plus la couche transparente apparaît. La proportion rejoignant la couche opaque [...] peut être regardée comme un indice de la transparence (Metelli, 1974, 13).

En donnant une formule algébrique, qu'il vérifie pour des gradients physiques de lumières réfléchies (stables et contrôlées), Metelli a montré que l'expression de *milieu* « transparent » n'est peut-être pas analytiquement exploitable (figure 5).

Grâce aux nuances uniformes du gris, Metelli critique l'unité artificielle du stimulus pour ne s'intéresser qu'à la clarté relative de la couche

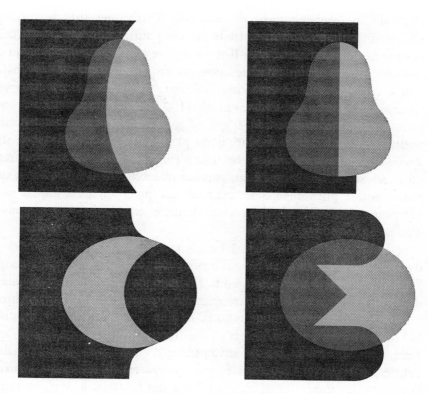

Figure 5 – « *Il faut que la ligne de contour semble appartenir aux régions opaques sous-jacentes, et pour que la transparence soit perçue, qu'elle soit visible à travers la couche transparente (en haut). Un changement soudain aux points d'intersection du contour figural provoque une perte de transparence (en bas, à gauche). Mais à l'intérieur de la région transparente des changements brusques peuvent se produire sans affecter la transparence (à droite)* », Metelli, 1974.

transparence prédite. Il laisse de côté volontairement le facteur du mouvement (qui prouve une transparence non cohérente sur la même zone) et le facteur dû à la tridimensionnalité (qui sera étudié par B. Julesz à travers les stéréogrammes dans un cadre théorique très différent). On retiendra l'idée que la rencontre des deux régions, par la translation des surfaces, est une condition indispensable à la manifestation de l'apparence.

Je me suis attardé sur le cas de Metelli pour une raison strictement conceptuelle. Les philosophes se demandent s'il y a des états de choses sensationnels. Ici, Metelli dégage une *propriété qualitative abstraite* qui n'est pas exemplifiée par une surface particulière (mais par une strate) et qui n'est pas « extraite » au sens de Gibson. La transmittance optique devient non sélective (a) ; la réflectance se « diffuse » sur le modèle des effets du mouvement apparent noté par Wertheimer (b) ; le mélange additif est fractionné (c). Ces traits décisifs pourraient expliquer certains des puzzles de Wittgenstein (« Il n'y a pas de blanc transparent ») ou au contraire nous astreindre à une autre grammaire pour le mot « transparent ». Mais, sur le plan psychophysiologique, on a pu faire observer, comme T. Watanabe et P. Cavanagh (1993), que des contraintes sont issues du monde physique déjà, qui nous imposent des règles de recomposition périrétiniennes : l'illusion du plan translucide demeurerait une illusion *top-down*. La question centrale n'en est pas moins esquivée quand on se refuse à admettre une transparence phénoménique. À supposer que notre monde phénoménal ne serait tel que parce qu'il est apte à nous représenter le monde physique, cette dernière, en effet, n'a plus de raison d'être.

L'autre réserve formulée à l'encontre est que la stimulation de la transparence implique un genre d'expérience protocolaire. Metelli adopte l'hypothèse de la *Sehrichtung* d'E. Hering (une couleur intermédiaire devient, à elle seule, le milieu transactionnel transparent). Certains diront que nous avons là, contre Helmholtz, un *quale* directionnel. Mais en réalité Metelli conforte ses résultats en montrant — avec Helmholtz — que deux bandes de papier sont susceptibles d'être perçues l'une derrière l'autre, à la fois par réflexion et par transparence. Il donne lui-même l'exemple des images doubles, quand sur des fenêtres, le soir, en regardant vers le dehors nous voyons la réflexion de la pièce illuminée en même temps que le paysage externe. O. Da Pos (1976, 1989), poursuivant ses recherches, aboutit à des résultats comparables avec des couleurs : ceux-ci montrent que la formule de Metelli s'applique aussi, en ne prenant plus la transparence achromatique pour une expression limite de la transparence chromatique.

Mais la notion d'une transparence phénoménale, qui pourrait s'expliquer par une induction périrétinienne, est toujours rapportée dans son cas à une mesure photométrique comparative, en sorte que doivent « se ressembler » les couleurs achromatiques mélangées et les couleurs séparant les strates. Une étape supplémentaire est supposée qui implique une dimension représentationnelle rendant justice de cette ressemblance. Quelles déviations radiantes sont susceptibles d'être retenues dans le modèle physique (on pense aux points de jonctions sur les zones en mosaïque de Kersten), qui sont responsables de l'interprétation ou qui sont corrélées avec elle ? Nous ignorons encore quelle contrepartie apporter au phénomène qu'il a si sobrement décrit. La solution de Beck qui s'appuie sur la réflectance spéculaire — la thèse du miroir transparent — s'oppose, pour sa part, à toute apparition phénoménologique de l'effet.

Je ferai pourtant un nouvel *excursus*. La phénoménologie quantitative de Metelli, qui contrôle les niveaux d'opacité relative, me semble ici proche de l'intuition de W. Henri Fox Talbot, ce véritable précurseur de la photographie. Talbot a tenté une « mise à plat » de la tridimensionnalité en utilisant lui aussi d'abord des objets plats, et par la projection d'une ombre portée par contact. La thèse qui sous-tend la découverte de Talbot est bien que les objets seront copiés à distance par la *camera oscura*. L'utilisation du négatif original (puis plus tard le procédé de transfert d'une image latente, qui est son invention propre — *calotypie*) lui permettra de dupliquer et d'inverser par contact cette empreinte sur une autre feuille de papier traitée, elle aussi négative. Or, avant même que le procédé de *calotypie* soit mis en place, que voyons-nous sur ses premiers essais de *photogenic drawings* ? Rien d'autre, en effet, qu'une expérience provoquée. Comme avec Metelli, le voile des *sense-data* se déchire, et nous obtenons autre chose qu'une filtration pure et simple. Dans ses premiers essais, Talbot prend appui sur la transparence catégorique du verre qui presse une feuille végétale *contre* une feuille de papier sensibilisée et exposée quelques minutes au soleil. Quand le végétal est ôté du sous-verre, ne reste empreinte que sa trace négative. Si le « point de vue » a disparu — celui dont parle Russell pour définir le *sense-datum* (1912, 70) —, nous pourrions penser ne voir qu'une transparence factice. Pourtant, il est notable que l'inversion des valeurs se produit sans perte d'information. L'empreinte nous met en présence d'un objet différent par nature du verre incolore ou de la feuille nervurée : ce n'est pas la même chose que de voir la feuille en question par contre-jour. Une gravure est imprimée sur le compte de la réflectance du fond brunâtre, dont la réaction chimique est *stoppée*. Talbot ne nous dit pas qu'il y a un « contenu analogique » de l'image rétinienne, mais que la sensibilité du papier traité au sous-chlorure d'argent transfère le pouvoir de réceptivité de la rétine *au-devant de la rétine*. Le résultat est phénoménique : il n'est pas exactement représentatif, puisqu'il se fonde — comme chez Metelli — sur un *transfert* de l'opacification vers la transparence *visive*. Le double qu'on obtient ressemble à un reflet organisé où l'orientation frontale du rayonnement naturel est conservée, comme sur un miroir. L'impression physique ne voile pas l'apparence, et toutefois elle ne nous permet pas non plus de passer au travers[6].

---

6. Ces remarques sont inspirées par le travail de Philippe Poncet en introduction à la traduction de *The Pencil of Nature* de Talbot (Grenoble, 2002).

La transparence de l'expérience

Abandonnons maintenant les illustrations du phénomène. Pour quelques philosophes, la sorte d'incompatibilité que nous avons décrite entre la transparence physique et la transparence phénoménique pose un faux problème, car elle pourrait se dissoudre dans le cadre d'une perspective *intentionnaliste* qui ne relève pas de la phénoménologie objective où nous voudrions nous tenir. Le vrai problème, d'après ces philosophes, est de savoir si l'on peut assimiler l'expérience visuelle de la transparence et la transparence de l'expérience consciente. Selon certains, c'est l'expérience représentée qui nous ferait voir la première. Pour d'autres, il serait vraiment possible de voir *à travers le phénomène* un contenu représentable en position d'objet, quand nous proférons un jugement doué de sens.

Les discussions tracassantes sur le sujet n'ont pas cessé depuis la *Réfutation de l'idéalisme* de Moore en 1903. D'après les intentionnalistes — qui s'affrontent à la thèse de Moore —, comme Harman (1990) et A. Byrne aujourd'hui, cette qualification de la transparence sert de norme d'accès à ce qui serait intrinsèquement connu (visionné), sans le truchement d'une assignation déictique.

Moore a lui-même varié souvent dans ses expressions, mais l'une d'entre elles tendant à isoler deux emplois, pour un même fait mental : l'un linguistique (indirect), l'autre non, est particulièrement remarquable.

> Lorsque nous nous référons à l'introspection, et essayons de découvrir ce qu'est la sensation de bleu, il nous est très facile de supposer que nous n'avons devant nous qu'un unique terme. Le terme « bleu » se distingue encore aisément, mais l'autre élément que j'ai appelé « conscience » — celui que la sensation de bleu a en commun avec la sensation de vert — est extrêmement difficile à cerner. [...] En général, ce qui fait de la sensation de bleu un fait mental semble nous échapper : tout se passe comme si — l'on me permettra d'utiliser une métaphore pour être transparent [*to be transparent*] — nous regardions à travers elle, et n'y voyions rien que du bleu [*we look through it and see nothing but the blue*] (1903, 78).

Il ne faut pas se méprendre sur le fait que Moore cherche à contester cette séparation arbitraire dans l'acception du contenu. Il y a une contradiction pour lui à présenter deux assertions du genre : « le bleu existe », et « la sensation de bleu existe » pour *analyser* le contenu de

« bleu ». Le raccourci métaphorique du mot *transparent* n'est pas anodin. Selon Moore, la relation est unique entre ses deux *relata* supposés (la conscience et le bleu). Le contenu et l'objet sensationnel ne font qu'un : l'élément est unique, et la relation est unique, dit-il explicitement. Une transformation s'opère ensuite : on ne parle plus de transparence (verbale) mais de *diaphanéité*.

> Au moment où nous tentons de fixer notre attention sur la conscience, et de voir distinctement ce qu'elle est, elle semble s'évanouir : tout se passe comme si nous n'avions devant nous que du vide. Lorsque nous nous efforçons de soumettre à l'introspection la sensation de bleu, tout ce que nous pouvoir voir c'est le bleu ; l'autre élément est comme *diaphane* (1903, 82).

Il paraît presque « outrageant », comme le déplore M. Martin (1997), de mettre tant d'emphase pour exprimer l'idée sophistiquée d'après laquelle la « conscience bleue » (qui aurait le bleu pour contenu) serait décolorée par l'introspection. Mais il nous semble que la réfutation indirecte de Moore reste très puissante contre toutes les formes d'*internalisation du contenu*. On a pu combattre cette définition négative de l'introspection. M. Tye s'en sert *a contrario* pour justifier les cas de spectre inversé. Nos comptes rendus publics du jaune et du bleu seraient aussi métaphysiquement vrais *a posteriori* dans les deux cas si l'inversion se produisait. Cette extrapolation du contenu phénoménal dans le compte rendu serait bien une preuve de la transparence de l'expérience. M. Tye croit sincèrement qu'il efface la notion d'un *sense-datum* de cette manière. Nous ne pourrions plus voir, dit-il — s'il y avait des *sense-data* — aucun objet réel, mais cela nous est heureusement permis *à travers* l'introspection (2000, 112-3).

Dans ce genre d'argument, la représentation mentale satisfait la vérité des attendus de l'introspection : elle joue un rôle supplétif et nous rend *diaphane* le contenu sémantique, ce qui constitue un renversement total de l'énoncé de Moore. À l'occasion, M. Tye se prend à penser que nous pourrions regarder sur la plage une carte postale montrant l'océan, et la mettre devant nos yeux, pour voir — par transparence — à travers la carte postale le contenu représentable de l'océan ou le pur contenu du bleu. Mais ce genre d'exemple est pour le coup bien fragile et presque tendancieux (M. Tye, 1992, 1995, 30-31). Il ne vaudrait (peut-être) que pour les sensations proprioceptives, comme celle de la douleur : c'est-à-dire dans les cas où mon corps sert de milieu. Nous lui opposerons que les photographies — en tant que surfaces d'ajustement — sont d'authentiques *sense-data* (en dépit des corrections techniques qu'on devrait apporter au mot). Ce sont des entités mentales *ajustées* à leurs référents physiques.

S'il y a une transparence de l'expérience, ce que ne dit pas explicitement Moore (pour lui la conscience d'objet est vide, et le bleu est parfois l'attribut d'une surface sous un certain angle, bien qu'il reste perplexe sur ce point), on peut cependant dissiper l'ombre du problème que j'aurais artificiellement construit entre une propriété catégorique seulement *occurrente* et une propriété *dispositionnelle* de transparence, dont j'estimais au début que notre équipement cognitif devait partager les instances. Car le cœur de la doctrine intentionnaliste consiste à écarter d'un même mouvement l'opacité des *sense-data* — en rejetant leur caractère privatif — et la présence incorrigible des *qualia*. Il n'est pas très étonnant alors que le contenu intentionnel *manifeste* ne soit pas sémantiquement garanti (comme l'est par exemple celui d'un contenu propositionnel bipolaire). Nous n'avons plus rien qu'une hallucinose du bleu de l'océan. À la conception sémantique « directe » de Tye, Martin substitue pour l'amender une conception inspirée de Searle, directionnelle et involontaire, pour maintenir que nos expériences sont réellement transparentes :

> Le caractère phénoménologique de l'expérience ne peut pas être expliqué uniquement en termes de propriétés sémantiques représentationnelles [...] car l'expérience est engagée par les objets de celle-ci, et par la manière dont ils nous sont manifestes. Ainsi le caractère phénoménal peut-il être constitué de façon plausible par les propriétés représentationnelles, mais ce n'est que si nous construisons « réprésentationnel » dans une version étroite (*stative*) du mot, qui s'applique à des états comme des croyances ou des jugements, et tout en supposant aussi que nous prenions les choses de la façon dont elles apparaissent (1997, 9).

Pour écarter le danger des critiques de McDowell faites au réalisme naïf, la solution finale de Martin (qui est aussi une réponse à l'argument de l'illusion) ressemble à celle de C. Peacocke, pour qui nous devrions visualiser ou *visionner* le monde en faisant l'expérience d'un *point de vue*. Par cette dépendance interne du point de vue, je ferais une introspection « imageante » (*introspecting the imagining of perceptual experience*, 1997, 21). Une telle conception nous semble voisine de l'*introjection* du champ empirique qu'E. Mach avait stigmatisée. En somme, une telle lecture aboutit à dédoubler l'emploi du mot de transparence, bien que les intentionnalistes entendent « fixer » nos croyances en étudiant leur direction. Par exemple, il leur suffira de dire que la propriété phénoménale de l'expérience « semble », par l'introspection, nous être telle (être une propriété phénoménale), mais que l'introspection serait illusoire quand elle localise au-dehors ce qui est simplement *présenté* devant l'esprit. Nous pouvons seulement avancer de notre côté que les propriétés *phénoménales* ne sont pas les mêmes — en termes de référence et d'énoncés extension-nels[7] — que celles dont je fais l'expérience consciente. Elles transparais-sent probablement dans l'expérience sur un fond « opaque » (par exemple celui des *qualia*). On devrait d'ailleurs soupçonner chez les intentionna-listes cette *directedness*, dont F. Dretske semble indiquer qu'il ne la comprend pas tout à fait si elle se présente comme un indice de l'enco-dage propre à la perception (1995, 32), qu'elle n'a pas de contrepartie symétrique pour le contenu informationnel causal. Il est donc difficile d'admettre que la transparence pourrait jamais servir l'argument des intentionnalistes si nous n'introduisions des niveaux de *filtration cognitive* du contenu.

Tout autre est la perspective que nous défendrions. Nous estimions que l'illusion, à la différence de l'hallucination, ne devait pas servir l'argu-ment détractiviste. L'illusion de la transparence phénoménique n'est pas une représentation trompeuse : elle peut dépendre d'une complétion « routinière » du fond, ou de l'avant-plan de la figure. L'énoncé peut aussi se concentrer sur les propriétés de la scène représentée ou sur la configuration perçue (on distinguerait les concepts spatiaux « détachés », ou « immergés »). Sous ce rapport, *opaque* et *transparent* ne sont jamais que des propriétés relationnelles. Comme l'a montré J. Katz dans son *Aufbau der Tastwelt*, nul n'est en droit de conclure d'une posture gnoséo-logique vers une ontologie des propriétés perceptibles. Ses exemples si riches sur les *films transparents tactiles* (cotons, cartons, gants de caout-chouc) nous renvoient toujours à un quantum de distalité qui n'est pas défini par les spécifications de la texture : il demeure en quelque manière absolu dans son information, alors que les données phénoménologiques tactiles sont rapportées à des attributions variables (1925, § 8, 31). Le problème de la transparence n'est donc un problème que par le genre de questions qu'il pose. Nous entendions présenter ici le cas des dispositions masquées mais sans prétendre imposer au référent des conditions d'iden-tité déterminées par le genre de « proposition perceptive » dont nous avons effectivement besoin. Cette dernière ne peut être éliminée si nous acceptons qu'il y a un *fait* de la transparence — un fait pour lequel l'objet perçu n'est pas une cible opaque — et si nous acceptons aussi

---

7. L'une des sources de la confusion vient probablement de l'emploi que fait G. Frege de « transparent » (1892), au bénéfice des contextes où deux expressions sont substitua-bles si elles désignent le même objet dans tous les contextes, sans que cela change la valeur de vérité de l'énoncé. Dans un contexte transparent, on peut substituer un terme à un autre partageant sa référence : la substitution des termes coréférentiels n'impliquant pas que les termes soient identiques.

qu'il y a une *impression* de transparence que l'on peut étudier sans en faire une protusion subjective de profondeur.

RÉFÉRENCES

– J. Beck (1978), « Additive and substractive color mixture in color transparency », *Perception and psychophysics*, 23 (3), 265-267.

– J. Beck et R. Ivry, « The perception of transparency with achromatic colors », *Perception and Psychophysics*, 35, 407-422.

– R. Casati (1988), « Wittgenstein and psychology : the case of transparency », XIII *Kirchberg Symposium, vol. XVIII*, 251-254 (contient une bibliographie).

– R. Casati (2000), « Une note sur les milieux perceptifs », *in* P. Livet (éd.), 2000.

– O. Da Pos (1989), *Trasparenze*, Icone, Milano.

– O. Da Pos (1999), « The perception of transparency with chromatic colours », *in* M. Zanforlin et L. Tommassi (éds.), *Research in Perception*, Padova, Logos Edizioni.

– J. Dokic et R. Casati (1994), *La Philosophie du son*, Nîmes, J. Chambon.

– J. Dokic (1996), « Le dualisme forme/contenu et la théorie de la perception », *Cahiers de philosophie de l'université de Caen*, 29, 83-112.

– F. Dretske (1981), *Knowledge and the Flow of Information*, Cambridge, Mass., The MIT Press reprint CLSI 1999.

– F. Dretske (1995), *Naturalizing the Mind*, Cambridge, Mass., The MIT Press.

– F. Dretske (2000), *Perception, Knowledge and Belief, Selected Essays*, Cambridge Studies in Philosophy.

– G. Frege (1892), *Über Sinn und Bedeutung, in* G. Patzig (éd)., Göttingen, Vandenhoeck & Ruprecht.

– W. Fuchs (1923), « Experimentelle Untersuchungen über das simultane Hindereinandersehen auf derselben Sehrichtung », *Zeitschrift für Psychologie*, 91, 145-235. « On transparency », *in* Wilfrid D. Ellis, *A Source Book of Gestalt Psychology*, Routledge & Kegan Paul, 1938, p. 89-94.

– G. Harman, « The intrinsic quality of the experience », *in* J. Tomberlin (éd.), *Philosophical Perspectives*, 4, Ridgeview.

– M. Johnston (2001), *The Manifest*, nyu.edu/gsas/dept/philo/courses.

– D. Katz (1925), *Der Aufbau der Tastwelt*, Johann Ambrosius Barth, Leipzig.

– D. Kersten (1991), « Transparency and the cooperative computation of the scene attributes », *in* M. Landy & A. Movshon, *Computational Models of Visual Processing*, Cambridge, Mass., The MIT Press.

– P. Livet (éd.) (2000), *De la perception à l'action*, Paris, Vrin.

– D. Marr (1982), *Vision*, Freeman & Co.

– M. G. F. Martin (1997), « The transparency of experience », nyu.edu/gsas/dept-philo/Courses/Concepts/.

– F. Metelli (1974), « The perception of transparency », *Scientific American*, 230, 90-98.

– F. Metelli (1982), « Stimulation and perception of transparency », Institut of Psychology, University of Padova, Report n° 73, 1-47.

– G. E. Moore (1903), « The refutation of idealism », *in* T. Baldwin (éd.), *Selected Writings,* Routledge.

– P. Parks (1995), « Colour in nature », *in* T. Lamb et J Bourriau (éds.), *Colour, Art & Science,* Darwin College, Cambridge University Press.

– A. Rose (1973), *Vision, Human and Electronics,* New York, Plenum Press.

– S. Shoemaker (1996), « The phenomenal character of experience », *in The First-Person Perspective and Other Essays,* Cambridge, Cambridge University Press.

– H. F. Talbot (1844), *The Pencil of Nature,* New York, Da Capo Press (Reprint), 1969.

– M. Tye (1992), « Visual qualia and visual content », *in* T. Crane (éd.), *The Contents of Experience,* Cambridge, Cambridge University Press.

– M. Tye (1995), *Ten Problems of Consciousness,* Cambridge, Mass., The MIT Press.

– M. Tye (2000), *Consciousness, Color, and Content,* Cambridge, Mass., The MIT Press.

– G. R. Stoner (1993) (avec T. D. Albright), « Image segmentation cues in motion processing : implications for modularity in vision », *Journal of Cognitive Neuroscience,* 5 (129-149).

– G. R. Stoner (1999) « Transparency », The MIT Encyclopedia of the Cognitive Sciences, p. 845-847.

– K. Walton (1984), « Transparent pictures : on the nature of the photographic realism », *Critical Inquiry,* n° 11, 246-247.

Quatrième partie

Voir, voir comme et penser

Perception visuelle et mathématiques chez Peirce et Wittgenstein

par Christiane Chauviré

Nonobstant la décisive critique par Wittgenstein du mythe de l'intériorité, la philosophie contemporaine est souvent restée dominée par la métaphore de l'œil mental. Quant aux modernes (Hobbes, Descartes, Locke *et alii*), même constat. Pour ne parler que de Kant, il est frappant de constater le tribut qu'il rend dans sa théorie du schématisme et dans sa philosophie mathématique au paradigme du voir. Les mathématiques, on le sait, procèdent selon lui par construction de concepts *a priori* dans l'intuition pure au moyen de schèmes, « monogrammes » de l'imagination pure, qui ajustent l'intuition (*representatio singularis*) au concept (*representatio generalis*). Kant fait ainsi des mathématiques une activité en partie *visuelle,* quelque pure que puisse être l'intuition de l'espace à laquelle il recourt, et même si l'intuition temporelle est aussi amenée à jouer en arithmétique ; et, dans sa partie visuelle, cette activité relève du tracé d'une forme, du dessin d'une figure ou d'une configuration, même s'il s'agit d'algèbre et non de géométrie.

Les diagrammes et la pensée mathématique

Or le schématisme kantien a connu une fortune singulière chez C. S. Peirce grâce à sa sémiotique complexe et sophistiquée qui distingue parmi les signes ceux qui représentent leur objet par ressemblance, les *icônes*[1] ; et, parmi les icônes, celles qui reproduisent la structure de leur objet, les relations qui existent entre les parties d'un état de choses, par exemple : les *diagrammes*. C'est au diagramme, modélisation, figure stylisée d'un état de choses imaginé par le mathématicien, qu'il revient d'expliquer la pensée mathématique dans son aspect fécond, aussi bien d'ailleurs que la création artistique. Nous avons là un cas de mentalisme élégant. La pensée mathématique consiste à tracer sous l'œil de l'esprit des figures qu'elle déforme et reforme, non certes au hasard, mais conformément à des règles et dans le but d'obtenir une configuration finale, un diagramme où se lira la conclusion *nécessaire* du raisonnement (un lecteur cognitiviste pensera certainement aux modèles mentaux de Johnson-Laird). Thèse remarquable : le diagramme n'est pas, comme la figure du géomètre, simple illustration, support concret d'un raisonnement se déroulant ailleurs, dans la pensée pure et abstraite : la formation et déformation de diagrammes conformément à des règles est *constitutive* de la pensée mathématique qui s'y épuise tout entière, la pensée en général n'étant aux yeux de Peirce, comme plus tard à ceux de Wittgenstein, rien d'autre qu'une manipulation de signes (qui peuvent être des signes mentaux ou externes). Rien ne se passe en dehors de cette schématisation d'un état de choses initial imaginé par le mathématicien, et de la variation que celui-ci fait subir à ce premier diagramme, souvent en ajoutant des constructions auxiliaires qui rendent la preuve « théorématique », non triviale (synthétique au sens du « synthétique III » de Hintikka), par opposition aux preuves « corollarielles », triviales, dans lesquelles il est possible de tirer la conclusion par simple inspection du diagramme initial[2]. C'est dire l'adhésion de Peirce à un constructivisme et au schématisme issus de Kant, mais rénovés par la sémiotique, et empiricisés. On pourrait dire que la mathématique est pour lui art de la stylisation d'un état de choses, art de produire des formes et d'en modifier le tracé dans l'espace mental. Art constructif : c'est pour expliquer la

---

1. Outre les icônes, Peirce distingue, dira-t-on pour simplifier, les index (qui représentent leur objet parce qu'ils sont en connexion physique ou dynamique avec lui) et les symboles (signes généraux dont la signification est établie par une loi ou une convention). Ces trois classes de signes sont respectivement corrélées aux trois catégories ontologiques qui répartissent les êtres en Premiers, Seconds et Troisièmes. Précisons qu'aucun être n'est un pur Premier ou un pur Second, tous sont des mixtes à des degrés divers. Les icônes, donc les diagrammes, sont majoritairement des Premiers, mais en fait sont des mixtes.
2. En 1980, Hintikka reprendra la distinction peircienne théorématique-corollariel en la transposant à la logique, transformant la référence à des modifications de diagrammes en référence à l'augmentation du nombre d'individus considérés ensemble à une étape du raisonnement.

fécondité ou la synthéticité de la pensée mathématique que Peirce adhère à ce constructivisme encore très kantien. La construction de diagrammes successifs, chacun apportant une modification (généralement un ajout, comme dans le cas des constructions auxiliaires d'Euclide) au précédent, permet de lire dans la configuration finale des propriétés inattendues qui révèlent des propriétés ou des relations mathématiques insoupçonnées jusqu'alors. Art du tracé, la mathématique est aussi, pour Peirce comme pour Kant, art de la *synthèse*, en quoi elle s'apparente à l'art tout court :

> Le travail du poète ou du romancier n'est pas tellement différent de celui de l'homme de science. L'artiste introduit une fiction, mais ce n'est pas une fiction arbitraire, elle exhibe des affinités que l'esprit approuve en déclarant qu'elles sont belles, ce qui, sans être exactement la même chose que de dire que la synthèse est vraie, relève de la même espèce générale. Le géomètre trace un diagramme qui est, sinon exactement une fiction, du moins une création, et l'observation de ce diagramme le rend capable de synthétiser et de montrer des relations entre des éléments qui semblaient n'avoir auparavant aucune connexion nécessaire entre eux [3].

Ainsi la synthèse mathématique (qui ne s'opère plus *a priori* comme chez Kant, mais empiriquement) se fait-elle plus par invention que par découverte. Peirce aurait, tout comme l'a fait plus tard Wittgenstein, critiqué l'assimilation trompeuse du mathématicien à un explorateur qui découvre et inspecte des contrées inconnues, car tous deux se sont départis du platonisme mathématique ordinaire qui croit à un monde déjà là d'états de choses mathématiques « idéaux » à découvrir, conçus sur le modèle des faits physiques. Si les mathématiques produisent des synthèses nouvelles, c'est qu'elles relèvent d'une construction, qu'il s'agisse d'ailleurs d'algèbre ou de géométrie : même si la figure euclidienne semble bien être chez Peirce le paradigme du diagramme, il considère comme autant de diagrammes (au sens de la sémiotique) les suites de symboles algébriques, les équations, les formules logiques ou l'ensemble de la configuration d'une preuve :

> [...] même en algèbre la grande fonction remplie par le symbolisme est d'amener une représentation-squelette des relations dont il est question dans le problème devant l'œil de l'esprit sous une forme schématique qu'on peut étudier tout à fait comme une figure géométrique [4].

---

3. Charles Sanders Peirce, *Collected Papers*, 8 vol., Cambridge, Harvard University Press, 1931-1958 [désormais *CP*], 1. 383.
4. *CP*, 3. 556.

Le diagramme a pour fonction d'exhiber les relations qui existent entre les parties de son objet (un état de choses imaginé par le mathématicien), d'en reproduire la structure, le plus souvent par des lignes et des surfaces, ou par des formules algébriques. Sémiotiquement, il existe en effet une affinité entre les icônes et les formes, qui n'existe pas dans le cas des index ou des symboles :

> Aucune icône pure ne représente quoi que ce soit d'autre que des formes ; aucune Forme pure n'est représentée par quoi que ce soit d'autre que des icônes[5].

La pensée mathématique n'est donc rien moins qu'une pensée abstraite, symbolique et aveugle, elle qui fait défiler des figures imaginaires devant l'œil de l'esprit :

> Rappelez-vous que ce n'est que par les icônes que nous raisonnons et que les énoncés abstraits sont sans valeur sauf quand ils nous aident à construire des diagrammes. Les sectateurs de l'opinion que je combats semblent au contraire supposer que le raisonnement s'effectue avec des jugements « abstraits » et qu'une icône ne sert qu'à permettre de construire des énoncés abstraits comme prémisses[6].

L'iconicité de la logique

Notons que chez Kant aussi, au lieu de s'opposer, algèbre et géométrie sont réunies dans une commune opposition à la philosophie qui, « privée de cet avantage » d'avoir chaque raisonnement « mis devant les yeux », considère le général *in abstracto*, et dont les preuves discursives ou « acroamatiques » se font « par simples mots », tandis que les démonstrations mathématiques (les seules vraies démonstrations) « pénètrent dans l'intuition de l'objet ». C'est cette réunification que Peirce reprend à son compte, même si elle trouve ses limites dans la hiérarchie des degrés d'iconicité qu'il établit entre les diverses sortes d'icônes, pour affirmer la supériorité iconique du traitement graphique de la logique sur le traitement algébrique (Peirce est l'inventeur de systèmes logiques entièrement faits de graphes, ingénieux, mais qui n'ont guère connu de fortune histo-

---

5. *CP*, 4. 544.
6. *CP*, 4. 127.

rique). C'est elle qu'il poursuit, avec une radicalité bien supérieure à celle de Kant, lorsqu'il généralise à toute déduction, mathématique ou non, la thèse diagrammatique. Peirce reproche d'ailleurs à Kant de ne pas être allé assez loin dans la voie du constructivisme, ce qui l'a empêché de voir la nécessaire présence de constructions schématiques même dans des opérations en apparence purement discursives et triviales comme les raisonnements de la syllogistique et ceux de la philosophie. Tandis que Peirce semble être allé jusqu'au bout de la voie indiquée par Kant lorsque, réunissant comme ce dernier ce que Leibniz tendait à opposer (symbolisme et intuition), il unifie algèbre et géométrie sur la base de l'identité de statut sémiotique des formules algébriques et des figures géométriques, toutes des diagrammes, c'est-à-dire des icônes exposant de pures relations. L'homogénéité méthodologique des différentes branches de la mathématique vient fonder l'unité de cette dernière, la pensée mathématique s'identifiant à une manipulation réglée de signes *figuratifs*, les diagrammes, construits et saisis dans l'intuition visuelle. C'est dans cette manipulation toute intuitive que Peirce fait résider l'essence non seulement de la pensée mathématique, mais de *toute* pensée déductive, radicalisant et généralisant ainsi la position kantienne. Kant limitait en effet aux mathématiques la construction synthétique de concepts dans l'intuition pure, renvoyant au discursif et à l'analyticité le raisonnement non mathématique. Peirce généralise à tout raisonnement *nécessaire* la thèse que la déduction procède par construction de diagrammes ; celle-ci, débordant largement le domaine mathématique, envahit toute la pensée déductive.

Comme J. Hintikka[7] l'a d'ailleurs remarqué, la thèse peircienne de l'iconicité de la logique s'oppose à la conception dominante, d'origine frégéenne — et en un sens leibzienne de par sa référence à une pensée pure et abstraite —, de la logique, mais en anticipe d'autres qui se sont manifestées au XXᵉ siècle. En effet, tandis que Peirce fait reposer le caractère démonstratif de la preuve sur la nature iconique des signes avec lesquels on opère, Frege ne s'est jamais soucié de l'éventuelle valeur iconique ou figurative de son « écriture conceptuelle » (*Begriffsschrift*), langue de la pensée pure, où Peirce aurait cherché à voir — l'eût-il connue — des configurations iconiques de formules elles-mêmes iconiques. Frege se situe du côté — intellectualiste — de Leibniz (même si Leibniz n'a jamais nié le rôle de l'intuition dans l'heuristique mathématique), Peirce du côté de Kant et de son schématisme qui fait droit au

---

7. Jaakko Hintikka, *Logic, Language Games and Information*, Oxford, Clarendon Press, 1973.

visuel et au graphique dans la preuve, dont le tracé est investi d'une valeur démonstrative.

C'est en effet par l'iconicité des signes diagrammatiques, et par la contrainte qu'exercent sur nous ces diagrammes dans la vision, mentale ou non, que nous avons d'eux, que Peirce explique l'évidence que nous reconnaissons à la démonstration qui se déroule sous notre œil et devant laquelle nous nous inclinons. En effet,

> quand une démonstration est clairement appréhendée, nous sommes contraints d'admettre la conclusion. Elle est évidente et nous ne pouvons pas penser autrement[8].

Au terme d'une description phénoménologique de la perception, Peirce soutient que l'évidence mathématique s'impose à notre œil comme l'évidence de tout percept. La théorie peircienne de la perception est la première à ma connaissance à avoir distingué entre voir tel objet d'une certaine couleur et voir *que* tel objet est de cette couleur, et à en avoir tiré la conséquence — très originale par rapport, par exemple, à l'épistémologie des empiristes logiques — qu'étant dissemblables percept (image) et jugement de perception (proposition) ne sauraient être comparés (seule une proposition est comparable à une proposition, laquelle ne peut reposer que sur une proposition) et qu'ainsi le percept n'est pas le vérificateur du jugement de perception[9]. Mais, en même temps, le jugement de perception est selon Peirce « absolument imposé à mon acceptation, et ce par un processus que je suis totalement incapable de contrôler et par conséquent de critiquer[10] ».

Or

> cette contrainte irrésistible du jugement de perception est précisément ce qui constitue la force contraignante de la démonstration mathématique. On peut s'étonner que je range celle-ci parmi les choses qui relèvent d'une contrainte non rationnelle. Mais la vérité est que le nœud de toute preuve mathématique consiste précisément dans un jugement à tous égards semblable au jugement de perception, à ceci près qu'au lieu de se référer au percept que nous impose la perception, il se réfère à une créature due à notre imagination Il n'y a pas plus lieu de se poser la question du pourquoi et du comment à son propos qu'à propos du jugement de perception : « ce que j'ai sous les yeux a l'air d'être jaune ».

---

8. Charles Sanders Peirce, *The New Elements of Mathematics*, 4 vol., La Hague, Mouton, 1976, [désormais NEM], vol. IV, p. 45.
9. *CP*, 6. 95.
10. *CP*, 5. 157.

[...] Nous parlons de faits durs (*hard facts*). Nous voulons que notre savoir se conforme aux faits durs. Or la « dureté » du fait réside dans l'insistance du percept, une insistance entièrement irrationnelle, l'élément de secondéité en elle. C'est un facteur très important de la réalité. Mais ce facteur ne se limite pas au percept [...] sinon par l'intermédiaire du jugement de perception qui tout pareillement contraint notre acceptation sans raison assignable[11].

C'est donc cette force irrationnelle que notre œil subit lorsque la conclusion d'une démonstration s'impose à notre acceptation, quelque étrange que puisse être l'idée que notre reconnaissance d'un résultat *nécessaire* dépend d'une contrainte aussi peu rationnelle. L'étrangeté réside aussi dans le fait de voir quelque chose d'une nature générale, et Peirce en convient :

soit dans le nouveau diagramme, soit autrement, et plus ordinairement en passant d'un diagramme à l'autre, l'interprète de l'argumentation sera censé *voir* quelque chose, ce qui présentera cette petite difficulté pour la théorie de la vision, que cela est d'une *nature générale*[12].

Ce n'est pas une difficulté pour Peirce : pour lui, le jugement de perception est imprégné de généralité, voire est la perception de la généralité, sans qu'on sache bien si la généralité est déjà dans le percept (thèse audacieuse) ou seulement dans le jugement de perception (thèse plus facile à concéder) ; d'où peut-être l'invention par Peirce d'un troisième terme, le *percipuum*, qui correspond au percept en tant qu'immédiatement interprété dans le jugement[13]. On sait que Wittgenstein critiquera l'idée qu'on puisse voir le général ou la généralité, que ce soit en mathématiques ou en général[14].

Par ailleurs, sémiotiquement parlant, l'icône, ou du moins le diagramme, est le seul signe apte à « communiquer l'évidence » et à nous la faire reconnaître *directement* :

Quand nous contemplons la prémisse, nous percevons mentalement que si celle-ci est vraie, la conclusion est vraie. Je dis : nous percevons, parce qu'une connaissance claire suit la contemplation sans aucun processus intermédiaire. Puisque la conclusion devient certaine, il y a une étape à laquelle elle devient directement certaine. Or cela, aucun symbole ne peut

---

11. *CP*, 7. 659.
12. *CP*, 5. 148.
13. *CP*, 7. 643.
14. *Cf.* Christiane Chauviré, *Voir le visible*, Paris, PUF, 2003.

le montrer, car un symbole est un signe indirect dépendant de l'association des idées. Un signe exhibant directement le mode de relation est donc requis[15].

Ainsi, seule l'icône peut, comme signe directement monstratif, exhiber un « *must be* », une nécessité[16], en vertu de ses propriétés sémiotiques spéciales, ce qui n'est pas sans évoquer le *Tractatus* de Wittgenstein où les relations internes entre signes, qui sont des connexions nécessaires indicibles, se montrent directement dans le symbolisme, et ce d'autant mieux que le symbolisme est bien fait, c'est-à-dire synoptique et entièrement explicite. Sans aller jusqu'à faire comme Hintikka de Wittgenstein le promoteur de la thèse de l'iconicité de la logique, on ne peut que reconnaître chez lui la valorisation du pouvoir directement monstratif du symbolisme adéquat en logique, ce qui l'amène à préconiser la présentation tabulaire — plus synoptique — du calcul des propositions. Dès lors que les relations et inférences nécessaires sont déclarées indicibles, il faut qu'elles se montrent aisément dans le symbolisme, celui-ci doit donc être synoptique et, ajouterait Peirce, iconique.

Pour en revenir aux diagrammes de Peirce, il peut sembler étrange, et l'intéressé en a lui-même convenu, que des icônes, qui, dans la sémiotique, ne représentent leur objet qu'en vertu d'une ressemblance avec lui, et qui n'ont pas la force de percussion des index sur notre attention, puissent avoir pour nous une valeur contraignante. Les icônes ne sont-elles pas de pures images flottantes, relevant de la Priméité, et la contrainte exercée sur notre attention n'est-elle pas propre à la Secondéité ?

> Il est vrai que les Icônes ordinaires — la seule classe de signes qui reste pour l'inférence nécessaire — suggèrent simplement la possibilité de ce qu'elles représentent, étant des percepts, moins l'insistance et la force de percussion des percepts. En elles-mêmes, elles sont de simples sèmes qui ne prédiquent de rien, pas même de façon interrogative[17].

De nouveau, on songe aux schèmes de Kant, ces « créations de l'imagination », ces « monogrammes » qui forment « un dessin flottant ».

Mais, de fait, seules les icônes ont une affinité spéciale avec les formes et sont habilitées à les représenter, surtout dans le cadre spécifique de l'expérience de pensée mathématique où tout est Forme, et perception

---

15. *CP*, 4. 74-75.
16. *CP*, 4. 532.
17. *NEM*, IV, p. 317-318.

de Formes, le raisonnement étant, selon Peirce, « principalement concerné par les Formes[18] ». Et si l'icône ne tient pas lieu d'une chose existante précise, du moins « il y a une assurance que l'icône fournit au plus haut degré. À savoir que ce qui est déployé sous l'œil de l'esprit — la Forme de l'Icône, qui est aussi son objet — doit être logiquement possible[19] ». Par ailleurs seule l'icône, parmi les signes, peut représenter un objet non existant, fictif, comme l'état de choses imaginé par le mathématicien.

Ainsi seule l'icône formelle (le diagramme) se trouve-t-elle être le signe apte à « communiquer l'évidence » :

> Le raisonnement nécessaire rend sa conclusion *évidente*. Qu'est-ce que l'« évidence » ? Elle consiste dans le fait que la vérité de la conclusion est perçue dans toute sa généralité, de sorte que dans cette généralité le comment et le pourquoi de cette vérité est perçu. Quelle sorte de signes peut communiquer cette évidence ? Certainement pas l'index, puisque c'est par la force brutale que l'index pousse son objet dans le champ de l'inter-prétation, la conscience, comme par dédain de la douce « évidence »[20].

Ce n'est donc pas l'index, mais le diagramme qui est requis comme « signe approprié à la représentation de l'inférence nécessaire[21] », le sym-bole étant par ailleurs exclu à cause de sa généralité[22], pour des raisons tout à fait kantiennes (il faut de l'intuitif pour conduire une preuve mathématique, le discursif à lui seul — le « symbolique » de Peirce — ne suffisant pas).

La force percussive du percept et la réalité des diagrammes

Ouvrons une parenthèse sur la théorie peircienne de la perception pour expliquer pourquoi la force de percussion du percept est ici invo-quée. Dans la théorie peircienne de la connaissance, en effet, les juge-ments de perception occupent une place apparemment privilégiée d'énoncés de base irrésistibles et acritiques. Le jugement de perception, déclare Peirce, est « absolument imposé à mon acceptation, et ce par un

---

18. *CP*, 4. 531.
19. *CP*, 4. 532.
20. NEM, IV, p. 317.
21. *CP*, 4. 531.
22. *CP*, 4. 127.

processus que je suis totalement incapable de contrôler et par conséquent de critiquer[23] ».

> Sa vérité consiste dans le fait qu'il est impossible de le corriger, et dans le fait qu'il prétend seulement considérer un aspect du percept[24].

Les jugements de perception apparaissent en un sens comme des énoncés ultimes, étant les « premières prémisses de tous nos raisonnements[25] » ; tels les énoncés protocolaires des empiristes logiques, ils constituent la limite inférieure interne de notre savoir. Le privilège qui leur est alloué peut sembler une entorse au faillibilisme de Peirce ainsi qu'à son refus déclaré du fondationnisme, c'est-à-dire de tout savoir fondateur et autojustifié, donnant un accès immédiat et privilégié à son objet, ainsi que de l'intuition au sens cartésien. Et il est certes inattendu qu'un philosophe qui a commencé brillamment sa carrière publique par une vigoureuse attaque de tout mode de connaissance immédiat et direct en vienne à invoquer la capacité de l'icône à exhiber directement son objet pour expliquer comment une conclusion mathématique nous devient immédiatement certaine. Mais en réalité le « privilège » des énoncés de perception est de fait, non de droit : même si, en toute rigueur, il n'y a pas, pour nos inférences et notre savoir, de première prémisse « qui ne serait pas elle-même une conclusion » ; en fait, ce savoir doit bien commencer pour nous quelque part, notamment par ce que nous offre la perception dans toute sa dimension seconde et insistante. En outre, les jugements de perception ne constituent pas *de manière absolue* des premières prémisses, étant, comme le souligne Peirce, le résultat d'un processus qui n'est « pas suffisamment conscient pour être contrôlé[26] », à savoir d'une inférence abductive, qui, partie de l'observation d'un fait, en conclut à une hypothèse susceptible de l'expliquer :

> L'inférence abductive vient se confondre avec le jugement de perception sans ligne de démarcation bien nette ; ou, en d'autres termes, nos premières prémisses, les jugements de perception, sont à regarder comme un cas extrême d'inférences abductives, dont ils ne diffèrent qu'en étant absolument au-delà de la critique[27].

---

23. *CP*, 5. 157.
24. *CP*, 5. 568 ; *Cf.* aussi 5. 115 *sq.*
25. *CP*, 5. 116.
26. *CP*, 5. 181 ; l'influence de Helmholtz et des théories inférentialistes de la perception est ici perceptible.
27. *CP*, 5. 181.

D'ailleurs, « même une fois que le percept est formé, il y a une opération qui me paraît tout à fait incontrôlable. C'est celle qui consiste à juger ce que la personne perçoit au juste ». Ainsi nos jugements de perception sont-ils pris dans un flux sans début ni fin d'inférences abductives à peine conscientes. Pour un continuiste et penseur du continu comme Peirce, la perception est en réalité « une série continue de ce qui, effectué discrètement et consciemment, seraient des abductions[28] », et il s'agit d'un courant si continu qu'il est artificiel de parler de jugements de perception discrets qui seraient véritablement présents à la conscience : rien n'est, en toute rigueur, tout à fait présent à la conscience, déclare Peirce, anticipant Husserl, sans doute *via* James. D'autre part, ce qui rend ces jugements acritiques n'est pas seulement le caractère à peine conscient de leur formation, ou la difficulté de réidentifier le percept qu'on vient d'appréhender pour énoncer en toute certitude le jugement de perception, c'est aussi la Secondéité en eux, cette « force sans loi ni raison, la force *brute* » caractéristique des Seconds. C'est donc ni plus ni moins cette force irrationnelle qui, paradoxalement, s'impose à nous lorsque nous sommes contraints de reconnaître la nécessité d'une conclusion mathématique ; le problème devient alors de savoir comment un diagramme, même mental, peut devenir un Second existant, exerçant un impact causal sur notre œil, comme nous allons le voir. Par ailleurs, si Peirce ne recule pas devant l'idée d'un signe, le diagramme, qui montre directement son objet, c'est peut-être que depuis ses écrits de 1878 les considérations sémiotiques ont pris le pas sur l'épistémologie anticartésienne et que l'étude des propriétés des icônes, notamment formelles, a pu imposer l'idée d'une sorte de *Selbst-Darstellung* de l'objet dans le diagramme mathématique :

> Les icônes se substituent si complètement à leur objet qu'elles s'en distinguent à peine [...], en réalité, dans la mesure où il a une signification générale, le diagramme n'est pas une pure icône, mais au cours de nos raisonnements nous oublions en grande partie son caractère abstrait et le diagramme est pour nous la chose même[29].

Cette quasi-réalité du diagramme se précise quand Peirce nous explique qu'à force de se concentrer sur son diagramme le mathématicien finit par lui conférer une sorte d'existence mentale, presque celle d'une entité Seconde, qui lui résiste et agit sur lui. L'expérience de pensée mathématique, qui exige la focalisation de l'attention sur le diagramme, fait de celui-ci un être stable et fixe qu'on doit pouvoir observer dans

---

28. *CP*, 5. 184.
29. *CP*, 3. 362.

tous ses recoins, elle crée la réalité insistante du diagramme maintenu immobile sous l'œil mental :

> L'expérience suppose que l'objet réagisse sur nous avec une certaine force, de sorte qu'il a un certain degré de réalité ou d'indépendance par rapport à notre effort cognitif[30].

En outre, une fois créé par le mathématicien, le diagramme se trouve pourvu, de façon « leibnizienne », de toutes ses propriétés, auxquelles on ne peut plus rien changer, tel cet être de fiction qu'est Hamlet : une fois celui-ci créé, Shakespeare ne peut plus faire, souligne Peirce, qu'il ne soit ni prince ni danois. Ainsi un pur signe mental peut-il acquérir, dans certaines conditions, les caractères d'une réalité Seconde, fixité et réactivité (qui ne sont donc pas réservés à la matière brute, actualisée, paradigme des entités de la Seconde Catégorie, matériau de, ou obstacle à la volonté de l'agent), grâce à l'effort du mathématicien pour le maintenir immobile sous son regard mental. Toutefois, il faut observer que la réalité du diagramme est en un sens conditionnelle, comme celle de l'être de fiction (Hamlet), suspendue à un acte initial de création mentale, même si après cet acte on ne peut plus faire qu'il soit autrement : étant donné tel diagramme, c'est-à-dire tel état de choses hypothétique, alors il s'ensuit que... Les énoncés mathématiques sont donc de la forme « si p, alors q » (conception « *if... thenist* » avant la lettre, à la Russell), ils ne sont pas catégoriques alors qu'ils le seraient s'ils se bornaient à enregistrer une factualité déjà là. Les propriétés du diagramme que le mathématicien va découvrir ne sont déjà là que parce qu'il les y a mises, peut-être sans en avoir eu clairement conscience, en construisant ou en faisant évoluer le diagramme, et, s'il va devoir les découvrir, ce n'est pas parce qu'elles sont cachées, mais parce qu'il lui est psychologiquement impossible, souligne Peirce[31], de les saisir toutes *uno intuitu*. Il ne s'agit donc pas là d'une concession à l'idée platonicienne d'une superfactualité mathématique déjà là, extra-mentale, que les énoncés mathématiques devraient consigner. La réalité du diagramme ou plutôt du fait possible modélisé n'a donc rien à voir avec celle, platonicienne, de faits mathématiques idéaux et éthérés existant indépendamment de nous, que le mathématicien doit découvrir et décrire comme une *terra incognita,* et qui rendent vrais les énoncés mathématiques. La réalité du diagramme se rapprocherait davantage, bien qu'elle en diffère, de celle des éléments hypostasiés de notre pensée que nous utilisons en mathématiques, fruits d'une

---

30. *CP*, 2. 605.
31. *NEM*, IV p. 210.

« abstraction hypostatique » (par opposition à l'« abstraction préscisive ») qui « consiste à faire d'un élément transitif de notre pensée un substantif » (Peirce utilise ici le vocabulaire des *Principles* de William James) et qui devient à son tour objet de pensée. L'élément transitif sélectionné est en effet immobilisé comme le diagramme mathématique par la pensée, et objectivé : c'est ainsi qu'une opération, par exemple, peut devenir à son tour objet d'opération. En tout cas, la réalité accordée par Peirce à l'état de choses mathématique (qui est en un sens idéal, puisque imaginé mentalement, et non physique, sauf si le savant le trace sur du papier, ce qui n'est pas nécessaire à l'expérience de pensée) posé sous forme hypothétique par l'homme de science, et modélisé dans le diagramme, n'est pas et ne reflète pas une réalité platonicienne, puisqu'elle dépend de l'imagination d'un homme ; et l'état de choses ainsi créé n'a d'existence extra-mentale que si on couche le diagramme sur le papier.

En bon pragmatiste, Peirce partage en outre le technicisme de Wittgenstein, qui met l'accent sur la pratique mathématique effective : en mathématiques, déclare-t-il, « il est nécessaire que quelque chose soit FAIT. En géométrie, on trace des lignes subsidiaires, en algèbre on effectue des transformations autorisées[32] » ; on tire des conclusions nécessaires, « non par simple inspection de l'esprit ou effort de vision mentale », mais en « manipulant sur du papier ou en imagination des formules ou autres diagrammes, en expérimentant sur eux, en faisant l'expérience de la chose[33] »). Il ne s'agit donc pas de contempler un ciel d'idées, mais d'agir, et d'explorer activement des diagrammes que nous avons nous-mêmes tracés et dont l'examen va nous révéler des surprises :

> Car une grande propriété distinctive de l'icône est que, si on l'observe directement, on peut découvrir d'autres vérités concernant son objet que celles qui suffisent à déterminer sa construction [...] cette capacité de révéler une vérité inattendue est précisément l'utilité des formules algébriques, de sorte que le caractère iconique est primordial[34].

Sans aller jusqu'à affirmer comme Wittgenstein que les mathématiques consistent à inventer et à appliquer des techniques, Peirce est, avant celui-ci et comme lui, partisan de l'idée que ce sont les signes qui *font* la mathématique plutôt qu'ils ne la décrivent[35]. Kant est sans doute un des

---

32. *CP*, 4. 233.
33. *CP*, 4. 86.
34. *CP*, 2. 279.
35. Ludwig Wittgenstein, *Remarques philosophiques*, tr. fr. J. Fauve, Paris, Gallimard, 1975, p. 178.

premiers à s'être orienté, avec sa notion de synthèse comme acte de construction, vers cette conception.

Wittgenstein et Peirce

L'idée que démontrer consiste à construire et à faire varier des diagrammes peut évoquer la conception wittgensteinienne de la *Beweisfigur*, du « visage » de la preuve mathématique dont un moment important est la saisie d'une forme prégnante ou d'un *aspect* pertinent dans la configuration de signes. Pour que nous reconnaissions une preuve comme preuve, soutient Wittgenstein, la séquence de signes doit nous apparaître comme une « image prégnante » (*einprägsam*) qui exhibe une propriété interne ; elle doit aussi obéir au réquisit d'*Übersichlichkeit* (on doit pouvoir la parcourir rapidement). C'est à ce titre que la preuve prend la valeur d'un paradigme visuel, d'un modèle que l'on peut recopier, d'un chemin exemplaire tracé une fois pour toutes et qui ne saurait conduire à un autre résultat. Comme Peirce et en vertu de ses analyses du voir-comme et de la perception aspectuelle, Wittgenstein accorde une importance décisive à l'apparition d'une image marquante dans la configuration de la preuve, moyennant quoi — en cela très proche de Peirce — il invoque la « force de conviction géométrique » des démonstrations qu'aucune conviction logique ne saurait dépasser (c'est pourquoi les preuves logicistes de Russell ne valent rien à ses yeux, détruisant la synopticité de la preuve initiale et sa valeur intuitive). Lui aussi souligne donc l'importance du caractère visuel ou « intuitivement évident » (*anschaulich*) de la preuve et du rôle de l'appréhension des formes, locales ou globales. Mais tandis que chez Peirce l'explication de l'évidence relève du seul voir — reposant sur l'iconicité des signes (la monstration directe) et l'« insistance » du percept —, Wittgenstein, lui, n'accorde qu'un rôle momentané à l'intuition visuelle, où il ne voit, à la différence de Kant, aucune source de connaissance mathématique spécifique. Certes, la démonstration revêt bien pour lui comme pour Kant et Peirce le caractère d'une construction de concepts, mais c'est en un sens très particulier, grammatical :

> Elle fabrique de nouvelles connexions et elle crée le concept de ces connexions. Elle ne constate pas qu'elles sont là, elles ne sont au contraire pas là tant qu'elles ne les fabriquent pas[36].

---

36. Ludwig Wittgenstein, *Bemerkungen über die Grundlagen der Mathematik*, Francfort, Surkhamp Verlag, 1974, III, § 31.

Ainsi, « on pourrait dire : la démonstration modifie la grammaire de notre langage, modifie nos concepts[37] ». Avant tout une opération grammaticale — les mathématiques sont une grammaire qui fixe une armature *a priori* nous permettant de décrire scientifiquement le réel —, cet établissement de connexions entre concepts revêt une valeur normative et *a priori*, ce qui à la fois le rapproche et le distingue de la synthèse mathématique kantienne (*a priori*), qui est, comme la synthèse peircienne, une opération épistémologique, et non grammaticale, mais qui est dotée comme chez Wittgenstein d'un caractère *a priori*. En outre, à la différence de Peirce, qui fait tout pour rapprocher l'expérience de pensée mathématique de l'expérience en sciences de la nature, Wittgenstein se refuse à faire de la preuve une expérience pour la caractériser surtout comme un mouvement décisif et innovant dans notre grammaire mathématique, appuyé sur l'invention d'une nouvelle technique. Penser mathématiquement consiste pour lui à trouver des techniques pour instaurer entre les signes des connexions « essentielles » (quoique en un sens arbitraires) auxquelles nous conférons le statut de normes *a priori* pour la description du réel, et devant lesquelles nous ne pouvons que nous incliner, puisque c'est nous qui, de concert, les avons établies, leur part relative d'arbitraire étant entièrement assumée. La nécessité ne se constate pas seulement, elle se décide. Or que la nécessité puisse être vue comme (partiellement) arbitraire (c'est-à-dire non imposée par une quelconque réalité) n'est pas chose que Peirce aurait acceptée, même si en fait cette conclusion se justifie peut-être dès lors qu'on rejette, comme nos deux auteurs, le platonisme. Pour Wittgenstein, les mathématiciens platoniciens (comme son collègue Hardy) veulent dire : en mathématiques on ne peut pas dire n'importe quoi car il y a la réalité[38] ; pour Peirce non plus, on ne peut pas dire n'importe quoi car il y a la réalité du diagramme qui nous contraint à dire certaines choses et pas d'autres, mais cette réalité est posée comme hypothétique et elle provient de nous.

Tandis que Peirce reste fidèle au schématisme kantien qui fait totalement droit au visuel dans la démonstration, Wittgenstein privilégie l'élément normatif de la preuve et de son résultat par rapport à son caractère visuel, sans reconnaître de valeur iconique particulière aux configurations de symboles (tout comme Frege à propos de sa *Begriffsschrift*, notation purement *conceptuelle*, sans valeur figurative). Alors que Peirce invoque l'« insistance », « la force de percussion » de ce que l'on perçoit

37. *Ibid.*
38. Voir Ludwig Wittgenstein, *Cours sur les fondements des mathématiques*, tr. fr. E. Rigal, TER, 1995.

dans les diagrammes pour expliquer que nous admettons la preuve comme preuve, Wittgenstein invoque ici, outre la force de « conviction géométrique » de la preuve, et son caractère *übersichtlich,* notre décision d'accepter la preuve comme preuve dès lors qu'on peut y voir une image marquante : voir une « physionomie » dans une configuration de symboles ne suffit à faire reconnaître une preuve comme preuve que si l'on décide de l'accepter comme preuve. Le recours à la saisie d'une certaine *Gestalt* dans la configuration de la preuve relève d'une phénoménologie du voir qui ne suffirait pas à rendre compte de la nécessité dont nous investissons la preuve si « voir comme » une preuve une suite de propositions n'était pas déjà, d'emblée, une décision de notre vouloir[39]. Quant au caractère *übersichtlich,* synoptique, de la démonstration, ne s'agit-il pas d'une propriété plus grammaticale qu'empirique ? Comme Frege, Wittgenstein s'éloigne considérablement du visualisme de Kant et de Peirce, pour professer un conventionnalisme atypique où l'élément de décision (par laquelle nous investissons la preuve et son résultat d'une valeur normative *a priori*) l'emporte sur l'élément visuel. La preuve n'est finalement plus rien d'autre qu'un changement dans notre grammaire. Le grammatical absorbe le phénoménologique. Le repérage de formes dans la configuration de la preuve n'est qu'un moment destiné à être aboli, il n'est pas absolutisé comme chez Peirce, lui aussi influencé par les prédécesseurs ou les tenants de la psychologie de la forme : « Ce ne sont pas », affirme Wittgenstein, il est vrai à propos des nombres, considérés par lui comme des formes, « des propriétés de forme que nous donnons, mais des transformations de formes, instaurées comme paradigmes d'une espèce quelconque. Nous ne jugeons pas les images, mais au moyen des images. Nous ne les explorons pas, nous explorons au moyen d'elles autre chose[40] ». Les formes n'ont donc pas le même rôle que chez Peirce, elles ne sont pas pour Wittgenstein une fin en soi, c'est leur utilisation qui compte.

Reconnaître une image marquante dans une configuration ou, ce qui revient au même, *voir* la preuve *comme* une preuve exige ensuite une libération par rapport à l'expérience, la grammaire devant être rendue indépendante de toute réalité ou expérience, pour être autonome, c'est-à-dire non comptable vis-à-vis des faits, sous la pression desquels elle a néanmoins pu être initialement acceptée. Pour devenir résultat mathématique archivé, la conclusion d'une preuve doit être érigée en règle, ce qui suppose un affranchissement de l'expérience qui a pu, pour partie,

---

39. Ludwig Wittgenstein, *Bemerkungen...*, § 113-118.
40. *Ibid.*, p. 230.

conduire à l'adopter[41]. Autrement dit, nous ne devons retenir du processus empirique de la preuve que l'image prégnante et ses connexions internes, abstraction faite des connexions empiriques, causales qui ont pu se présenter au cours du processus. Le résultat de la preuve se détache de l'expérience pour devenir « règle d'expression pour parler de nos expériences[42] ». Instauré comme règle, le résultat de la preuve se cristallise en énoncé atemporel inaccessible au doute qui fonctionne comme norme pour la description des phénomènes et vient occuper le centre de notre système de propositions tenues pour vraies. Cette libération vis-à-vis de ce qu'il y aurait d'expérimental et d'empirique dans la preuve, grâce à laquelle la proposition démontrée devient règle *a priori*, n'existe pas chez Peirce, à qui on peut sans doute reprocher le peu de différence qu'il fait entre la vision, en mathématiques, de quelque chose qui est général, et celle d'un percept ordinaire (puisqu'en matière de démonstration c'est la perception visuelle qui a le dernier mot) : Peirce est-il convaincant lorsqu'il affirme que nous voyons littéralement un *must-be*, qu'en mathématiques « nous percevons la généralité » en raison du fait que « la généralité, la Tiercéité, se déverse sur nous jusque dans nos jugements de perception » ? Du moins sa conception a-t-elle le mérite de reconnaître à la fois des aspects directs, seconds (insistance du percept et, en mathématiques, pouvoir de monstration directe des icônes) et des aspects non directs, troisièmes (abductifs, interprétatifs) à la perception. Sur le chapitre des mathématiques, Peirce reste un philosophe du voir, et Wittgenstein, du vouloir. Mais chacun des deux peut passer pour avoir à sa façon « sapé la nécessité mathématique[43] », l'un en en faisant l'objet d'une perception, l'autre d'une décision.

---

41. Ludwig Wittgenstein, *Bemerkungen...*, p. 68, et *Cours...*, p. 44 et 99.
42. *Ibid.*
43. *Ibid.*, p. 241.

Comment décrire
ce que nous nommons « voir » ?

Wittgenstein lecteur de Köhler

————

par Jean-Jacques Rosat

> La difficulté de la question de Köhler est totalement
> différente de la difficulté de la nôtre qui est :
> « Comment devrais-je décrire... ? » Comment puis-je
> terminer cette phrase ? J'allais dire : « décrire ce phé-
> nomène », mais ce n'est pas ça ; puis j'ai failli dire
> « décrire le concept applicable au phénomène », mais
> ce n'est pas ça. Dirai-je : « Comment décrirai-je la
> description de la description du phénomène ? »[1] ?

En 1947 paraît l'édition définitive du livre de Wolfgang Köhler
Gestalt Psychology (*Psychologie de la forme*[2]). Pendant plusieurs mois de cette
même année, ce livre est au centre des préoccupations de Wittgenstein. En
mai d'abord, il y consacre plusieurs séances de son *Cours sur la philosophie
de la psychologie*. Puis en juillet, en un mois d'activité particulièrement
féconde, il rédige, dans le cahier où il note ses réflexions quotidiennes, trois
cents remarques environ dont la plupart portent sur la perception et parmi
lesquelles un certain nombre font référence, directement ou indirectement,
à des passages précis du livre de Köhler — à telle phrase, à telle expression,
à tel exemple. Une bonne moitié de ces remarques ont été dactylographiées
quelques mois plus tard et se retrouvent dans ce qui constitue désormais le
premier volume des *Remarques sur la philosophie de la psychologie*[3].

————

1. Ludwig Wittgenstein, *Les Cours de Cambridge 1946-1947*, édition bilingue, traduit
de l'anglais par Élisabeth Rigal, TER, 2001, p. 345.
2. Wolfgang Köhler (1929), *Gestalt Psychology*, New York, Liveright, 1947 ; *Psychologie
de la forme*, traduit de l'anglais par Serge Bricaner, présentation par Jean-Maurice
Monnoyer, Paris, Gallimard, « Folio », 1964/2000.
3. Ludwig Wittgenstein, *Remarques sur la philosophie de la psychologie*, édition bilingue
en 2 volumes, traduit de l'allemand par Gérard Granel, TER, 1989 et 1994.

Le travail critique opéré par Wittgenstein dans ces deux ensembles de textes est déconcertant : il ne discute jamais frontalement les résultats ni les théories de Köhler ; il ne se place évidemment pas sur le terrain d'une confrontation scientifique, mais il n'adopte pas non plus les postures habituelles de la critique philosophique de la science : il ne cherche pas à déceler chez Köhler une « philosophie spontanée de savant » (naïve, donc fausse) ; il ne l'accuse pas de négliger les questions d'essence ou de fondements, dont seul l'examen conférerait aux résultats de la science leur véritable justification et leur plein sens, etc. Ce qui l'intéresse, ce sont les mots avec lesquels Köhler *décrit* nos expériences visuelles, ou, plus exactement, le langage dans lequel Köhler transcrit nos descriptions spontanées de ces expériences : les concepts sous lesquels il les *redécrit* ; ou, pour être encore plus précis, et comme en témoigne la déclaration placée ici en épigraphe, il cherche lui-même un langage adéquat pour *décrire les normes de description* selon lesquelles Köhler redécrit nos descriptions.

À l'évidence, c'est dans ce moment délicat, mais inévitable, de la redescription de nos expériences dans des cadres conceptuels appropriés à la constitution d'une psychologie scientifique que naissent, selon Wittgenstein, les confusions conceptuelles qui égarent le psychologue, confusions que le philosophe grammairien a pour tâche de dissoudre. Une telle tâche ne saurait être accomplie au nom d'une théorie qui aurait décidé au préalable quel est le langage adéquat à l'essence des choses (autrement dit, d'une métaphysique) ; elle ne peut être menée qu'au travers d'un examen à la fois local et global de nos usages des concepts psychologiques (« voir » ou « voir comme » par exemple) — usages au nombre desquels figurent ceux du psychologue. Cet examen est nécessairement exploratoire et source de perplexités à chaque pas, puisque nul, pas plus le philosophe que le savant, ne peut prétendre savoir mieux qu'un autre ce que nos mots veulent dire (ce que veut dire « voir » par exemple). Le travail critique du philosophe ne s'effectue donc ni en surplomb ni par en dessous, mais sur le même plan que l'activité scientifique elle-même, en tant qu'elle est aussi, et ne peut pas ne pas être, une activité conceptuelle.

Le présent article prend pour point de départ les remarques de Wittgenstein sur la description donnée par Köhler de notre perception des figures ambiguës : le dessin qu'on peut voir tantôt comme une croix noire et tantôt comme une croix blanche (figure 1), ou celui que l'on peut voir tantôt comme un canard et tantôt comme un lapin (figure 2).

Figure 1 – *La croix noire et blanche.*

Figure 2 – *Le canard-lapin.*

La première partie fait apparaître la différence radicale que marque Wittgenstein entre le *problème d'explication scientifique* que posent ces figures et le *problème conceptuel* qu'elles soulèvent : le problème de ce qu'il nomme le « voir comme ». La deuxième partie présente quelques-unes des critiques qu'il adresse à Köhler. La troisième s'efforce de préciser quelles sont, du point de vue de Wittgenstein, les racines philosophiques (conceptuelles) des erreurs commises selon lui par la psychologie de la forme et, plus généralement, par bon nombre de travaux de psychologie scientifique[4].

---

4. Les analyses qui suivent doivent presque tout à celles de Joachim Schulte, *Experience and Expression*, Oxford, Oxford University Press, 1993, p. 75-85 (« Objects of vision ») ; de Jacques Bouveresse, *Langage, perception et réalité*. T. 1 : *La Perception et le Jugement*, Nîmes, Jacqueline Chambon, 1995, p. 340-374 (« Wittgenstein, Köhler et le problème du changement d'aspect ») ; et d'Olivier Fontaine, « Le "voir comme" entre voir et penser ? », *in* C. Chauviré, S. Laugier et J.-J. Rosat, *Les Mots de l'esprit*, Paris, Vrin, 2000, p. 159-182.

Des figures ambiguës au problème du « voir comme »

Qu'est-ce qui, dans le cas des figures ambiguës, suscite notre étonnement ?

De prime abord, c'est simplement le fait suivant : nous regardons le dessin de façon continue, et soudain nous ne voyons plus la même chose, la même figure, bien que nous voyions que nous avons toujours la même chose devant les yeux, le même dessin : comme si quelque chose avait changé dans le dessin sans que pour autant le dessin ait changé.

Pour décrire cette expérience, il peut nous arriver d'utiliser spontanément la locution « voir comme » : je voyais ce dessin *comme* une croix noire sur fond blanc, je le vois maintenant *comme* une croix blanche sur fond noir ; ce que je voyais comme une image de canard, je le vois maintenant comme une image de lapin. Cette expression est aussi ambiguë que l'expérience qu'elle cherche à décrire. Je parle bien de « *voir* » : quand je découvre soudain l'image du lapin, la silhouette du lapin s'impose à moi avec la même évidence que si j'avais devant moi n'importe quelle image de lapin, celle d'un livre d'images pour enfants par exemple. Mais je dis aussi « *comme* » ; je vois le dessin « en tant que croix blanche » ou « sous l'aspect d'une croix blanche » : je vois le dessin dans une certaine *interprétation*, au travers d'une certaine interprétation. Tout se passe comme si ce qui est vu par moi s'ordonnait désormais à partir du concept, ou de l'idée, d'une croix blanche. « Comme si, écrit Wittgenstein, on avait appliqué sur ce qui est vu un concept, que l'on voit à présent en même temps. Il est certes lui-même à peine visible, mais il déploie néanmoins un voile ordonnateur sur les objets[5]. »

L'attitude la plus courante est de dire qu'il y a là un phénomène psychologique ou psychophysiologique étrange pour lequel nous avons besoin d'une explication. Schématiquement, on peut en distinguer deux types.

La première idée qui vient est d'essayer de séparer, à l'intérieur du phénomène, ce qui change de ce qui ne change pas, en assimilant *ce qui ne change pas* à un niveau purement *optique* ou passif de la perception (celui de la réception des données sensorielles), et *ce qui change* à un niveau *intellectuel* ou actif (celui du traitement des données brutes par la

---

5. Ludwig Wittgenstein, *Remarques*, vol. 1, § 961.

formation d'hypothèses interprétatives qui organisent ce donné en figures identifiables). Cette explication s'adosse à une théorie générale de la perception : dans toute perception quelle qu'elle soit, l'esprit (ou le cerveau) élabore, à partir des informations reçues sur la rétine, des hypothèses inconscientes ; il construit ainsi ce qu'il voit. Voir dans la campagne un lapin ou une croix de calvaire, c'est déjà avoir interprété des données sensorielles. *Tout voir est un interpréter*. Le cas des figures ambiguës est celui où se forment deux hypothèses exclusives l'une de l'autre sans que rien dans les informations sensorielles ne permette de trancher entre elles ; l'esprit (le cerveau) hésite et oscille sans parvenir, si l'on peut dire, à décider.

On voit tout de suite où le bât blesse avec ce genre d'explication. Certes, il est vrai que je *décris* le changement par des expressions caractéristiques d'une interprétation : « *pour moi*, maintenant, c'est une croix blanche », « je vois maintenant ce dessin *comme* l'image d'un lapin ». Mais je *vis* ce changement comme un changement visuel, optique, sensoriel : comme l'émergence soudaine d'une figure qui s'impose à moi. Le partage entre ce qui change et ce qui ne change pas semble impossible à faire, tout au moins dans les termes d'une distinction entre réception et spontanéité, ou entre données sensibles et activité intellectuelle.

C'est ce qu'admettent d'emblée les explications du second type, dont relèvent les théories de la *Gestalt*, et celle de Köhler en particulier. Leur principe est de récuser qu'il y ait dans la perception des figures ambiguës quoi que ce soit qui relève de l'interprétation, du concept ou de la signification. Tout se joue sur un même et unique plan qui est le plan visuel. Il n'y a pas deux niveaux hiérarchisés de perception, mais simplement deux objets visuels différents et successifs : le canard, puis le lapin ; la croix noire, puis la croix blanche. Il n'y a aucun niveau de la perception où je verrais (en un sens quelconque du verbe « voir ») quelque chose d'inorganisé qui ne serait ni canard ni lapin mais commun aux deux. Je *vois* l'organisation du dessin en canard (ou en lapin, selon le moment) aussi directement et immédiatement que je vois sa couleur. Cette explication repose sur une théorie générale de la perception : *la perception est toujours déjà organisée*. De même qu'un objet visuel est toujours coloré, il est toujours organisé ou pris dans une organisation — par exemple, une forme se détachant sur un fond. Dans le cas des figures ambiguës, il y a simplement deux possibilités d'organisation d'égale prégnance qui rivalisent, en sorte que, face au même dessin, je *vois* tantôt un objet doté de telle organisation, tantôt un autre objet caractérisé par une organisation différente : j'ai, à partir d'un même dessin, la perception successive de deux objets visuels.

Le point délicat est ici l'usage du concept d'« objet visuel ». Comparons. *Je vois le dessin de la croix noire ou blanche* sur la feuille de papier ou sur l'écran : c'est un objet visuel dont je vois qu'il reste identique quelle que soit la manière dont je le perçois. *Je vois la croix blanche dans le dessin* : j'ai sans doute des raisons d'appeler cette croix un objet visuel, puisqu'elle me saute aux yeux ; mais sûrement pas au même sens que le dessin lui-même, puisque cette croix apparaît ou disparaît selon la *manière* dont je perçois le dessin. Et surtout, bien que la croix ne soit pas le dessin, elle n'est pas, à proprement parler, une autre chose que le dessin : elle est, a-t-on envie de dire, « à même le dessin » ; elle est le dessin *tel qu'il* m'apparaît et se présente à moi en un instant donné. Bref, le concept d'« objet visuel » risque bien de nous égarer et de masquer l'impossibilité où nous sommes de *décrire* la perception des figures ambiguës sans recourir à des expressions (« manière de voir », « tel qu'il m'apparaît ») qu'il est difficile de ne pas rapporter au registre de l'interprétation[6].

Ces deux types de théories semblent ainsi nous entraîner dans un maquis de difficultés conceptuelles.

C'est sur ces difficultés que Wittgenstein concentre son attention. Comme il fait souvent, il distingue à propos des figures ambiguës deux problèmes différents, qui ne sont pas du tout de même nature : un problème *empirique* (ou scientifique) et un problème *conceptuel.* Le problème *empirique* est de savoir pourquoi certaines figures produisent ou rendent possible cette double perception. Comment par exemple le cerveau fonctionne-t-il en pareil cas ? Il s'agit alors de rechercher des *causes* qu'on trouve dans des mécanismes psychologiques et physiologiques. Quant au problème *conceptuel,* Wittgenstein le formule ainsi : « Le casse-tête est le suivant : nous trouvons des choses qui nous poussent à dire que le "voir ceci comme" est une sensation. Mais il nous faut décrire cette sensation

---

6. Si opposées que soient les explications qui relèvent de ces deux types, elles n'en ont pas moins des parentés profondes. (1) Elles traitent les figures ambiguës comme des cas, certes, un peu particuliers, mais entièrement explicables, pourvu qu'on leur applique des thèses très générales sur la perception (« tout voir est un interpréter » ou bien « tout objet visuel est organisé »). Une fois expliqués, ces phénomènes perdent leur mystère et ne sont plus que des cas limites un peu marginaux, ou des illustrations amusantes de la validité de la théorie. (2) Bien qu'elles se présentent comme des théories explicatives, ces deux manières de traiter le problème des figures ambiguës reposent l'une et l'autre en fin de compte sur une redéfinition du verbe « voir ». Ce n'est pas la découverte de faits nouveaux ni le recours à des hypothèses testables qui sont censés résoudre le problème des figures ambiguës, mais le réaménagement de nos concepts. On nous dit : *si vous admettez que tout voir est un interpréter* (ou bien : *si vous admettez que voir, c'est toujours voir une organisation*), alors l'expérience des figures ambiguës est rendue parfaitement intelligible.

comme si nous décrivions une interprétation[7]. » En effet, quand je vois soudain une croix blanche dans un dessin où je voyais jusqu'alors une croix noire, j'éprouve bel et bien une modification de mon expérience visuelle ; mais ce *changement dans ce que je vois*, je ne peux le *décrire* que comme un *changement dans mon interprétation de ce que je vois* (comme un changement *dans la signification que je donne à ce que je vois*).

Imaginons que, dans un dessin animé, je voie Donald au milieu d'un paysage, puis à l'image suivante Bugs Bunny, exactement à l'endroit que Donald occupait l'instant d'avant dans le même paysage, comme s'il s'était substitué à lui. Certes, je pourrais manifester une certaine surprise, et m'interroger sur le procédé technique qui a permis cet effet de substitution. Mais je n'aurais aucun problème pour décrire mon expérience et je dirais : « là où je voyais un canard, je vois maintenant un lapin ». Ce serait là une description directe et immédiate du changement qui s'est opéré dans ma perception. Mais ce cas, où je vois successivement deux figures ou deux objets au même endroit, n'a rien à voir avec celui de la perception du canard-lapin où c'est à propos de la *même* chose, du *même* dessin, que je dis tantôt « tiens, un canard ! » et tantôt « tiens, un lapin ! ». Dans ce cas, *ce que je vois*, en un sens, ne change pas ; mais il me faut cependant décrire le changement qui, en un autre sens, a bien lieu *dans ce que je vois* ; et je n'ai pour faire cela pas de manière plus directe, ou plus immédiate, qu'une manière indirecte : je le décris comme un changement *dans mon interprétation de ce que je vois* (ce que je voyais *comme* un canard, je le vois désormais *comme* un lapin) et donc comme un changement dans la *signification* de ce que je vois.

L'étonnement que suscite la perception des figures ambiguës — étonnement qui persiste même après qu'on nous en a fourni une explication scientifique — n'est pas la manifestation d'une simple réaction de surprise devant une bizarrerie de la vision. C'est l'expression de l'embarras où nous met le concept de « voir comme » dès que nous essayons de lui assigner une place quelque part entre penser et voir — un embarras philosophique analogue à celui où nous met, par exemple, le concept de temps dès que nous essayons de le définir.

On pourrait décrire les deux sortes de théories évoquées plus haut comme deux stratégies destinées à nous éviter cet embarras.

Dans l'explication du premier type, *le voir est entièrement résorbé dans le penser*. Puisque tout voir est un interpréter, on peut aussi bien dire que le « voir comme » disparaît en tant que tel, ou qu'il envahit tout le domaine du voir : tout voir devient en quelque sorte un « voir

7. Ludwig Wittgenstein, *Cours*, p. 332.

comme ». Mais la spécificité du « voir comme », tel que nous venons de le décrire, est perdue.

Dans l'explication du second type, à l'inverse, *le voir est radicalement séparé du penser*, de l'interpréter et de la signification, de sorte que le problème conceptuel du « voir comme » semble ne plus pouvoir se poser. Köhler d'ailleurs, à ma connaissance, n'utilise pas l'expression « voir comme » et ne parle même jamais de « voir un aspect ». Il estime pouvoir rendre compte de la perception des figures ambiguës à un niveau purement perceptif, au niveau d'une perception directe et spontanée, *à condition* bien sûr d'avoir enrichi au préalable le concept de perception en montrant qu'on ne voit pas seulement la couleur et les formes, mais aussi l'organisation : la perception de l'organisation est un fait perceptif premier, au même titre que la perception de la couleur. Mais, en même temps qu'il élargit ainsi le concept de perception, Köhler en écarte tout ce qui relèverait de la pensée ou du langage. L'organisation est toujours perçue indépendamment de tout concept ou de toute signification, et antérieurement à toute interprétation quelle qu'elle soit. Bref, la théorie de Köhler aboutit à rendre inconcevable l'idée qu'on puisse « voir une signification ».

Wittgenstein estime que ce parti pris théorique entraîne Köhler à donner des descriptions mutilantes et fausses, d'une part de nos expériences, d'autre part de nos usages du verbe « voir ». En un mot, à offenser à la fois la phénoménologie et la grammaire. Quand je vois un aspect, écrit Wittgenstein : « C'est bel et bien une *signification* que je vois. » Et il précise entre tirets : « Et ici je m'oppose à Köhler[8]. »

Quelques critiques de Wittgenstein à Köhler

« VOIR COMME » N'EST PAS RÉDUCTIBLE À « VOIR UNE ORGANISATION »

Köhler soutient que voir une figure ainsi ou ainsi, c'est *voir une organisation*, et il définit celle-ci en termes de regroupement, d'assemblage, d'entre-appartenance[9]. Wittgenstein ne le conteste nullement : il y a effectivement des cas de *voir comme* purement *optiques* où nous perce-

---

8. Ludwig Wittgenstein, *Remarques*, vol. 1, § 869.
9. *Zusammenhangen, zusammenhören* (en allemand) ; *grouping, belonging together* (en anglais).

vons selon des regroupements. Par exemple, une série de 6 points alignés peut être vue comme 2 + 1 + 2 + 1 ou comme 1 + 2 + 1 + 2.

Mais, d'abord, fait-il observer, il y a toutes sortes de cas de *voir comme conceptuels*, où aucun regroupement n'intervient, et qui ne peuvent être décrits qu'à travers des comparaisons. Ce sont des cas que Köhler passe complètement sous silence.

Ce triangle (figure 3) peut être vu comme un triangle en creux, comme un triangle solide, comme un dessin géométrique ; comme reposant sur sa base, comme suspendu par sa pointe ; comme une montagne, comme un coin, comme une flèche ou comme une aiguille ; comme un corps qui devrait (par exemple) reposer sur son côté le plus court, mais qui est tombé, comme un demi-parallélogramme[10].

Figure 3 – *Le triangle.*

Ensuite, ajoute Wittgenstein, beaucoup de figures qui peuvent être appréhendées comme des cas de « voir comme » optiques (du type de ceux dont parle Köhler) peuvent tout aussi bien être saisies comme des cas de « voir comme » conceptuels. C'est vrai par exemple de la croix noire ou blanche. À son sujet, je peux dire que j'y vois : « la première fois, une sorte de petit moulin à vent blanc avec quatre ailes ; l'autre fois une croix noire debout ; ou bien la croix blanche comme les quatre parties d'un papier plié en son milieu. La croix qui est vue "maintenant" peut être aussi vue comme une ouverture cruciforme[11] ». Wittgenstein dit en somme à Köhler : il y a bien plus de choses dans le domaine du « voir comme » que ton concept étroit d'organisation ne permet d'en penser.

En outre, Wittgenstein reproche aux descriptions de Köhler d'être biaisées par ses préjugés théoriques. Voici, par exemple, comment Köhler décrit l'expérience visuelle suscitée par la figure 4 :

10. Ludwig Wittgenstein, *Philosophische Untersuchungen / Philosophical Investigations*, texte allemand et traduction anglaise par G. E. M. Anscombe, Oxford, Basil Blackwell, 1953/1998, p. 200.
11. Ludwig Wittgenstein, *Remarques*, vol. 1, § 509.

Figure 4 – *Le cercle à 6 rayons.*

La figure représente un objet formé de trois secteurs étroits. Mais après avoir fixé quelque peu le centre de cette figure, la plupart des personnes voient brusquement un autre modèle (*pattern*) : les lignes qui, dans le premier objet, « s'entre-appartenaient » (*belonged together*) en constituant les limites du secteur étroit sont maintenant séparées ; elles sont devenues les limites des secteurs larges. Il est évident que l'organisation du modèle a changé[12].

Wittgenstein commente ainsi ce passage :

Je crois, par exemple, que Köhler nous fourvoie lorsqu'il décrit les aspects spontanés de la figure en disant que les traits qui, dans un aspect, appartiennent au même bras, appartiennent maintenant à différents bras. Cela sonne comme s'il s'agissait de nouveau d'un assemblage (*Zusammennehmen*) de ces rayons. Tandis que les rayons qui s'entre-appartenaient (*Zusammengehören*) auparavant s'entre-appartiennent encore maintenant ; la seule différence est qu'ils définissent la première fois un « bras », la seconde fois un « intervalle »[13].

Autrement dit, même un changement perceptif optique et involontaire ne peut être décrit de manière adéquate en termes d'organisation, si organisation signifie uniquement assemblage d'éléments ou appartenance mutuelle entre ces éléments. *On ne peut identifier correctement le changement perceptif qu'à la condition de le décrire à travers un concept ou une comparaison.* L'interprétation ou la signification ne peuvent être éliminées.

---

12. Wolfgang Köhler, *op. cit.*, p. 175-176.
13. Ludwig Wittgenstein, *Remarques*, vol. 1, § 1117.

L'IDÉE QUE « LA PERCEPTION DE L'ORGANISATION PRÉCÈDE TOUJOURS LA SAISIE DE LA SIGNIFICATION » EST SOURCE DE CONFUSION CONCEPTUELLE

Une des principales thèses de Köhler est que, tout comme le vert est un « fait sensoriel indépendant des significations secondaires qu'il a acquises[14] », de même

> les unités sensorielles[15] existent comme unités avant de recevoir des noms ou de devenir des symboles. [...] La psychologie de la forme soutient que c'est précisément la ségrégation originelle d'ensembles délimités qui rend possible le fait que le monde sensoriel apparaisse si totalement imprégné de signification au regard des adultes ; avec sa pénétration graduelle dans le champ sensoriel, la signification suit les lignes tracées par l'organisation naturelle[16].

Le problème que pose une déclaration de ce genre aux yeux de Wittgenstein, c'est qu'elle peut laisser croire qu'il y aurait *en toute circonstance* une vision aspectuelle qui précéderait la reconnaissance et l'identification de l'objet, qu'il faudrait d'abord voir X comme un lapin, sous l'aspect caractéristique d'un lapin, avant de pouvoir dire : c'est un lapin. Mais il n'y a pas de sens à dire que, chaque fois que je vois un chien et que je dis « tiens, un chien », il faudrait que, au préalable, je l'aie *vu comme* un chien. Je ne parle de « voir comme » que s'il y a ambiguïté, alternance d'aspects, ou surprise de découvrir quelque chose que je n'avais encore pas vu dans un dessin. Il n'y a pas d'expérience de l'aspect sans expérience du changement d'aspect.

> Köhler ne dit-il pas à peu près : « On ne pourrait *tenir* quelque chose pour ceci ou cela, si l'on ne pouvait le *voir* comme ceci ou cela » ? Un enfant commence-t-il par voir quelque chose ainsi et ainsi avant d'avoir appris à le tenir pour ceci ou cela ? Apprend-il d'abord à répondre à la question : « comment vois-tu cela ? », et ensuite seulement à la question : « Qu'est-ce c'est ?[17] ».

On accordera sans doute à Wittgenstein que l'enfant apprend à répondre à la question « qu'est-ce c'est ? » avant d'apprendre à répondre

---

14. La signification que prend le vert dans le code de la route, par exemple, ou comme symbole d'un parti politique.
15. C'est-à-dire les *Gestalten*, les organisations perceptives.
16. Wolfgang Köhler, *op. cit.*, p. 144.
17. Ludwig Wittgenstein, *Remarques*, vol. 1, § 977.

à la question « comment vois-tu cela ? » ou « comment est-ce que cela t'apparaît ? ». « C'est un lapin » vient avant « ça a un air de lapin ».

Mais Wittgenstein a-t-il raison pour autant d'attribuer à Köhler l'idée qu'un « voir comme » doit toujours précéder l'identification de l'objet ? C'est beaucoup plus douteux. Le point est délicat parce que tous deux ici ne parlent pas le même langage. Köhler semble vouloir simplement dire que je ne pourrais pas identifier cette bouteille sur le bureau si je ne la voyais pas d'abord et immédiatement au sein d'une certaine organisation où elle est un objet qui se détache de son environnement, et donc une forme qui se découpe sur un fond. Mais la seule distinction objet (forme)/arrière-plan (fond) ne suffit pas pour qu'on puisse parler de « voir comme » : l'expérience du « voir comme » suppose qu'un aspect puisse apparaître, changer ou disparaître.

De surcroît, comme l'écrit Schulte, Wittgenstein ne veut sûrement pas nier que « notre constitution biologique nous rend capable de reconnaître certaines configurations sans que nous connaissions pour autant leur signification, c'est-à-dire les usages que nous pouvons en faire, leur valeur symbolique, leurs noms, etc.[18] ». Pour le dire dans un langage plus contemporain, Wittgenstein ne voudrait sûrement pas récuser *a priori* l'hypothèse que dans notre cerveau un module de reconnaissance des formes puisse travailler indépendamment de, et antérieurement à, tout autre module où entrent en jeu des compétences linguistiques.

Pour bien saisir ici la critique que Wittgenstein adresse à Köhler, il est important de comprendre qu'elle ne concerne pas nos capacités biologiques ou psychologiques, mais notre usage du concept « voir ».

> Quand le mot « voir » est employé normalement, nous parlons de voir des arbres, des maisons, des autos, des enfants, etc. Dire simplement que je vois « un objet » ou « une chose » est légitime et intelligible, mais uniquement dans un contexte qui pour tout le reste est bien défini. Il peut ainsi m'arriver de dire : je vois un objet à gauche de cet arbre-ci, derrière cette maison-là. Mais nous ne disons pas, et nous ne pouvons pas dire des choses du genre : « je vois un objet à gauche de cette chose-là et derrière cette chose-ci ». L'exclusion de ce genre d'énoncés ne signifie pas seulement que le langage de la perception ne pourrait pas fonctionner de cette manière, mais que, dans ce cas, nous ne pouvons même plus parler du tout de perception, car la perception ne signifie pas voir ou entendre de pures *Gestalten* sans autres caractéristiques. Non. Percevoir implique qu'on perçoive que les choses sont ceci et cela ; et c'est précisément ce fait

---

18. Joachim Schulte, *Experience and Expression, op. cit.*, p. 84.

qui rend possible que, dans certaines circonstances, on puisse voir une seule et même chose *comme* ceci ou *comme* cela[19].

Ce que Wittgenstein décèle au bout du compte dans la thèse de la priorité de la perception des formes sur la saisie des significations, c'est *le mythe du voir pur*, le mythe d'un voir débarrassé du langage, du savoir, de l'expérience, d'un voir dépouillé de tout ce qui n'est pas les formes, les couleurs et leur organisation : le mythe d'un voir innocent. Et il est difficile sur ce point de lui donner tort : Köhler lui-même souligne que c'est « au regard des adultes » seulement que le monde sensoriel est « si totalement imprégné de signification[20] ». Le monde des couleurs et des *Gestalten* serait-il pour Köhler le vert paradis de la perception enfantine ?

KÖHLER N'INTERROGE JAMAIS LES GENS SUR CE QU'ILS DISENT

Wittgenstein adresse constamment à Köhler une critique qu'on peut appeler *méthodologique*. Il ne cesse de lui demander d'où il tire ce qu'il prétend savoir et de lui reprocher de ne pas demander aux gens qui sont placés devant des figures ambiguës : dans quels termes décrivez-vous l'expérience que vous avez là ? Par exemple, quand Köhler affirme que, chaque fois qu'on passe d'un aspect à l'autre, on a affaire à deux réalités visuelles successives que l'on voit sans interpréter, Wittgenstein demande : d'où le sait-il ? Et il lui dénie toute autorité particulière. Pourquoi ?

Parce qu'il n'y a pas dans ce domaine de *fact of the matter* qu'on puisse présenter et qui déciderait de ce qu'on doit dire. Wittgenstein ne reproche pas à Köhler d'avoir choisi une manière de décrire l'expérience (je vois) plutôt qu'une autre (j'interprète), mais de faire comme si ce choix était le seul légitime et surtout de prétendre l'établir à partir de *faits*. Mais il n'y a ici aucun fait ni aucun sens à chercher un fait qui légitimerait le choix. Köhler fait autre chose que ce qu'il croit : il n'établit aucun fait, il fixe une *norme de représentation*. Son tort est de présenter comme étayé par des faits (ceux de la science) ce qui n'est que le choix d'une manière de parler et de décrire.

Ce n'est pas la même chose de dire : « Cela montre qu'il y a réellement là deux façons de voir », et de dire « Dans ces conditions, il vaudrait mieux parler de "deux objets visuels différents"[21] ».

---

19. *Ibid.*
20. Wolfgang Köhler, *op. cit.*, p. 144.
21. Ludwig Wittgenstein, *Remarques*, vol. 1, § 1035.

Cela ne veut pas dire que l'adoption d'une *norme de représentation* se fasse au hasard. On peut avoir des raisons de préférer dire « je vois maintenant une croix blanche » à « j'interprète maintenant ce dessin comme celui d'une croix blanche ». Et je peux amener quelqu'un à s'interroger sur la question de savoir s'il vaut mieux décrire son expérience comme un voir ou comme un interpréter. Imaginons que quelqu'un décrive son expérience de la perception du canard-lapin en disant « j'interprète ». Nous pouvons alors lui demander s'il peut indiquer le moment où il commence, et celui où il cesse, de voir la figure comme un canard (par exemple, en chronométrant). Y a-t-il un sens pour lui à dire « Je l'ai vu comme un canard pendant 30 secondes » ? S'il répond « oui », nous pourrons alors lui faire remarquer que, de ce point de vue, sa saisie d'un aspect ressemble plus à un *voir*, c'est-à-dire à un *état* doté d'une *durée authentique*, qu'à un *interpréter*, lequel est *disposition-nel*[22]. Et cette ressemblance entre « le voir comme » et le « voir » peut être une raison pour notre interlocuteur de dire désormais « je vois » et non plus « j'interprète[23] ».

Ce qui pousse Köhler à ce dogmatisme, c'est évidemment sa conviction que la nature du « voir » et celle de « ce que l'on voit » doivent pouvoir être établies par une théorie, si possible scientifique.

Les trois sources des erreurs de Köhler

LA CHIMÈRE DU VOIR PUR OU CHIMÈRE PHÉNOMÉNOLOGIQUE

La difficulté conceptuelle que présente l'idée de *voir une significa-tion* n'apparaît pas seulement à propos des figures ambiguës et du « voir comme » ; elle surgit dans les situations et les propos les plus ordinaires. Il peut nous arriver de dire : « je vois l'effroi sur son visage », « je vois que cet enfant veut toucher le chien, mais qu'il n'ose pas » ou « je vois son regard rusé ». À deux reprises au moins dans les *Remarques sur la philo-sophie de la psychologie*[24], Wittgenstein met en scène deux personnages. Il nomme l'un le Puriste ; c'est au fond un *empiriste* pour qui le mot « voir » doit être réservé à la perception des formes et des couleurs. Il ne

---

22. On interprète rarement quelque chose de manière continue ; si je dis « pendant des années, j'ai interprété sa dernière lettre comme un aveu », cela ne veut pas dire que je l'interprétais sans cesse, à toute heure du jour et de la nuit.
23. Ludwig Wittgenstein, *Cours*, p. 329-330.
24. Ludwig Wittgenstein, *Remarques*, vol. 1, § 1066-1070 & 1101-1104.

nomme pas le second que je baptiserai, par contraste et faute de mieux, le Laxiste ; c'est au bout du compte une sorte de *phénoménologue*, en un sens très large du terme[25] : de tout ce qui se manifeste à nous visuellement, nous pouvons dire que nous le *voyons*. Le Puriste donne tort à notre langage ordinaire : nous ne pouvons pas, à proprement parler, *voir* un regard ou une hésitation comme nous voyons les formes et les couleurs. Le Laxiste, à l'inverse, ne démord pas de la correction de nos modes d'expression normaux ; nous pouvons voir une expression ou un regard, exactement comme nous voyons une forme ou une couleur. Tous deux s'estiment ainsi en droit de juger si notre langage ordinaire a tort ou raison en fonction d'un même critère extérieur au langage : le véritable voir, le voir pur. Et, c'est le point décisif, *ils en ont le même paradigme* : voir, même pour le Laxiste, c'est d'abord voir des formes et des couleurs. Mais, de cette idée, ils tirent des conséquences diamétralement opposées. Le Puriste conclut que le regard ou l'expression ne sauraient être vus ; pour le Laxiste, au contraire, puisque nous disons *voir* le regard et l'expression, ils doivent être mis exactement sur le même plan que la forme et la couleur (ils relèvent du voir, non de l'interpréter, et sont indépendants du langage et la pensée).

Pour Wittgenstein, ils ont également tort.

Tort, d'une part, de croire qu'on puisse légitimer ou critiquer nos manières de parler.

> La question n'est naturellement pas : « Est-il correct de dire "je *vois* son clin d'œil rusé" ? » Que pourrait-il y avoir là-dedans de correct ou de faux, en dehors de l'usage de la langue française ? Nous ne dirons pas davantage : « L'homme naïf a bien raison lorsqu'il dit qu'il *voit* l'expression du visage[26] ! »

Ils ont tort, d'autre part, d'ériger la forme et la couleur en paradigmes de « ce qui est vu ». Nous avons appris le mot « voir » non pas à propos d'impressions sensorielles — de formes et de couleurs —, mais à propos de gens et de fleurs : des réalités de notre environnement. Voir les émotions ou les regards, voir des significations est une extension de cet usage primitif. Mais le voir phénoménologique — voir le monde tel qu'il m'apparaît, voir les formes et les couleurs — est une autre extension. D'où le conseil que donne Wittgenstein :

---

25. Un sens qui va bien au-delà de la phénoménologie husserlienne, et qui inclut Köhler et la Psychologie de la Forme.
26. Ludwig Wittgenstein, *Remarques*, vol. 1, § 1069.

C'est bel et bien ainsi [c'est-à-dire : à propos de gens et de fleurs] que nous employons le mot « voir ». (Ne crois pas que tu puisses lui trouver un meilleur usage — un usage phénoménologique[27] !).

La morale de ce débat entre le Puriste et le Laxiste, c'est qu'on peut parfaitement dire tout à la fois qu'on voit une fleur et qu'on voit un regard, sans « que la différence entre les deux concepts de ce qui est perçu soit niée[28] ». Le Puriste aurait certes tort s'il voulait réellement corriger notre langage, mais il a raison si, comme l'estime Wittgenstein, il veut « simplement attirer notre attention sur une ligne de démarcation conceptuelle » entre *voir une chose* et *voir une signification*. C'est parce qu'il est dépourvu de cette attention grammaticale aux lignes de démarcation conceptuelles que Köhler peut, sans sourciller, ramener « voir une signification » à « voir une organisation », puis mettre « voir une organisation » et « voir une couleur » sur le même plan. Le Laxiste a certes raison de ne pas vouloir corriger le langage, mais il a tort de se comporter en théoricien soucieux de le légitimer « car le "langage naïf", c'est-à-dire notre façon naïve et normale de nous exprimer, ne contient absolument aucune théorie du voir — ce qu'il te montre n'est pas une *théorie*, mais un *concept* du voir[29] ».

L'approche grammairienne en philosophie, c'est celle qui accepte de reconnaître que, pour sortir de nos embarras avec le mot « voir », nous n'avons pas d'autre guide que ce mot lui-même, et les usages que nous en avons. Voir, c'est tout ce que *nous* appelons « voir » ; rien de moins, rien de plus. L'illusion, celle dont sont victimes aussi bien le philosophe des *sense-data* et le phénoménologue que le théoricien de la *Gestalt*, c'est de croire que ce concept « voir » recevrait son sens d'un phénomène pur du voir (ou d'un phénomène du voir pur) dont il appartiendrait à une théorie philosophique, ou psychologique, de dire ce qu'il est en vérité. Les phénomènes auxquels nous appliquons le mot « voir » sont multiples, hétérogènes, et irréductibles les uns aux autres. « Il y a *des* phénomènes du voir », écrit Wittgenstein. Ce sont simplement tous ceux que nous décrivons à l'aide du verbe « voir ». Et il énumère quelques exemples :

L'observation précise ; la contemplation d'un paysage ; un homme aveuglé par une lumière ; la joie de la surprise dans le regard ; faire un détour pour n'avoir pas à voir tel ou tel spectacle. Toutes les modalités du comportement qui distinguent un homme qui voit d'un aveugle[30].

---

27. Ludwig Wittgenstein, *Remarques*, vol. 1, § 1070.
28. Ludwig Wittgenstein, *Remarques*, vol. 1, § 1068.
29. Ludwig Wittgenstein, *Remarques*, vol. 1, § 1101.
30. Ludwig Wittgenstein, *Remarques*, vol. 2, § 132.

LA CHIMÈRE DE LA DESCRIPTION COMPLÈTE ET IDÉALE

À la pluralité irréductible des « voirs » répond la pluralité irréductible des manières de décrire *ce qu'on voit* (la pluralité des types de réponses à la question *que vois-tu ?*) « À la question "que vois-tu ?" viennent répondre les descriptions les plus disparates[31]. » Quand on me demande « Que vois-tu ? », la réponse ordinaire est de décrire les personnes et les objets que j'ai en face de moi. Mais, dans certaines circonstances, si ce qui est important ou utile est la manière dont les choses peuvent apparaître à un observateur situé là où je suis, la description de mes impressions visuelles, de mes *sense-data*, peut constituer une réponse pertinente à la question « que vois-tu ? » Si, par exemple, je veux aider quelqu'un à repérer des alpinistes au loin sur un névé, je peux être tout naturellement conduit à dire quelque chose comme : « tu vois les deux petites taches noires en haut à gauche du grand triangle blanc ».

Imaginons maintenant que je regarde un visage. Je peux le décrire le plus objectivement possible, à la manière d'un signalement de police, ou bien inclure dans ma description les mouvements du regard que je porte sur lui, et y intégrer ainsi les différents aspects que ce visage peut me présenter.

> Pense à la représentation d'un visage de face et de profil à la fois, comme dans de nombreux tableaux modernes[32]. Une représentation qui inclut également un mouvement, une modification, un vagabondage du regard. Un tel tableau ne représente-t-il pas authentiquement ce que l'on voit[33] ?

Entre le signalement de police et le tableau cubiste, quelle est la description correcte de « ce que je vois » ? La question n'a pas vraiment de sens. *Décrire est une technique,* et sa correction dépend des besoins et des intérêts qui sont les nôtres. Rechercher un suspect à l'aide d'un portrait cubiste n'a sans doute guère plus d'intérêt que d'exposer dans un musée une photo d'identité de Dora Marr[34].

Certes, quelqu'un pourra avoir envie de dire : le signalement policier *décrit ce qu'on voit* ; le tableau de Picasso en *donne une interprétation.* Comme le Puriste de tout à l'heure, il voudrait par là faire ressortir une

---

31. Ludwig Wittgenstein, *Remarques,* vol. 1, § 964.
32. Le manuscrit contient la précision « de Picasso ».
33. Ludwig Wittgenstein, *Remarques,* vol. 1, § 968.
34. Sauf, évidemment, si celle-ci est détournée à des fins artistiques, auquel cas elle devient une description d'un autre type.

ligne de démarcation grammaticale entre deux usages de « décrire » : un usage « *objectif* » et un usage « *subjectif* ». Mais on peut aussi avoir envie de dire que Picasso a inventé une nouvelle manière de décrire ce qu'on voit : qu'il a élargi l'éventail des techniques de description picturales, des styles picturaux, et qu'il a, du même coup, mis en circulation un nouvel usage du verbe « décrire ».

Le « concept fourvoyant » ici est celui de « description complète de ce que l'on voit[35] ». Le Puriste nous dit : si vous ne vous en tenez pas strictement à la description de *ce que* vous voyez, et si vous décrivez en outre *la manière* dont vous le voyez (par exemple l'aspect que prend pour vous une figure ambiguë à un moment donné, ou la signification d'un regard), vous en dites *plus* que vous ne voyez en réalité ; donc vous interprétez. Köhler nous dit : si vous décrivez uniquement des formes et des couleurs et ne décrivez pas également l'organisation (la répartition entre objet et arrière-plan par exemple[36]), vous en dites *moins* que vous ne voyez en réalité, et votre description est incomplète.

Mais l'idée de décrire « ce qu'on voit en réalité, ni plus ni moins » n'a aucun sens. « Décrire, écrit Wittgenstein, est un jeu de langage très spécial[37]. » Et, dans ce jeu de langage, il n'y a rien que nous puissions appeler « description complète de ce que l'on voit[38] ». Non à cause d'une quelconque limitation de notre esprit ou de notre langage. Mais parce que la diversité des techniques de « description de ce qu'on voit » est irréductible, et que l'idée de LA description idéale et complète est une parfaite absurdité. Exactement comme, dans ce jeu de langage qu'on appelle « compter », l'idée de « plus grand de tous les entiers naturels » est un pur non-sens : c'est quelque chose qu'il n'y a même aucun sens à chercher. L'idée de « description idéale de ce que nous voyons[39] » n'est pas celle d'un idéal inatteignable. C'est une « chimère », dit Wittgenstein, c'est-à-dire une « chose » dont il n'y a même aucun sens à dire que nous la poursuivons. Posée dans l'absolu, la question « Jusqu'où va le *voir* et où commence l'*interpréter* ? » — la question à partir de laquelle prend forme la dispute entre les deux types de théories évoqués plus haut — n'a aucun sens.

On a peut-être aussi là le moyen d'éclairer une formule souvent citée des *Remarques sur les couleurs* :

---

35. Ludwig Wittgenstein, *Remarques*, vol. 1, § 984.
36. Ludwig Wittgenstein, *Remarques*, vol. 1, § 1023.
37. Ludwig Wittgenstein, *Remarques*, vol. 1, § 960.
38. Ludwig Wittgenstein, *Remarques*, vol. 1, § 984.
39. Ludwig Wittgenstein, *Cours*, p. 110.

Il n'y a certes pas de phénoménologie, mais il y a bel et bien des problèmes phénoménologiques[40].

Il n'y a pas de phénoménologie parce qu'il n'y a rien qui soit *la* description du monde tel que je le trouve. Mais il y a *des* problèmes phénoménologiques parce qu'il y a diverses manières de décrire « ce que je vois », parmi lesquelles certaines incluent la description de la manière dont les choses m'apparaissent, qu'il s'agisse des impressions visuelles (des *sense-data*) ou qu'il s'agisse des aspects et des significations.

LA CHIMÈRE SCIENTIFIQUE

Il y a une troisième chimère. Elle n'apparaît pas isolément, mais en relation avec les deux autres dont elle vient renforcer l'emprise pour former avec elles un cadre de pensée dont il est extrêmement difficile de se défaire. C'est la chimère scientifique : ce serait à la science, au bout du compte, de nous dire ce qu'est le voir pur, et ce serait à elle de fonder et de valider la description véritable de ce que nous voyons.

La théorie de Köhler repose sur le principe de l'isomorphisme psychophysique : l'expérience sensorielle ressemble aux processus physiologiques qui l'accompagnent[41]. Il écrit par exemple :

L'organisation du champ sensoriel exprime l'autodistribution des processus dans les zones du cerveau qui leur correspondent. [...] Cette organisation résulte de l'autorépartition de certains processus dans le secteur visuel du cerveau[42].

Si, par exemple, sur une carte marine, je vois la Méditerranée comme forme et les terres comme fond indistinct, et si, par conséquent, je ne vois pas la botte familière de l'Italie (et n'identifie pas l'Italie), c'est l'expression d'une certaine répartition de courants électriques dans le cerveau (on dirait plutôt aujourd'hui : de l'activation de certains réseaux neuronaux, eux-mêmes organisés selon certaines structures). Et si, soudainement, je vois les terres comme forme, si la botte de l'Italie me saute aux yeux et si je m'écrie « Ah, mais c'est l'Italie ! Je ne l'avais pas vue ! », c'est que la répartition des courants électriques s'est soudain modifiée (on

---

40. Ludwig Wittgenstein, *Remarques sur les* couleurs, édition bilingue, traduit de l'allemand par Gérard Granel, TER, 1983, III, § 248.
41. Wolfgang Köhler, *op. cit.*, p. 164.
42. Wolfgang Köhler, *op. cit.*, p. 172.

dirait aujourd'hui quelque chose comme : les connexions synaptiques mises en jeu ne sont plus les mêmes).

Qu'est-ce qui inquiète Wittgenstein dans une telle présentation qui peut sembler aller de soi ? D'une part, le fait de conférer l'autorité du fait scientifique établi à ce qui n'est qu'une certaine *forme de description* ; d'autre part, ce qu'il estime être une certaine *confusion des causes et des raisons*.

Wittgenstein ne nie nullement que des changements de connexion ou d'organisation dans le cerveau puissent être la *cause* de ce qui nous apparaît comme un changement dans ce que nous voyons. Wittgenstein nie simplement que cette relation de causalité puisse être affirmée *a priori*. S'il s'agit d'une relation causale, elle doit faire l'objet d'une hypothèse expérimentalement testable. La fausseté d'une telle hypothèse doit donc rester concevable. C'est du dogmatisme que d'affirmer qu'il *doit* en aller ainsi.

Ce n'est pas seulement la *nécessité* du principe d'isomorphisme que Wittgenstein conteste, mais la *nécessité* de tout principe d'identité (ou de parallélisme) psychophysiologique.

> Russell disait l'autre jour : « Celui qui sait le français et celui qui ne le sait pas doivent [*must*] être physiologiquement différents. » Pourquoi *doivent* ? Si vous prenez le contre-pied [de cette affirmation de Russell], [...] cela aura l'air d'un propos obscurantiste ; cela va suggérer : (1) négligez les grands succès que les hommes ont obtenus dans cette direction, (2) ne pensez pas qu'il y ait beaucoup de chance que vous réussissiez dans le futur. Ce sont là des formulations malheureuses. Tout ce que vous voulez dire, c'est : « Ne dites pas que vous devez réussir. » Les gens peuvent [vous] dire aussi : « Vous introduisez une puissance nouvelle et imprévisible, l'âme. » Mais ce n'est pas nécessaire. Si quelqu'un dit : « Il doit y avoir une cause », cela s'appuiera sans doute sur « Tout va dans cette direction ». [Mais] en fait, ce qui va dans cette direction, c'est tout ce que vous *remarquez quand*, et *là où, vous regardez* ; rien de plus[43].

1. Dire qu'à toute différence psychologique *doit* correspondre une contrepartie physiologique, c'est poser un postulat qui résulte d'une décision. Comme tel, il ne saurait être ni vrai ni faux. Il exprime *une* manière de voir ou de décrire les choses : plus exactement, une manière de redécrire nos descriptions des phénomènes dits « psychologiques ».

---

43. Ludwig Wittgenstein, *Cours*, p. 330. (Ce texte est constitué de notes de cours souvent elliptiques. On a ici beaucoup modifié la traduction pour le rendre plus clair.)

2. Il *peut* être vrai qu'à tel changement (ou type de changement) dans notre expérience visuelle correspond tel changement (ou type de changement) dans le fonctionnement du cerveau. Mais cela ne peut être établi qu'en testant des hypothèses précises au moyen d'expériences précises.

3. L'obscurantisme, ce serait : douter à l'avance des progrès dans la connaissance que des hypothèses de cette sorte *peuvent* nous permettre d'effectuer. Mais Wittgenstein n'entend nullement parier sur les succès ou les échecs futurs de ce que nous appelons aujourd'hui les neurosciences.

4. Il entend simplement lutter contre les préjugés selon lesquels il ne saurait exister, pour décrire « ce que nous voyons » et ce que c'est que « voir », qu'un seul mode de description : celui qui s'accorde avec le postulat qu'à toute différence psychologique doit correspondre une différence physiologique.

Qu'en serait-il maintenant si certaines hypothèses de Köhler se trouvaient confirmées et si certains changements d'aspect dans notre perception (voir soudain la botte de l'Italie, par exemple) s'avéraient *causalement* liés à certains changements d'*organisation* dans le cerveau ? Eh bien, cela ne constituerait pas une *raison* pour décrire le changement visuel lui-même, le changement d'aspect, en termes d'organisation. Et cela ne constituerait pas non plus une raison pour affirmer que nous avons successivement affaire à deux objets visuels. Si nous avons des raisons de dire que nous voyons successivement deux objets et qu'ils diffèrent entre eux par l'organisation, celles-ci ne peuvent être tirées que de l'expérience visuelle elle-même, et de ce que cette expérience nous incite à dire.

> Si l'on pense à des courants d'informations dans la rétine (ou autres choses semblables) on tend à dire : « L'aspect est donc tout aussi "vu" que la forme et la couleur. » Mais comment une telle hypothèse a-t-elle donc pu nous conduire à cette conviction ? Certes, elle va dans le sens de la tendance à dire que nous verrions deux structures [*Gebilde*] différentes. Mais cette tendance, s'il s'agit de la fonder [*begründen*], doit avoir son fondement ailleurs[44].

Croire que la découverte de lois causales entre certains processus physiologiques et le phénomène en question constituerait par elle-même une raison de nous décider pour une description en termes de « voir » plutôt qu'en termes d'« interpréter », c'est confondre les *causes* des phénomènes avec les *raisons* de les décrire de telle ou telle manière.

---

44. Ludwig Wittgenstein, *Remarques sur la philosophie de la psychologie*, vol. I, § 1024.

Comme on le voit, ce n'est pas le fait que nos connaissances physiologiques ou psychophysiologiques progressent que conteste Wittgenstein ; ce qui l'inquiète, c'est que ce progrès finit par nous rendre
tellement familière une certaine manière de nous représenter et de décrire
les phénomènes du « voir » qu'elle en devient exclusive, et que se trouve
par là renforcé le préjugé métaphysique selon lequel, puisqu'il y a un
concept de « voir », il *doit* y avoir un phénomène du voir pur, ainsi
qu'une norme unique pour le décrire.

Cinquième partie

Concept, contenu, représentation

Le contenu de la perception
est-il conceptuel ?

———

par Pascal Engel

La perception est l'une des sources de notre connaissance, peut-être même la principale. Mais nos perceptions ne sont pas simplement l'origine causale de nos connaissances empiriques. Elles sont aussi ce qui les justifie : nos expériences perceptives nous donnent des *raisons* d'avoir des croyances empiriques. Par exemple, c'est le fait que j'ai une certaine expérience visuelle d'un verre devant moi qui me donne une raison de croire que j'ai un verre devant moi. Or, pour avoir des connaissances basées sur la perception, il ne suffit pas que j'aie des raisons, mais aussi que j'aie de *bonnes* raisons. Car autrement mes raisons de croire ne sont que des raisons présumées ou *prima facie*. On peut accepter des raisons non concluantes, c'est-à-dire des justifications « défaisables », ou bien, avec certains épistémologues, demander plus : des raisons concluantes (Dretske, 1971). Mais, quelle que soit la notion de justification en cause, il faut avoir une conception de ce que sont les raisons appropriées, c'est-à-dire de la manière dont on peut transformer les raisons tirées de la perception en connaissances. Le concept ordinaire de raison implique de prime abord au moins trois choses. a) Une raison est une raison *de*. On a des raisons de faire telle ou telle chose, ou, dans le contexte qui nous occupe, de croire telle ou telle chose. b) Une raison est une raison *pour* quelqu'un. Quelque chose est une raison non pas seulement s'il existe une raison (de croire ou d'agir), mais aussi si la raison est capable d'être appréciée par le sujet de son propre point de vue, d'être *sa* raison (pour faire quelque chose ou croire quelque chose). c) Enfin, une raison a une dimension normative. Les raisons d'un agent expliquent pourquoi il a fait ou cru telle ou telle chose, mais avant tout elles *justifient* son action ou sa croyance, et la rendent *correcte*. Ce point semble étroitement lié à l'accessibilité des raisons au sujet qui est susceptible de les évaluer.

La forme générale des attributions de raison de croire semble donc être du type suivant :

_____ donne à X une raison de croire que *p*.

La question se pose de savoir si le contenu rapporté après *que* est le contenu d'un état psychologique, ou bien si cela rapporte un fait. Mais, dans l'un ou l'autre cas, il semble que ce contenu doive pouvoir être articulable au moyen de concepts. En d'autres termes, si quelque chose est susceptible d'être une raison pour quelqu'un, le contenu de cette raison doit pouvoir être un contenu propositionnel, constitué de concepts dont le sujet dispose. Sans quoi il ne peut pas traiter ce contenu comme une raison, ni comprendre cette raison comme la sienne.

Il semble en découler que tout contenu mental perceptif susceptible de constituer une raison pour un sujet d'avoir une certaine croyance empirique doit être un contenu qui est lui-même constitué de concepts. Le raisonnement est le suivant :

(R) La perception fournit des *raisons* pour nos croyances empiriques
(C) Les raisons de croire requièrent des contenus *conceptuels*
(P) Par conséquent le contenu de la perception est nécessairement *conceptuel*.

Cet argument a été avancé en particulier par John McDowell dans *Mind and World*, et plus récemment par Bill Brewer dans *Perception and Reason*. Appelons cela la thèse *conceptualiste*, ou le conceptualisme quant au contenu de la perception[1]. Il importe de voir à quoi il s'oppose. Il s'oppose d'abord, par la prémisse (R), à une thèse défendue notamment par Davidson : les expériences perceptives fournissent des causes des croyances, mais « seule une croyance peut justifier une autre croyance » (Davidson, 1985). La relation « _____ est une raison de croire que *p* pour X » ne peut être qu'une relation entre des croyances. Selon cette conception, la relation verticale des expériences perceptives aux croyances ne peut être que causale, et la relation de justification ou de raison n'a lieu que de manière horizontale. C'est une forme de cohérentisme : seules les croyances se justifient entre elles, et une croyance n'est justifiée que si elle appartient à un ensemble cohérent d'autres croyances. Les contenus d'expérience perceptive ne jouent aucun rôle proprement épistémique. La thèse conceptualiste s'oppose ensuite à celle d'auteurs qui acceptent (R) mais qui rejettent (C). On peut appeler cette thèse *non-conceptualisme*.

---

1. Cet emploi du terme n'a qu'un rapport lointain avec l'usage usuel de *conceptualisme* en philosophie.

C'est le cas notamment d'auteurs qui, comme Peacocke, acceptent l'idée qu'une « expérience dotée d'un certain contenu non conceptuel peut rendre rationnel un jugement doté d'un contenu conceptuel relié de manière appropriée au contenu non conceptuel que l'expérience représente comme correct » (Peacocke, 2001 : 242).

En d'autres termes, la relation « _____ est une raison pour X de croire que *p* » peut être une relation entre des contenus non conceptuels d'expériences perceptives et des contenus de jugements de perception. Un sujet peut être justifié à croire que *p* quand il entretient un contenu de perception distinct de *p* en ceci qu'il n'est pas propositionnel ni conceptuel, mais sur lequel *p* est néanmoins basé rationnellement.

C'est cette thèse, ainsi évidemment que la négation de (P), que McDowell et Brewer rejettent. En particulier, McDowell soutient que le rejet de (P) et la thèse non conceptualiste conduisent directement à ce que Sellars appelle « le mythe du donné », c'est-à-dire d'un donné de l'expérience indépendant de toute conceptualisation. Je voudrais ici défendre une position non conceptualiste proche de celle de Peacocke. J'admets, comme tous ces auteurs, et contre Davidson, (R). Mais je défendrai la thèse non conceptualiste essentiellement de manière indirecte, en soutenant que

(Non C) toutes nos raisons de croire ne sont pas nécessairement conceptuelles

et je défendrai également l'idée que nous n'avons pas besoin d'avoir un accès direct à nos raisons pour qu'elles soient des raisons.

Contenu conceptuel et non conceptuel

Dans la littérature philosophique récente, la distinction entre le contenu conceptuel et le contenu non conceptuel de la perception est due essentiellement à Gareth Evans (1982) qui l'emploie en particulier pour distinguer les contenus des états de croyance des contenus des états perceptifs et sensoriels en général. Les croyances d'un sujet dépendent d'abord des concepts qu'il possède : on ne peut pas avoir une croyance impliquant un concept que l'on ne possède pas. Ce n'est pas vrai des états perceptifs. Un sujet peut être dans un état de perception susceptible d'être rapporté par un observateur extérieur employant des concepts que le sujet ne possède pas. Ensuite, les croyances, à la différence des états de sensation et de perception, sont, comme le dit Evans, « au service de différents projets » : elles sont essentiellement reliées à d'autres croyances, à d'autres états mentaux, avec lesquels elles forment des trames causales et inférentielles. Ce n'est pas le cas des états de perception, qui semblent essentiellement isolables. Evans associe aux croyances et aux concepts qu'elles contiennent la possibilité d'être combinés les uns avec les autres. C'est ce qu'il appelle la « *contrainte de généralité* » :

> Un sujet ne peut pas croire que *a* est F s'il ne peut pas avoir d'autres croyances au sujet de *a*, par exemple que *a* est G, ni d'autres croyances au sujet de G, par exemple que *b* est G.

Ce type de recombinaisons semble difficile à localiser pour les contenus de perception. Les croyances ont une certaine structure articulable, à la différence des percepts. En général, les auteurs qui emploient la notion de « contenu conceptuel » et de « contenu non conceptuel » soutiennent que les contenus conceptuels sont ceux qui sont susceptibles d'être les contenus de croyances et de jugements, et que les concepts sont les constituants de jugements qui sont évaluables quant à leur valeur de vérité. Le critère de distinction entre deux contenus de croyance est celui que Frege emploie dans *Über Sinn und Bedeutung* : une croyance que *p* et une croyance que *q* sont distinctes si et seulement si il est possible à quelqu'un de juger rationnellement que *p* sans juger que *q*, ou même en jugeant que non *q*. De même pour les concepts :

> *Critère fregéen de différence conceptuelle* : un concept C constituant d'un contenu propositionnel S(C) est distinct d'un concept D dans un contenu S(D) si et seulement si un sujet peut juger rationnellement que S(C) sans juger que S (D).

La définition que propose Brewer est plus ou moins conforme à ces réquisits :

> Un état mental est conceptuel si et seulement si il a un contenu représentationnel caractérisable seulement en termes des concepts que le sujet lui-même doit posséder et qui est d'une forme telle qu'il puisse servir de prémisse ou de conclusion pour un argument déductif, ou pour une inférence d'un autre type (inductive ou abductive) (Brewer, 1999 : 140).

Or que peuvent être des contenus mentaux qui n'auraient pas ces propriétés d'articulabilité conceptuelle ? Par définition, ce ne seraient pas des contenus susceptibles d'être rapportés comme des contenus d'attitudes propositionnelles et qui auraient pourtant des propriétés représentationnelles, c'est-à-dire des propriétés de correction et de non-correction, bien que ces propriétés ne soient pas liées à la possession de concepts au sens précédent.

Le meilleur moyen de présenter ces genres de contenu est de recourir à ce que Peacocke (1992) appelle des « contenus-scénarios ». Ce sont des « manières de remplir l'espace autour du sujet percevant avec des surfaces, des solides, des textures, de la lumière, etc., qui soient cohérentes avec la véridicité de l'expérience ». Pour caractériser un contenu-scénario, le plus simple est de recourir à un exemple, celui d'une perception d'un objet sous une forme de carré ou de losange régulier (l'exemple est emprunté à Mach)(figure 1).

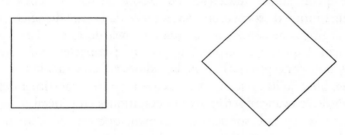

Figure 1

On peut décrire le scénario perçu ici en utilisant le concept de carré, mais le sujet n'a pas besoin de posséder le concept de carré. Ce qu'il perçoit, le scénario, ou l'état d'information perçu, est indifférent à la distinction conceptuelle entre *carré* et *losange régulier*. La différence entre les deux figures est une différence entre la manière dont les symétries sont perçues, mais le sujet n'a pas besoin du concept de symétrie pour avoir son scénario. Le contenu non conceptuel du scénario rend possible un jugement de perception comme *Ceci est carré*, et même des concepts démonstratifs impliqués dans de tels jugements, comme *Cette forme, cette texture*, etc. ; il rend disponibles de tels concepts et jugements, sans pour autant s'identifier à ceux-ci. Peacocke nous dit aussi que ces contenus non conceptuels, sans être propositionnels, sont « protopropositionnels », en ce sens qu'ils sont évaluables comme corrects ou incorrects[2]. Plus précisément, sa thèse est que ces scénarios et contenus non conceptuels sont des *manières* dont les objets sont perçus, ou des *modes de présentation*, en un sens quasi frégéen. Mais, alors que cette notion est

2. Sur les difficultés de cette idée, *cf.* J. Bouveresse, 1995, p. 72-73.

usuellement associée à un mode descriptif et conceptuel de présentation, Peacocke suppose qu'il existe des manières — d'autres diraient des aspects — non conceptuels. Toute la question est celle de savoir quelle est la relation entre ces modes de présentation non conceptuels et les modes de présentation proprement conceptuels.

En un sens, la thèse conceptualiste refuse tout simplement de reconnaître l'existence d'un niveau de contenu perceptif correspondant aux scénarios, ou de ce que, dans des théories de la perception courantes en psychologie cognitive, on appellerait un niveau 2.5 de construction perceptive, ou un autre niveau intermédiaire d'extraction d'information à partir d'une scène visuelle et antérieure à une recognition d'objets et de propriétés. La thèse conceptualiste forte reviendrait alors à ne tout simplement pas admettre qu'on puisse caractériser ou décrire de tels contenus sans faire appel à une forme d'articulation conceptuelle de la part du sujet, ou à dire qu'il ne s'agit pas de contenus représentationnels du tout. Mais il y a aussi un sens dans lequel le conceptualiste peut ne pas rejeter l'*existence* de tels contenus non conceptuels. Il peut les admettre, et soutenir tout simplement que, bien qu'ils existent, ils ne peuvent en rien constituer des *raisons* de former des croyances perceptives et empiriques en général.

Peacocke, en fait, soutient précisément que ces scénarios perceptifs non seulement ont un contenu représentationnel correct ou incorrect — qu'ils peuvent servir à caractériser le caractère véridique ou non d'une perception —, mais aussi qu'ils constituent pour le sujet des *raisons* pour avoir des croyances :

> De telles expériences donnent à un sujet qui possède le concept relativement observationnel *carré* non seulement des raisons, mais de bonnes raisons pour former la croyance que l'objet présenté démonstrativement est carré. Que ce soient de bonnes raisons est intimement relié à la condition requise pour que la croyance « Ceci est carré » soit vraie (Peacocke, 1992 : 80).

C'est précisément ce à quoi s'opposent McDowell et Brewer. Dans l'appendice au chapitre III de *Mind and World*, McDowell soutient que de tels contenus peuvent figurer dans l'explication causale du comportement d'un agent, tout comme le peuvent les ajustements du corps d'un cycliste compétent pour expliquer sa capacité à tourner, mais que ces contenus ne peuvent pas figurer dans les *raisons* que peut avoir le sujet, pas plus que les mouvements du corps du cycliste ne sont pour lui des raisons de son mouvement de tourner. Les liens entre contenus non conceptuels et jugements ne peuvent pas être rationnels. De même, Brewer lie explicitement le concept de raison au concept d'un état mental « relié de manière appropriée à une proposition qui sert de prémisse dans

une inférence valide concluant à une autre proposition reliée à celle-ci »
(1999 : 167). Les contenus non conceptuels, s'ils existent, ne peuvent
pas, en ce sens, appartenir à l'espace des raisons.

Arguments principaux en faveur des contenus non conceptuels

Une fois mises en place les oppositions de base, essayons d'énoncer
les principaux arguments en faveur de l'existence de contenus non
conceptuels. Beaucoup sont des formes d'inférence à la meilleure explication, de type : « Quoi d'autre que des contenus non conceptuels pourrait
rendre compte de certains phénomènes ? »

ARGUMENT 1. LA RICHESSE DU CONTENU PERCEPTIF

Les contenus perceptifs excèdent de loin les contenus de jugements
possibles que peut faire un sujet, qui sont précisément restreints aux
discriminations conceptuelles qu'il peut effectuer. Par exemple, nous
sommes capables de discriminer bien plus de nuances de couleurs que
nous n'avons de concepts pour les caractériser, ou encore nous sommes
capables de percevoir des grandeurs spatiales avec une précision bien plus
grande que celle que nous pourrions avoir si nous devions les mesurer.
Ainsi, quelqu'un qui veut placer un piano entre le mur et le bureau est
capable de voir comment il pourra placer le piano sans avoir la moindre
idée précise de sa taille, de son volume, etc. Le grain du contenu perceptif semble être nécessairement plus fin que celui du contenu conceptuel.

ARGUMENT 2. LA NON-TRANSITIVITÉ

La non-discriminabilité dans le domaine de la perception des couleurs est non transitive (Peacocke, 1992 : 83). On peut trouver des
échantillons de couleur A, B, C tels que, pour une personne parfaitement
normale, B est non discriminable de A, et C non discriminable de B, et
où pourtant C est discriminable de A. Mais supposons que la perception
des couleurs soit conceptuelle dans son contenu, au sens où deux couleurs perçues identiquement doivent tomber sous le même concept. Il
s'ensuit que B tombe sous le même concept que A, que C tombe sous le
même concept que B, et par conséquent que C tombe sous le même
concept que A. Et pourtant C ne peut pas tomber sous le même concept

que A, puisque, par hypothèse, C est discriminable de A. La perception des couleurs ne peut donc pas être conceptuelle en ce sens.

ARGUMENT 3. L'INDÉPENDANCE PAR RAPPORT AUX CROYANCES

C'est l'argument principal, comme on l'a déjà vu, qu'on trouve chez Evans. L'exemple standard est l'illusion de Müller-Lyer : une des deux lignes apparaît plus longue que l'autre, que le sujet croie ou non qu'elle est effectivement plus longue. Une manière de développer cet argument serait de faire appel à la notion de modularité et de développer les critères de modularité de certains systèmes par opposition à d'autres.

ARGUMENT 4. ANIMAUX ET ENFANTS

Si les contenus de perception sont conceptuels, il devrait s'ensuivre que les êtres qui, comme les animaux supérieurs et les enfants au stade prélinguistique, ne peuvent pas avoir les mêmes croyances perceptives que nous n'ont ni concepts ni croyances perceptives. En fait, c'est une conséquence qu'un auteur partisan de la thèse conceptualiste forte comme Davidson soutient explicitement. Mais il semble curieux de dire que, si un chat perçoit un objet circulaire, il ne partage en rien avec nous un contenu de perception, en dépit du fait qu'il n'a pas le concept de cercle. À quoi McDowell répond :

> Nous n'avons pas besoin de dire que nous avons ce que les simples animaux ont, un contenu non conceptuel, et que nous avons quelque chose d'autre aussi, puisque nous pouvons conceptualiser ce contenu alors qu'ils ne le peuvent pas. Mais nous pouvons dire plutôt que nous avons ce que les animaux ont, une certaine sensibilité perceptive à des traits de notre environnement, mais que nous l'avons d'une manière spécifiquement conceptuelle (McDowell, 1994 : 63-65).

Tout le problème ici est de savoir ce que « sensibilité perceptive » peut bien vouloir dire. Car, si cela veut dire « contenu représentationnel non conceptuel », c'est bien près de constituer une pétition de principe contre le non-conceptualisme.

ARGUMENT 5. LA NON-CIRCULARITÉ

Le non-conceptualiste avance aussi souvent l'argument suivant. Si l'on ne posait pas l'existence d'un niveau de représentation perceptive non conceptuel, on ne pourrait pas comprendre comment les concepts peuvent être acquis, notamment par l'enfant au cours du développement. Or, sauf à défendre une forme d'innéisme radical, la plupart des psychologues admettent que les concepts se forment, sont acquis et se développent. C'est une version diachronique ou temporelle de l'argument de la non-circularité, mais il y en a une version logique ou synchronique : si les contenus d'expériences perceptives sont conceptuels, alors toute tentative pour dire en quoi un certain concept C est un concept empirique sera circulaire, car il faudra dire, en vertu du lien constitutif entre avoir un concept et avoir des raisons de croire des contenus où figure ce concept, que le fait de caractériser certaines expériences comme donnant des raisons pour des croyances impliquant ce concept *présuppose* l'existence de ce même concept. Mais, pour utiliser le langage de Peacocke, on doit pouvoir donner les « conditions de possession » d'un concept sans présupposer que le sujet possède ce concept, et sans présupposer que ces conditions de possession soient les mêmes que les conditions d'*attribution*, par un interprète extérieur, de ce concept.

La réplique conceptualiste

Que peut répondre le conceptualiste à ces arguments ? McDowell et Brewer rejettent d'abord l'argument de la richesse du grain perceptif parce qu'il présuppose que les concepts qui figurent dans les contenus de perception sont des concepts nécessairement indépendants du contexte et généraux comme *carré, losange* ou *ocre*. Mais ce n'est pas la thèse que défend le conceptualiste. Cette thèse serait certainement fausse si les concepts impliqués dans les jugements de perception étaient de ce type. Mais, selon McDowell, le contenu de la perception est donné par des jugements *conceptuels démonstratifs* de la forme : « Ceci est tel ou tel » (ceci est carré, ceci est rond), et ces jugements sont composés de *concepts démonstratifs* du type « Cette nuance de rouge », « Un volume de cette taille ». La réponse à l'argument de la finesse du grain est alors la suivante :

> La finesse du grain dans la discrimination perceptive correspond précisément aux concepts démonstratifs que le sujet a en vertu de son contact conscient avec les entités en question. En d'autres termes, pour toute finesse de grain dans le contenu perceptuel... le sujet est capable de faire un *jugement* démonstratif perceptuel « Ceci est tel », avec juste cette finesse de grain (Brewer, 1999 : 172, *cf.* aussi McDowell, 1994, p. 57).

Il importe ici de bien voir que la thèse conceptualiste n'est pas la thèse intellectualiste classique selon laquelle toute expérience perceptive est en réalité l'exercice, explicite ou implicite, d'un certain jugement. Le conceptualiste n'assimile pas le contenu de l'expérience perceptive au contenu d'un jugement fait sur elle, et il admet qu'on fait des jugements de perception *sur la base* des expériences perceptives. Mais ce qu'il soutient est que le contenu de l'expérience perceptive elle-même repose sur l'exercice de capacités conceptuelles. Selon le conceptualiste, l'expérience perceptive ne s'identifie pas avec le contenu d'un compte rendu linguistique de celle-ci, de la forme d'une assertion comme « Ceci est tel ou tel », cependant elle nous met en présence de contenus démonstratifs, mais proprement *conceptuels*.

Cette notion de *concept démonstratif* permet à Brewer de répondre aux autres arguments du non-conceptualiste, en particulier celui de la non-transitivité (1998 :175). Supposons en effet qu'un jugement sur une couleur soit exprimé par un sujet sous la forme :

A a cette $_A$ nuance
B a cette $_A$ nuance
C ne peut être discriminé de B
donc C a cette $_B$ nuance
* donc C a cette $_A$ nuance.

Il est alors parfaitement possible que B ait cette $_A$ nuance, parce qu'il est indiscriminable de A, et que C soit indiscriminable de B. Il s'ensuit immédiatement que C doit avoir cette $_B$ nuance, mais il ne s'ensuit pas que C ait cette $_A$ nuance. En d'autres termes, la non-transitivité du contenu non démonstratif conceptuel apparaît tout autant que peut le faire la non-transitivité des contenus non conceptuels. (Brewer, 1999 : 175)

À l'objection 3, celle de l'indépendance des croyances par rapport aux contenus perceptifs, Brewer répond que cette indépendance n'a rien à voir avec le type de contenu, mais seulement avec la manière dont les contenus peuvent être rapportés et admis par le sujet. Le fait que le sujet ne se représente pas le contenu de son expérience perceptive de manière non conceptuelle, mais qu'il use de concepts pour la rapporter, n'implique pas que le contenu de l'expérience soit non conceptuel, pas plus que le fait qu'un sujet qui considère la pensée que tous les cygnes sont blancs mais refuse de porter ce jugement n'implique que le contenu de sa pensée soit non conceptuel.

Brewer rejette également la thèse selon laquelle le conceptualisme ne pourrait pas rendre compte des perceptions animales ou infantiles en soutenant que le problème est exactement le même, pour le conceptualiste et son adversaire, de caractériser le noyau commun à partir duquel les concepts se développent. Finalement, Brewer et McDowell rejettent aussi la condition de non-circularité. Pourquoi, demandent-ils, une théorie des concepts devrait-elle obéir à cette condition ? Selon McDowell (1994 : 169), une théorie des concepts ne peut qu'être « modeste » : elle doit nécessairement présupposer le contenu des concepts qu'elle attribue à un sujet[3]. Faire autrement, ce serait supposer que l'on puisse attribuer à un sujet des concepts et des raisons de croire qui soient *externes*, et non pas internes à la perspective du sujet. Ce serait violer l'un des réquisits fondamentaux de la notion de raison.

Avant d'en venir à ce point, qui me semble être fondamental dans la dispute entre les conceptualistes et leurs adversaires, je voudrais essayer de dire pourquoi les arguments de Brewer et de McDowell contre les arguments (1)-(5) anticonceptualistes ne sont pas convaincants.

On ne voit pas en quoi le fait d'attribuer aux sujets qui forment des jugements démonstratifs de la forme « Ceci est tel ou tel » sur la base de leurs expériences perceptives des concepts démonstratifs qui ont le même grain ou la même richesse que sont supposés avoir les contenus perceptifs ajoute quoi que ce soit à la thèse non conceptualiste, si précisément les concepts démonstratifs en question sont supposés avoir exactement le même grain que ce que le non-conceptualiste appelle des contenus représentationnels non conceptuels. L'argument de la non-transitivité l'illustre parfaitement : si les concepts démonstratifs sont supposés instancier la même intransitivité que celle qui est propre aux contenus non conceptuels, la différence entre les deux thèses n'est-elle pas purement verbale ? De même, si McDowell et Brewer parlent de concepts démonstratifs contextualisés là où Peacocke parle de « modes de présentation perceptifs », n'est-ce pas une simple différence de terminologie, dans la mesure où les deux thèses admettent qu'il existe certains contenus, propres aux expériences perceptives, qui ont des caractéristiques distinctes de celles des jugements et des croyances, et qui peuvent servir de raison aux secondes ?

Mais en fait McDowell veut dire quelque chose de plus. Il soutient qu'aux concepts démonstratifs de type « Cette forme », « Cette nuance de couleur » sont associées des *capacités recognitionnelles*. Une capacité recognitionnelle conceptuelle suppose la possibilité de réidentifier une instance d'une propriété, par exemple une couleur, et elle suppose également certaines capacités mémorielles. Mais McDowell admet que les

---

3. Sur ces points et leur parallèle en théorie de la signification, *cf.* Engel, 1994, p. 208-211.

capacités recognitionnelles, bien qu'elles soient contemporaines des expériences perceptives, peuvent persister « peut-être pour une courte période » (1994 : 172), et peuvent donc être employées en l'absence de la perception des propriétés correspondantes. Cela suppose que la mémoire puisse avoir un grain de discrimination qui soit aussi fin que la discrimination perceptive, alors que l'on sait parfaitement que ce n'est pas le cas (Peacocke, 2001 : 251). Mais, même à supposer que ce soit le cas, il faudrait admettre que la recognition ait lieu quand la propriété est présentée pour la première fois, ou alors admettre qu'un sujet qui rencontre pour la première fois un objet de forme carrée, comme dans l'exemple précédent, a d'emblée un concept démonstratif de type *Cette forme*, *Cette couleur* suffisamment spécifique. Mais, dans le cas d'un objet pyramidal par exemple, on ne peut pas supposer que le sujet puisse apprendre ce concept, s'il est supposé l'avoir déjà et exercer déjà sa capacité recognitionnelle.

Enfin, pour indiquer combien la situation dialectique entre les deux théories est peu satisfaisante, revenons à l'objection contre l'argument 3, de l'indépendance des croyances. Le conceptualiste soutient qu'il est illégitime d'inférer, du fait que les contenus de croyances sont indépendants des contenus de perception, qu'il s'agisse en fait de deux contenus indépendants, et non pas de deux sortes de mode d'accès à ces contenus. Mais en fait on peut tout à fait retourner l'argument du conceptualiste contre lui. En effet, il soutient que « le point avancé quand on dit que l'expérience implique des capacités conceptuelles est que cela permet de créditer l'expérience d'un impact rationnel sur la pensée empirique » (McDowell, 1994 : 52). Pour qu'un sujet qui a certaines expériences perceptives puisse avoir des raisons empiriques formées à partir de ces expériences, il faut que le contenu même de ces expériences soit de même grain représentationnel que celui des croyances obtenues à partir de ces expériences, c'est-à-dire de grain conceptuel. Autrement, dit McDowell, le contenu de l'expérience sort des limites de ce qui est examinable rationnellement et par conséquent ne peut servir de justification à des connaissances empiriques.

Mais ici le conceptualiste semble faire exactement la même confusion que celle qu'il reproche au non-conceptualiste, entre les propriétés du véhicule dans lequel on a accès à certains contenus et les propriétés de ce contenu lui-même. Ce n'est pas parce que dans la pensée conceptuelle les relations rationnelles entre expérience et jugement sont telles qu'elles doivent être de type inférentiel et rationnel — conceptuelles — que pour autant il faille conclure que l'expérience *elle-même* a un contenu conceptuel (Peacocke, 2001 : 255-256).

Il y a en fait trois sortes de transitions des expériences aux jugements :

(a) du conceptuel au non-conceptuel,

(b) du non-conceptuel au conceptuel,

(c) du conceptuel au conceptuel.

Le cas (c) est par exemple celui où, dans des inférences logiques, on passe de concepts à concepts. Le cas (a) est celui où l'on compare le grain large des concepts à la finesse de grain de la perception, et le cas (b) est celui où l'on effectue des transitions de l'expérience perceptive aux jugements. Ce que demande le conceptualiste, c'est que les cas (a) et (b), même s'ils sont distincts du cas (c), lui soient cependant *suffisamment semblables* pour que les transitions soient bien rationnelles. Mais, dans ce cas, on peut se demander si, finalement, il y a vraiment une différence entre le conceptualisme et la forme de cohérentisme exprimée par Davidson quand il soutient que seule une croyance peut justifier une croyance.

Raisons internes et raisons externes

McDowell est conscient de la difficulté. Il ne cesse de soutenir que sa critique de la thèse non conceptualiste comme souscrivant au mythe du donné n'implique en rien de sa part un retour à une forme de cohérentisme davidsonien, dans lequel les croyances empiriques ne peuvent pas être ancrées, sinon causalement, dans l'expérience perceptive. De même, Brewer soutient que son conceptualisme ne le conduit en rien à défendre la thèse selon laquelle la perception serait *inférentielle*, et donc du même type que les transitions de contenus conceptuels à des contenus conceptuels de type (c). Il ne s'agit absolument pas pour lui de soutenir que la perception est une forme d'inférence. Au contraire, les contenus de perception nous sont donnés de manière *directe*, non inférentielle.

L'argument le plus fort du conceptualiste est celui que McDowell formule en soutenant que le non-conceptualiste est obligé de défendre une conception externaliste des raisons de croire, et par conséquent d'introduire un divorce intolérable entre les contenus mentaux que le sujet entretient et *ses propres* raisons d'accepter ou de juger ces contenus.

On peut ici transposer au cas de la perception la distinction bien connue de Williams (1980) entre des raisons externes et des raisons internes. D'un sujet qui se trouve face à une figure de forme carrée, on peut dire, par une attribution transparente (ou en employant un verbe factif, tel que « voir », au sens que Dretske [1969] appelle « non épistémique »), qu'il perçoit un carré. Mais c'est nécessairement se placer d'un point de vue externe par rapport au contenu de sa perception, et non pas du point de vue interne au sujet. Les conditions d'attribution de contenus non conceptuels proposés par Peacocke sont, selon McDowell (1994 : 168), nécessairement de ce type externe. Lorsque Peacocke soutient que la perception véridique d'un certain contenu, quand elle est correcte, donne au sujet des raisons de croire ou de juger les contenus correspondants, il semble présupposer nécessairement cette lecture externaliste. Mais, si toute raison est nécessairement interne, ces états ne peuvent pas entrer dans l'espace des raisons.

On peut penser que l'argument présuppose en fait ce qui est en question, à savoir que toutes les raisons sont nécessairement des raisons internes. Mais, avant d'en venir là, considérons plutôt la version de cette objection que donne Brewer, qui est plus explicite et plus élaborée.

Brewer soutient que le fait même, pour le non-conceptualiste, de caractériser un état comme non conceptuel implique d'emblée l'impossibilité pour le sujet de le reconnaître directement comme fournissant une raison, et la nécessité pour lui de prendre un point de vue externe par rapport à son contenu de perception. Le non-conceptualiste doit, nous dit Brewer, raisonner ainsi :

Le raisonnement instrumental du non-conceptualiste
(1) Cet état est F
(2) Tout ce qui est F est une raison de croire que p
(3) Par conséquent j'ai une raison de croire que p.

Brewer appelle ce type de raisonnement « instrumental » parce qu'il est comparable à la manière dont on examine, de l'extérieur, la fiabilité d'un instrument. Le point est que je dois reconnaître ici, de l'extérieur, que tout état qui a une certaine propriété est une raison de croire que p. Cette condition est parfaitement compatible avec une situation où j'aurais, par exemple, la possibilité de traiter mes processus cognitifs naturels (vision, audition, etc.) ou mes méthodes pour acquérir des croyances comme étant fiables, selon une conception « fiabiliste » de la connaissance[4]. Par exemple, F pourrait être une propriété de la perception normale de couleurs dans des conditions d'éclairage approprié, ou encore l'existence d'une certaine règle d'inférence. Mais l'objection bien connue à une telle conception fiabiliste est que la simple existence de tels processus n'est en rien suffisante pour avoir une justification de nos croyances,

---

4. Pour une introduction à cette terminologie, *cf.* Engel, 2001.

c'est-à-dire une connaissance. Il faut encore que le sujet sache, ou tout au moins croie, réflexivement, que F est un « bon » indicateur causal — outre le fait, noté par Brewer, que la propriété F devra être « horriblement complexe » pour satisfaire à la condition (2). Autrement, il ne pourrait pas en quoi que ce soit être responsable de sa croyance, c'est-à-dire considérer que l'existence de F est *sa* propre raison de croire que *p*. Mais, si l'on admet ce point, on doit admettre deux choses. D'une part, on doit admettre que le sujet dit avoir des raisons internes de croire que *p*, mais aussi qu'il doit exprimer ces raisons par des croyances de second ordre, des croyances à propos de ses croyances. Bref, le sujet doit avoir une forme quelconque de connaissance de second ordre de la relation entre ses expériences perceptives et la vérité de sa croyance. Mais ces jugements de ce second ordre de type (3) sont précisément ceux qui conduisent les conceptions classiques de la connaissance dans des régressions à l'infini. Soit des régressions fondationnalistes, soit des régressions cohérentistes.

Il s'ensuit que le non-conceptualiste est pris entre un Charybde et un Scylla. Le Charybde est l'adoption d'une conception externaliste et fiabiliste de la justification des croyances empiriques qui coupe le sujet de *ses* raisons internes en les transformant en des raisons externes. Le Scylla, si le non-conceptualiste concède ce premier point, est que la connaissance empirique en question devient de second ordre, inférentielle. Or, s'il y a bien une propriété qui semble claire au sujet de la perception, c'est que ses contenus ne sont *pas* inférentiels. Les contenus d'expérience perceptive sont des contenus de premier ordre : le sujet n'a pas besoin de réfléchir sur le fait qu'il les a pour les avoir, ni pour être justifié à les avoir. C'est l'argument le plus fort dont dispose le conceptualiste. Comment y répondre ?

On peut y répondre tout d'abord en niant que toutes les raisons que nous avons de croire soient des raisons internes, essentiellement accessibles aux sujets. Deux cas assez clairs où nous avons des raisons de croire des contenus qui nous sont présentés sont la mémoire et le témoignage. Dans le cas où je me souviens d'un événement, je peux avoir une raison de croire en son existence sans me souvenir comment je l'ai enregistré, ni remonter nécessairement à la source de mon souvenir. Dans le cas du témoignage, je peux avoir une raison de croire ce que quelqu'un me dit sans pour autant avoir accès à ses raisons. Mémoire et témoignage sont des cas de ce que Burge (1993) appelle « préservation de contenu » : ce ne sont pas des cas où un contenu nous est directement fourni. Bien sûr, on peut contester que la mémoire ou le témoignage constituent des raisons de croire ce qu'ils nous présentent. Mais, en ce cas, on doit considérer que mémoire et témoignage sont justiciables d'une forme d'induction qui remonterait aux sources premières du souvenir et aux sources premières du témoignage. Mais nos raisons ici ne sont pas des raisons inductives. La mémoire et le témoignage ont une autorité *prima facie*. La question est : est-ce que cette autorité ne nous donne pas une raison ? Ici il faut faire une distinction entre le fait qu'un certain type de contenu (un souvenir, un témoignage verbal) soit *justifié* et le fait qu'il nous *autorise* (*entitle*) à croire la chose en question. La mémoire, le témoignage et la perception ordinaire sont du second type. Or, ici, de deux choses l'une : ou bien le conceptualiste soutient que, pour qu'un état puisse entrer dans l'espace des raisons, il faut qu'il puisse être justifié au sens où il sera l'objet d'inférences remontant à des raisons premières par inférences — auquel cas on retombe dans les difficultés des théories cohérentistes et fondationnalistes —, ou bien il accepte qu'il s'agisse d'une forme d'autorisation. Mais, dans ce cas, il n'y a aucune nécessité à ce que le sujet fasse des raisons de croire *ses* raisons, ni qu'il y ait accès de manière interne, si l'on admet que mémoire, témoignage et perception tombent dans la même catégorie des contenus qui nous donnent des raisons autorisantes. Cela ne veut évidemment pas dire que nous ne pouvons pas douter du contenu de nos souvenirs, de nos témoignages ou de nos perceptions. Mais ce doute n'est tout simplement pas le cas normal.

En un sens, le conceptualiste peut accepter ce raisonnement. En fait, dans un article où il discute précisément du cas de la connaissance par témoignage et de sa relation à la mémoire et à la perception, McDowell soutient que ces états nous donnent des cas parfaitement acceptables de raisons :

> Si la connaissance consiste à occuper l'espace des raisons, quelqu'un qui prend les choses comme telles ou telles nous donne un cas de connaissance, et a une raison pour tenir les comme telles. Mais c'est permis si le fait de se souvenir que Clinton est président occupe lui-même l'espace des raisons. Quelqu'un qui se souvient que les choses sont d'une certaine manière, comme quelqu'un qui voit que les choses sont d'une certaine manière, a une excellente raison pour prendre les choses de telle ou telle manière ; l'excellence vient du fait que de la prémisse que l'on se souvient que les choses sont telles ou telles, il s'ensuit que les choses *sont* telles ou telles. Les positions épistémiques elles-mêmes mettent leurs occupants en possession de raisons pour leurs croyances : ces raisons n'ont pas besoin d'être augmentées par des arguments moins convaincants à partir de prémisses disponibles et dépourvues de pétitions de principe (McDowell, 1993, p. 427-428).

Mais, si McDowell admet que « les positions épistémiques » occupées par la perception, la mémoire ou le témoignage nous mettent en quelque sorte directement au sein de l'espace des raisons, pourquoi aurait-il besoin de nier que les défenseurs de l'idée qu'il y a un contenu non conceptuel de la perception puissent se prévaloir de cette idée ? Il me semble qu'il y a une ambiguïté dans l'argument conceptualiste :

a) tantôt il exige, pour qu'un état puisse occuper l'espace des raisons, que cet état puisse être habillé de *toutes* les caractéristiques des contenus rationnels — c'est-à-dire qu'il soit conceptuel, accessible au sujet qui l'a, articulable par lui sous forme conceptuelle, et susceptible de figurer dans des inférences, auquel cas il rejette le droit d'entrée dans l'espace des raisons aux contenus non conceptuels supposés ;

b) tantôt il accepte, sur le mode de l'autorisation et non plus de la justification, que cet état ait moins que les caractéristiques officielles des contenus rationnels. Auquel cas on ne comprend pas pourquoi les contenus non conceptuels seraient exclus.

Il n'y a en effet rien qui interdise un auteur comme Peacocke de soutenir que les modes de présentation ou les « manières » non conceptuelles dont les objets nous sont présentés dans la perception puissent autoriser un sujet à passer de

(i) x, donné d'une certaine manière s, a la propriété P, donnée d'une manière W

à

(ii) Cet objet (donné sous la manière s) est carré.

Certes, pour pouvoir passer au jugement de perception (ii), le sujet a besoin d'avoir le concept de « carré », c'est-à-dire d'avoir quelque manière canonique de reconnaître un objet comme carré. Mais cela n'implique en rien que le contenu de son expérience perceptive est conforme à ce concept. Il lui donne cependant une raison d'émettre ce jugement. Peacocke (2001) insiste bien sur le fait que le jugement (ii) n'est en rien un jugement de second ordre ou réflexif. Il ne porte pas sur une croyance dont le sujet dispose déjà, mais il revient néanmoins, selon l'expression de Peacocke, à « redéployer » un contenu non conceptuel. Cette description est parfaitement compatible avec celle selon laquelle le contenu de la perception est de l'espèce directe et non inférentielle.

McDowell et Brewer aiment à décrire leur position conceptualiste comme « kantienne » : sans les concepts, les contenus non conceptuels sont aveugles, et, sans les expériences perceptives, les croyances conceptuelles sont vides. Mais ils ne veulent pas défendre la thèse cohérentiste selon laquelle le contenu des perceptions serait intégralement conceptuel au sens où il s'identifierait à des contenus de croyance. McDowell emploie l'image de la perception comme « ouverture » aux faits, et il défend l'idée que les percepts nous mettent directement en rapport avec les faits :

> *Que les choses soient telles ou telles* est le contenu conceptuel d'une expérience, mais si le sujet de l'expérience n'est pas victime d'une illusion, cette même chose, *que les choses sont telles ou* telles, est aussi un fait perceptible, un aspect du monde réel (1994, p. 26).

Mais cette idée menace en fait sérieusement la position conceptualiste. Si le contenu de la perception est propositionnel, il doit être, comme tout contenu propositionnel, susceptible d'être vrai ou faux et, pour parler comme Wittgenstein, il doit avoir une bipolarité vrai/faux essentielle. La perception, certes, peut être illusoire ou hallucinatoire. Mais ces cas ne sont pas si fréquents ; la perception est, la plupart du temps, essentiellement véridique. Mais, si la perception est véridique, et nous met en présence avec des faits, elle nous met *essentiellement* en présence avec des faits — il ne peut pas y avoir de perception qui nous mette en présence avec autre chose qu'un fait. Tout contenu perceptuel véridique est identique à un fait. Mais, si c'est le cas, un contenu de perception est fondamentalement distinct d'un contenu propositionnel, qui peut être vrai ou faux. Il y a donc là une asymétrie très forte par rapport à des contenus propositionnels[5]. Il me semble que, si l'on admet au contraire la thèse non conceptualiste, on peut conserver la thèse selon laquelle la perception est essentiellement véridique et fiable, donc qu'elle nous met en contact avec des faits, mais sans soutenir que le contenu des perceptions est identique aux faits.

Pour me résumer, j'ai accepté (R). J'ai essayé de montrer que (C) contenait une équivocation dans le concept de raison entre le concept de raison interne, nécessairement accessible au sujet, et le concept de raison externe, non accessible au sujet. Je n'ai pas défendu une forme d'externalisme radical quant aux raisons, mais j'ai soutenu que les raisons de croire n'avaient pas nécessairement les propriétés d'articulation conceptuelle et d'accessibilité interne que les conceptualistes leur prêtent. Par conséquent, j'ai défendu (non C). Il s'ensuit que l'inférence de (R) à (P)

---

5. McDowell soutient une théorie de la vérité comme identité, au moins pour le cas des contenus perceptuels. Cette théorie et ces arguments contre McDowell sont développés dans Dokic, 1998, et Engel, 2001.

n'est pas justifiée. Je n'ai pas donné d'arguments directs en faveur de l'existence de contenus non conceptuels, et je n'ai pas examiné les raisons qu'on peut avoir de les postuler à partir des travaux de psychologie cognitive. Mais le conceptualiste ne nous a pas donné de raisons de rejeter l'existence de contenus non conceptuels[*].

RÉFÉRENCES

— Bouveresse, J. (1995), *Langage, perception et réalité*, T. I, Nîmes, Jacqueline Chambon.
— Brewer, B. (1999), *Perception and Reason*, Oxford, Oxford University Press.
— Burge, T. (1993), « Content preservation », *Philosopical Review*, 102, 457-488.
— Davidson, D. (1985), « A coherence theory of truth and knowledge », *in* Lepore (éd.) *Perspectives on the Philosophy of Davidson*, Oxford, Basil Blackwell.
— Dokic, J. (1998), « The ontology of perception, bipolarity and content », *Erkenntnis*, 48-2-3, 153-169.
— Dretske, F. (1969), *Seeing and Knowing*, Londres, Routledge.
— Dretske, F. (1971), « Conclusive reasons », *Australasian Journal of Philosophy*, 49, 1, 1-22 ; repr. *in* F. Dretske, *Perception, Knowledge and Belief*, Cambridge, Cambridge University Press.
— Engel, P. (2000) « Philosophie de la connaissance », *in* P. Engel (dir.), *Précis de philosophie analytique*, Paris, PUF, 63-89.
— Engel, P. (2001), « The false modesty of the identity theory of truth », *International Journal of Philosophical Studies*, 9, 4, 2001, 441-458.
— Evans, G. (1982), *The Varieties of Reference*, Oxford, Oxford University Press.
— McDowell, J. (1994), *Mind and World*, Harvard, Harvard University Press.
— McDowell, J. (1993), « Knowledge by hearsay », repr. *in Meaning, Knowledge and Reality*, Harvard, Harvard University Press, 1999.
— Peacocke, C. (1992), *A Study of Concepts*, Cambridge, Mass, MIT Press.
— Peacocke, C. (2001), « Does perception have a non conceptual content ? », *Journal of Philosophy*, 239-264.
— Williams, B. (1980), « Internal and external reasons », *in* R. Harrison (éd.), *Rational Action*, Cambridge, Cambridge University Press, 101-113.

---

[*] Je remercie, pour leurs remarques sur cet article, Jérôme Dokic et Jean-Jacques Rosat.

Modes de structuration
des contenus perceptifs visuels

par Élisabeth Pacherie

Le débat sur la nature des contenus perceptifs occupe depuis une vingtaine d'années le devant de la scène en philosophie de la perception. Ce débat oppose tenants d'une approche conceptualiste (McDowell, 1994 ; Sedivy, 1996 ; Brewer, 1999), qui soutiennent que les contenus perceptifs sont entièrement conceptuels et partisans d'une approche non conceptualiste (Evans, 1982 ; Peacocke, 1992, 1998, 2001 ; Crane, 1992 ; Dretske, 1995 ; Bermúdez, 1998), qui affirment, à l'inverse, que les contenus perceptifs ne sauraient être entièrement conceptuels même s'ils peuvent être en partie conceptualisés. La défense d'une position non conceptualiste comporte deux volets. Le premier est essentiellement négatif. Il s'agit de montrer que les expériences perceptives ont, relativement aux croyances perceptives ou jugements de perception, un certain nombre de caractéristiques distinctives dont on ne saurait rendre compte si l'on postule que leur contenu est de type purement conceptuel. Il s'agit donc d'établir la thèse négative selon laquelle le contenu de la perception ne saurait être purement conceptuel. Le second volet de cette défense consiste à proposer une caractérisation positive du contenu des expériences perceptives et ainsi de la notion de contenu non conceptuel. Il s'agit en premier lieu de montrer que la notion de contenu non conceptuel n'est pas incohérente, autrement dit, qu'il n'est pas contradictoire de soutenir qu'à certains niveaux au moins les contenus perceptifs ne sont pas conceptuels, mais sont néanmoins intentionnels ou représentationnels[1]. Il s'agit en

---

1. J'utiliserai tout au long de ce texte les notions d'état intentionnel, d'état représentationnel ou d'état doté d'un contenu de manière interchangeable. Je précise qu'en parlant des états perceptifs comme d'états représentationnels je n'entends nullement

outre de montrer que la notion de contenu non conceptuel a une utilité explicative et notamment qu'elle permet de rendre compte de certaines caractéristiques de nos expériences perceptives et de certains des rôles joués par la perception dans l'économie cognitive.

Je me rangerai ici aux côtés des non-conceptualistes. Je tenterai d'apporter une contribution au volet positif de leur démarche et avancerai quelques propositions sur les modes de structuration des contenus perceptifs qui me paraissent susceptibles d'éclairer certains aspects de l'interface entre la perception et d'autres dimensions de la cognition. Je rappellerai tout d'abord brièvement les principaux arguments négatifs qui ont été proposés dans la littérature à l'encontre de l'idée que le contenu de la perception est entièrement conceptuel. Je préciserai ensuite les enjeux d'une caractérisation positive du contenu non conceptuel. J'examinerai certaines propositions de Christopher Peacocke et notamment les notions de contenu scénario et de contenu protopropositionnel qu'il a introduites. Mon objectif principal sera de préciser la notion de contenu protopropositionnel au-delà de l'esquisse proposée par Peacocke. Pour ce faire, je m'appuierai en particulier sur certains travaux empiriques sur l'attention visuelle et ses déficits et sur la segmentation des scènes visuelles.

Arguments négatifs

Les principaux arguments avancés par les non-conceptualistes en faveur de la thèse négative selon laquelle les contenus perceptifs ne sauraient être entièrement conceptuels exploitent plusieurs caractéristiques spécifiques des expériences perceptives : leur indépendance vis-à-vis des croyances, leur finesse de grain, leur richesse et leur caractère perspectival. Je rappelle brièvement ces arguments.

marquer une adhésion à la théorie dite représentationnaliste ou indirecte de la perception selon laquelle dans la perception nous aurions directement conscience d'une représentation et seulement indirectement du monde à travers cette représentation.

INDÉPENDANCE VIS-À-VIS DES CROYANCES

Un certain nombre de défenseurs de l'approche non conceptualiste (Evans, 1982 ; Dretske, 1969 ; Peacocke, 1992 ; Crane, 1992) ont fait remarquer que l'expérience perceptive manifeste une forme d'indépendance vis-à-vis des croyances. Nos états perceptifs peuvent avoir leur contenu propre indépendamment du fait que nous ayons ou non des croyances correspondantes. Les illusions perceptives, comme l'illusion de Müller-Lyer, illustrent cette indépendance. Dans l'illusion de Müller-Lyer, on présente au sujet deux lignes de même longueur mais dont l'une se termine par des flèches pointant vers l'extérieur, l'autre par des flèches pointant vers l'intérieur. Il est bien connu que, même si le sujet sait que les lignes sont de même longueur, il ne peut s'empêcher de voir l'une comme plus longue que l'autre. L'existence de cette forme d'indépendance vis-à-vis des croyances montre que nous avons affaire à des types d'attitudes différents vis-à-vis d'un certain contenu ; mais elle ne permet pas de conclure au caractère non conceptuel des contenus perceptifs.

Il existe toutefois une notion plus forte d'indépendance vis-à-vis des croyances qui semble nous conduire à cette conclusion. Cette notion forte d'indépendance a été introduite par Dretske (1969) dans le cadre de sa discussion de la distinction entre vision épistémique et vision non épistémique. Dretske caractérise la vision non épistémique comme étant dépourvue de contenu doxastique. Il soutient qu'il s'agit d'une capacité visuelle primitive qui ne requiert pas la possession de croyances ou d'ensembles particuliers de croyances de la part de l'agent. Autrement dit, quelle que soit la proposition p, « X voit D » (au sens non épistémique) n'implique pas logiquement X croit que p. On peut ainsi voir un tigre au sens non épistémique sans croire qu'il s'agit d'un tigre, d'un animal ou même d'une entité physique. Il semble que, s'il existe bien une forme de vision non épistémique indépendante des croyances en ce sens fort, on doive conclure que son contenu ne saurait être conceptuel. La prémisse supplémentaire qui permet d'aboutir à cette conclusion est que la possession d'un concept implique essentiellement certaines croyances, notamment des croyances sur ses conditions d'application. Si la vision non épistémique est en principe indépendante de toute croyance particulière, elle l'est aussi des croyances constitutives de la possession de concepts, et donc son contenu ne saurait être conceptuel. Cet argument en faveur du caractère non conceptuel du contenu perceptif reste toutefois conditionnel. Si, comme l'affirme Dretske, certains états perceptifs sont indépendants des croyances au sens fort, alors ils ne sauraient avoir de contenu conceptuel. Mais dire que ces états perceptifs n'ont pas de contenu conceptuel n'est pas encore dire qu'ils ont un contenu non conceptuel ; une autre possibilité demeure qui est que ces états n'aient pas à proprement parler de contenu intentionnel ou représentationnel. La conclusion conditionnelle à laquelle nous sommes conduits est donc la suivante : si le voir non épistémique a un contenu intentionnel, alors ce contenu ne saurait être conceptuel. Pour aboutir à la conclusion non conceptualiste désirée, il faut encore montrer que le voir non épistémique a un contenu intentionnel. Une telle démonstration suppose que l'on soit en mesure de donner une caractérisation positive de ce qu'est la vision non épistémique.

FINESSE DE GRAIN

L'argument de la finesse de grain (Evans, 1982 ; Peacocke, 1992, 2001) exploite l'idée que nous pouvons normalement opérer des discriminations perceptives beaucoup plus fines que les discriminations autorisées par les concepts observationnels que nous possédons. Ainsi, nous pouvons discriminer plusieurs millions de nuances de couleur alors que nous ne possédons au mieux que quelques centaines de concepts de couleur. Il en va de même des formes, des textures ou des grandeurs spatiales. La conclusion qu'en tirent les non-conceptualistes est que, puisque la gamme de contenus discriminables que peuvent avoir nos expériences perceptives excède largement la gamme des discriminations permises par les concepts appartenant au répertoire d'un sujet, les contenus perceptifs doivent être non conceptuels.

McDowell (1994) et Brewer (1999) ont opposé une réplique conceptualiste à cet argument. Ils ne contestent nullement que l'expérience perceptive ait une grande finesse de grain, mais ils soutiennent que l'on peut parfaitement l'appréhender au moyen de concepts. Le reproche qu'ils adressent aux non-conceptualistes est d'adopter une conception indûment restrictive des concepts, considérés comme essentiellement descriptifs et indépendants du contexte. Selon McDowell et Brewer, cette restriction n'a pas lieu d'être. Si on ne peut appréhender toute la finesse de grain des expériences perceptives au moyen des seuls concepts descriptifs, on peut parfaitement le faire au moyen de concepts démonstratifs, tels que « cette couleur », « cette nuance », « ce rouge » ou même « ceci » employés en présence d'un échantillon de couleur.

Cette réplique conceptualiste s'expose elle-même à plusieurs objections. On peut notamment se demander à quelles conditions penser à une nuance de couleur comme « cette nuance » constitue une manifestation authentique d'une capacité conceptuelle. Il semble, comme le reconnaît McDowell, que la maîtrise d'un concept suppose la capacité à identifier et à réidentifier à travers le temps, fût-ce pour une brève période, des échantillons d'une même nuance et non simplement à discriminer deux échantillons de couleur présentés simultanément. Or d'abondantes données expérimentales montrent que nos capacités de discrimination perceptive dépassent largement nos capacités d'identification ou de reconnaissance (Burns et Ward, 1977 ; Halsey et Chapanis, 1951 ; Hardin, 1988 ; Hurvich, 1981). À l'évidence, on ne peut reconnaître que ce que l'on a pu mémoriser. Des études de psychophysique et de psychologie de la perception montrent que la mémoire perceptive est limitée et que son grain est beaucoup plus grossier que le grain correspondant aux seuils de discrimination perceptive. Il s'ensuit que, si la possession d'un concept suppose une certaine capacité de reconnaissance et d'identification, la finesse de grain maximale de nos concepts perceptifs correspondra à la finesse de grain maximale de l'encodage en mémoire perceptive. Les conceptualistes qui font appel à des concepts démonstratifs sont donc placés devant un dilemme. Ou bien ils admettent que ces concepts démonstratifs doivent satisfaire à une condition de reconnaissance, et dans ce cas leur finesse de grain sera inférieure à celle dont témoignent nos capacités de discrimination perceptive, ce qui revient à admettre que l'on ne peut appréhender toute la finesse de grain des expériences perceptives au moyen de concepts, fussent-ils démonstratifs. Ou bien ils renoncent à la condition de reconnaissance, mais, ce faisant, se heurtent à d'autres difficultés. Selon le Critère de Différence, d'inspiration frégéenne, deux concepts sont différents si un sujet peut rationnellement adopter des attitudes différentes à l'égard de deux pensées qui ne diffèrent qu'en ce que la première contient l'un de ces concepts, et la seconde l'autre. Supposons que l'on présente successivement à un sujet deux échantillons (ou le même échantillon) de la même nuance de couleur, a_1 et a_2. Il est naturel de penser que les concepts démonstratifs fondés sur la perception de ces échantillons devraient être les mêmes, puisque, ou bien il s'agit du même échantillon, ou bien ces échantillons sont exactement de la même couleur. Toutefois, il est toujours possible pour un sujet rationnel de croire que tout ce qui est de cette couleur$_{a1}$ est de cette couleur$_{a1}$, tout en doutant que tout ce qui est de cette couleur$_{a1}$ soit de cette couleur$_{a2}$. Pour ce qu'il en sait sur la base de son expérience perceptive, il est possible que a_1 et a_2, perçus simultanément, soient discriminables. Il s'agit d'une possibilité épistémique cohérente, ce qui implique, selon le Critère de Différence, que cette « couleur$_{a1}$ » et cette « couleur$_{a2}$ »

expriment des concepts différents. Si nous acceptons le Critère de Différence pour les concepts, il apparaît impossible de saisir le même concept
démonstratif à travers la perception d'échantillons de la même nuance en
différentes occasions. Il y a donc un nombre infini de concepts démonstratifs distincts pour une même nuance, autant que d'expériences perceptives de cette nuance. Les conceptualistes doivent alors admettre, ou bien
qu'il existe dans les contenus de perception des différences conceptuelles
qui ne correspondent à aucune différence phénoménologique, ou bien
qu'ils découpent trop finement le monde phénoménal. En bref, ou bien
l'approche conceptualiste n'est pas assez fine, ou bien elle l'est trop[2].

Il existe un second type d'argument exploitant la finesse de grain de
l'expérience perceptive. La logique de cet argument est légèrement différente car celui-ci met en jeu non pas des discriminations entre propriétés
perceptives, mais différentes manières de percevoir une même chose. Peacocke (1992) illustre cette possibilité à travers le cas d'une forme que l'on
peut percevoir soit comme un losange régulier, soit comme un carré posé
sur la pointe. Deux sujets peuvent percevoir une forme différemment, et
cela même s'ils utilisent le même concept démonstratif « cette forme ».
Selon l'explication proposée par Peacocke, les sujets sont sensibles à des
aspects différents de la forme. Celui qui la perçoit comme carré est sensible aux symétries par rapports aux bissectrices des côtés, tandis que celui
qui la perçoit comme losange est sensible aux symétries par rapport aux
bissectrices des angles. Le conceptualiste pourrait soutenir que remarquer
ou prêter attention à certaines symétries revient à les conceptualiser
démonstrativement et donc que la différence entre ces deux manières
d'appréhender une forme est une différence conceptuelle. Mais cette
conclusion repose sur la prémisse selon laquelle la sélection attentionnelle
de certaines informations perceptives est une forme de conceptualisation.
On doit toutefois distinguer deux formes de sélection attentionnelle : la
sélection attentionnelle activement dirigée vers un aspect donné d'une
scène visuelle et la sélection attentionnelle passive où l'attention est attirée
par un aspect saillant de la scène visuelle. On peut éventuellement concéder au conceptualiste que la sélection active constitue une forme de
conceptualisation démonstrative, mais douter qu'il en aille de même de la
sélection attentionnelle passive. Il paraît au contraire plus plausible de soutenir que c'est le fait que l'attention ait été passivement attirée par certains
aspects saillants d'une scène visuelle qui rend possible une conceptualisation démonstrative. Or cela revient à dire que la conceptualisation

---

2. Pour une analyse plus détaillée de ce débat entre conceptualistes et non-conceptualistes sur la finesse de grain, voir Dokic et Pacherie (2001).

démonstrative exploite une information visuelle préalablement structurée, en d'autres termes que cette forme de conceptualisation exploite un niveau préalable de contenu perceptif où l'information visuelle est déjà structurée.

RICHESSE INFORMATIONNELLE ET CARACTÈRE PERSPECTIVAL
DE L'EXPÉRIENCE PERCEPTIVE

L'argument de l'indépendance vis-à-vis des croyances et l'argument de la finesse de grain sous ses deux formes visent à montrer que les primitives représentationnelles du contenu perceptif ne sont pas des concepts. L'argument de la richesse informationnelle vise, quant à lui, à montrer que la structure des représentations perceptives n'est pas de même type que celle des représentations conceptuelles propositionnelles.

On remarquera tout d'abord que richesse informationnelle et finesse de grain sont des caractéristiques certes liées, mais néanmoins distinctes de l'expérience perceptive. La finesse de grain renvoie au fait qu'il existe de nombreuses dimensions — couleur, forme, taille, direction, etc. — telles que n'importe quelle valeur sur ces dimensions peut entrer dans le contenu de l'expérience perceptive. La richesse informationnelle renvoie au fait que l'expérience perceptive est en général simultanément porteuse d'informations sur les valeurs de nombreuses dimensions. La distinction entre finesse de grain et richesse informationnelle est parfois obscurcie du fait d'un usage indifférencié de l'expression « caractère analogique du contenu perceptif », tantôt utilisée pour faire référence à l'une de ces propriétés, tantôt à l'autre.

En quoi la richesse informationnelle du contenu perceptif suggère-t-elle que son format n'est pas le format standard des représentations conceptuelles ? Il semble que, lorsqu'un sujet voit un objet dans des conditions normales, il ne puisse le voir sans voir à la fois sa forme, sa taille, sa couleur, sa texture, sa localisation spatiale, et ainsi de suite. Une représentation de format conceptuel peut fort bien, en revanche, encoder une propriété de l'objet sans encoder les autres. Ce n'est pas dire qu'une représentation conceptuelle ne puisse être informationnellement riche. À l'évidence, on peut, par un moyen aussi simple que la conjonction, construire des représentations conceptuelles aussi riches qu'on le souhaite. La différence tient plutôt à ce que la richesse informationnelle n'est pas une caractéristique obligatoire des représentations conceptuelles. C'est, au contraire, une vertu de ces représentations que de nous permettre de faire abstraction d'informations non pertinentes pour nos besoins. C'est donc le caractère obligatoire de la richesse informationnelle qui fait la spécificité des contenus perceptifs par rapport à des contenus conceptuels tels que, par exemple, les contenus de croyances[3].

Cette richesse informationnelle est associée à une autre caractéristique des expériences perceptives qui est d'avoir un caractère perspectival. Pour tout trait d'une scène visuelle qui est représenté perceptivement, ce qu'encode le contenu perceptif n'est pas simplement la présence de ce trait, mais aussi sa position dans l'espace égocentrique du sujet. Il semble donc qu'il y ait une solidarité entre la richesse informationnelle et le caractère perspectival des contenus perceptifs. Chaque trait représenté perceptivement est représenté comme occupant une certaine position dans le champ visuel, et, inversement, chaque position dans le champ visuel est caractérisée par la présence ou l'absence de certains traits. En particulier, il n'existe pas de trou dans le champ visuel. Cela suggère que le mode d'organisation de l'information perceptive visuelle est essentiellement spatial ou cartographique. Le caractère obligatoire de la richesse informationnelle va ainsi de pair avec le caractère obligatoire d'une organisation spatiale égocentrique de l'information. Cette seconde caractéristique, comme la première, distingue les contenus perceptifs visuels des contenus conceptuels ordinaires. Il est certes possible de construire des représentations conceptuelles qui incluent des informations sur la position spatiale égocentrique des traits et propriétés représentés. Mais la représentation de l'information spatiale est en général optionnelle dans les représentations conceptuelles, et les concepts spatiaux égocentriques ne jouissent d'aucun privilège particulier relativement à d'autres catégories de concepts.

Les arguments qui viennent d'être rappelés sont pour l'essentiel des arguments négatifs visant à montrer que les contenus perceptifs ont des caractéristiques spécifiques qui les distinguent des contenus conceptuels. L'argument de l'indépendance vis-à-vis des croyances comme l'argument de la finesse de grain suggèrent que certains au moins des constituants représentationnels des contenus perceptifs ne sont pas des concepts. La richesse informationnelle et le caractère perspectival des expériences perceptives donnent à penser que les représentations perceptives ont un mode de structuration spécifique qui les distingue des représentations conceptuelles propositionnelles. Comme je l'ai souligné dans l'introduction, il est également nécessaire de proposer une caractérisation positive du contenu des expériences perceptives. Cette caractérisation devra satisfaire à trois types de contraintes : (i) montrer que l'expérience perceptive a bien un

---

3. On notera que l'argument de la richesse informationnelle concerne la structure des contenus perceptifs et non pas la nature de ses primitives représentationnelles puisqu'il ne permet pas à lui seul d'exclure que ces éléments représentationnels soient de type conceptuel.

contenu intentionnel, même si celui ci est non conceptuel ; (ii) rendre compte adéquatement de la phénoménologie de l'expérience perceptive ; et (iii) montrer comment la perception peut s'intégrer à la cognition.

Critères d'intentionnalité

L'une des tâches des défenseurs d'une approche non conceptualiste des contenus de perception consiste à montrer que la notion de contenu non conceptuel est cohérente ; autrement dit, que c'est bien d'une forme de contenu intentionnel qu'il s'agit. Pour ce faire, il importe d'énoncer les critères qu'un état devrait satisfaire pour que l'on puisse dire à bon droit qu'il s'agit d'un état représentationnel, ou encore d'un état doté d'un contenu intentionnel. Je m'inspirerai sur ce point des propositions avancées par Bermúdez (1998).

Le premier critère considéré par Bermúdez, à la suite de Peacocke, est qu'un état ne peut être considéré comme représentationnel que pour autant qu'il a des conditions de correction. On ne peut dire d'un état qu'il représente le monde d'une certaine façon que pour autant qu'il est possible d'énoncer une condition ou un ensemble de conditions sous lesquelles cette représentation est une représentation correcte du monde, le contenu de cet état étant défini par ces conditions. Ce premier critère est nécessaire mais non suffisant. En particulier, il ne permet pas de distinguer les états authentiquement représentationnels de ce que l'on peut appeler à la suite de Dretske (1981, 1995) les états informationnels. Dans la terminologie de Dretske, un état est dit informationnel, ou porteur d'information sur un autre état, si et seulement s'il existe une forme de covariation nomique entre les deux états. C'est le cas par exemple de la relation entre le nombre de cernes du tronc d'un arbre et l'âge de cet arbre. Un état informationnel a, comme un état représentationnel, des conditions de correction, mais, dans le cas de l'état informationnel, ces conditions sont toujours satisfaites puisqu'une relation informationnelle est définie comme une relation de covariation nomique. On peut renforcer ce premier critère par l'ajout d'une contrainte supplémentaire : pour qu'un état puisse être considéré comme représentationnel, il faut qu'il ait des conditions de correction et que ces conditions puissent être définies de manière à laisser ouverte la possibilité de méprise.

Le deuxième critère proposé par Bermúdez est un critère d'utilité explicative. En d'autres termes, il n'est légitime de donner des explications qui font appel à des états représentationnels (des explications intentionnelles) que pour autant que ce qui est ainsi expliqué ne puisse l'être par des explications non intentionnelles. Ainsi, il paraît superflu d'avoir recours à des explications intentionnelles de comportements lorsqu'il existe des relations invariantes entre les entrées sensorielles et ces comportements. En revanche, de telles explications paraissent utiles pour des comportements plastiques et flexibles qui témoignent d'interactions complexes entre les entrées sensorielles et les états internes de l'organisme.

Pour que les états représentationnels jouent un rôle dans l'explication des comportements flexibles, il faut qu'ils soient susceptibles d'intégration cognitive. C'est là le troisième critère proposé par Bermúdez, qui distingue en outre deux aspects de l'intégration cognitive. Premièrement, la notion d'intégration cognitive introduit l'idée d'une interaction entre états représentationnels, ce qui implique l'existence d'interfaces entre états représentationnels. Deuxièmement, le fait qu'un organisme qui représente son environnement soit en mesure de détecter des similitudes entre situations et d'exploiter celles-ci afin de mieux adapter son comportement constitue également une forme d'intégration cognitive.

Pour que ces formes d'intégration cognitive soient possibles, il faut que les états représentationnels soient structurés et manifestent une forme de compositionnalité permettant la reconnaissance de similitudes partielles et au moins certaines formes primitives d'inférence (proto-inférences). La compositionnalité constitue ainsi le quatrième critère proposé par Bermúdez.

Ces quatre critères sont censés valoir pour tout état doté d'un contenu intentionnel, que celui-ci soit conceptuel ou non. On peut penser que l'attribution à un état d'un contenu conceptuel demande que certaines contraintes supplémentaires soient satisfaites. De ce point de vue, on notera que tant l'intégration cognitive que la compositionnalité sont susceptibles de degrés. Ce qui pourrait au moins en partie distinguer les contenus conceptuels des contenus non conceptuels est le fait que les premiers sont soumis à des contraintes plus fortes de compositionnalité et d'intégration cognitive. Ainsi la Contrainte de Généralité que propose Evans (1982) pour les concepts peut-elle être considérée comme une contrainte forte de compositionnalité ; tandis que l'isotropie et la quinicité, qui constituent pour Fodor (1983) les marques distinctives des systèmes centraux conceptuels, paraissent impliquer une forme très forte d'intégration cognitive. Il nous reste maintenant à voir s'il est ou non possible de donner du contenu non conceptuel des expériences perceptives une caractérisation qui satisfasse aux critères de Bermúdez et rende compte de la phénoménologie de ces expériences. Je commencerai, pour ce faire, par examiner certaines propositions avancées par Peacocke.

Structure des contenus perceptifs

Les quatre critères proposés par Bermúdez ne sont pas indépendants. La compositionnalité est requise pour l'intégration cognitive, et l'intégration cognitive, pour l'utilité explicative. La forme de compositionnalité d'un type de représentation est associée aux opérations que l'on peut appliquer à ses constituants. Les opérations possibles sont à leur tour déterminées par la manière dont ces contenus sont structurés. C'est donc en nous intéressant à la structure des contenus perceptifs que nous serons en mesure d'évaluer si ces contenus satisfont ou non aux critères de Bermúdez.

LES CONTENUS-SCÉNARIOS

Peacocke (1992) distingue deux niveaux ou couches de contenu non conceptuel des expériences perceptives. Le premier niveau correspond à ce qu'il appelle le contenu-scénario. Les scénarios sont des types spatiaux qui spécifient la manière dont l'espace qui entoure le sujet est rempli. La spécification d'un scénario ou type spatial opère en deux temps. On doit tout d'abord spécifier une origine et un ensemble d'axes définis relativement au corps du sujet et à ses propriétés. Dans un second temps, on spécifie un mode de remplissage de l'espace autour de l'origine en indiquant pour chaque point, identifié par sa direction et sa distance relativement à l'origine, s'il y a ou non une surface en ce point et, si oui, quels sont sa texture, sa couleur, sa saturation, sa brillance, son degré de solidité, son orientation, et ainsi de suite. Un contenu-scénario est dit positionné lorsqu'on assigne à son origine et à ses axes une position et des directions dans le monde, et lorsqu'on lui assigne un temps.

On notera que, comme le fait remarquer Peacocke, il n'est nullement requis que les ressources conceptuelles utilisées pour spécifier un type spatial soient attribuées au sujet percevant, ni que ce type spatial lui-même soit construit à partir de concepts. La notion de contenu-scénario est donc parfaitement compatible avec l'idée que le contenu perceptif est non conceptuel. Nous avons considéré tout à l'heure trois propriétés importantes de l'expérience perceptive : sa finesse de grain, sa richesse informationnelle et son caractère perspectival. Le caractère perspectival de l'expérience perceptive apparaît ici comme une conséquence directe de la structure des scénarios et du fait qu'ils sont organisés en fonction d'une origine et d'un système d'axes ancrés sur le corps du sujet. Cette structure permet également de rendre compte de la richesse informationnelle et de la finesse de grain de la perception puisque, pour chaque point du scénario, une valeur particulière est spécifiée pour chaque dimension qualitative pertinente et que ces valeurs sont données simultanément pour tous les points du scénario. Les contenus-scénarios rendent ainsi compte de certains aspects importants de la phénoménologie perceptive. Qu'est est-il des critères de Bermúdez ? Les contenus-scénarios sont-ils des contenus représentationnels ? Tout d'abord, comme le souligne Peacocke, les contenus-scénarios ont des conditions de correction que l'on peut énoncer ainsi :

> Le contenu donné par le scénario positionné est correct si la scène au lieu assigné tombe sous le scénario au temps assigné lorsque le scénario y est positionné en accord avec les directions assignées (1992 : 65).

Certaines remarques de Peacocke sur l'amodalité suggèrent également que les contenus-scénarios satisfont au critère d'intégration cognitive. Peacocke suggère en effet que, dans la mesure où les contenus d'autres modalités sensorielles sont également structurés par un système d'origine et d'axes ancrés sur le corps, il doit être possible d'intégrer ces contenus en un contenu amodal sur la base de correspondances établies entre les différents systèmes d'origine et d'axes. En outre, toute une série d'opérations exploitant la structure donnée par le système d'origine et d'axes peuvent en principe être définies et permettre, par exemple, la détection de certaines symétries globales dans un scénario, ou la comparaison de plusieurs scénarios et la détection de similitudes entre ceux-ci. Enfin, on peut étendre les remarques de Peacocke sur l'amodalité au-delà des systèmes perceptifs. Le système moteur exploite également des référentiels égocentriques. La mise en correspondance des référentiels égocentriques perceptifs et moteurs permet de rendre compte de certaines formes d'intégration entre perception et action, telles que la navigation dans l'environnement ou les comportements d'atteinte. La structure des scénarios autorise en principe toute une série d'autres opérations sur les contenus. Cette mise en correspondance des référentiels perceptifs et moteurs rend notamment possibles certaines proto-inférences sur les conséquences perceptives de nos déplacements dans l'environnement.

Les contenus-scénarios ont toutefois un pouvoir explicatif limité. Certaines de ces limitations sont d'ordre phénoménologique. Notre expérience perceptive ordinaire n'est pas pointilliste. Par la vision, nous avons l'expérience d'un monde organisé en objets tridimensionnels qui persistent à travers le temps et qui, pour certains, se meuvent dans l'espace, et non l'expérience d'une tempête de confettis. Corrélativement, un grand nombre de nos proto-inférences perceptives concernent ces objets, leur comportement et leurs relations mutuelles. En outre, nos interactions avec l'environnement ne se limitent pas à des déplacements : nous interagissons avec des objets que nous manipulons de mille manières. Pour rendre compte de ces aspects de l'expérience visuelle et de ces formes supplémentaires d'intégration cognitive et de proto-inférences, nous devons aller au-delà des contenus-scénarios.

LES CONTENUS PROTOPROPOSITIONNELS

Peacocke lui-même propose l'existence d'un second niveau ou couche de contenu non conceptuel qu'il appelle contenu protopropositionnel et qu'il caractérise de la manière suivante :

> Je suggère que l'expérience perceptive a une seconde couche de contenu non conceptuel. Les contenus qui appartiennent à cette couche ne peuvent être identifiés aux contenus-scénarios, mais ils sont aussi distincts des contenus conceptuels. Ces contenus supplémentaires, je les appelle *proto-propositions*. Ces protopropositions sont évaluables comme vraies ou fausses. Une protoproposition contient un ou plusieurs individus, ainsi qu'une propriété ou relation. Lorsqu'une protoproposition fait partie du contenu représentationnel d'une expérience, l'expérience représente la propriété ou relation comme s'appliquant à l'individu ou aux individus qu'elle contient également. Je parle de proto*propositions* plutôt que de protopensées parce que les protopropositions contiennent des objets, propriétés et relations plutôt que des concepts de ceux-ci. Je parle de *proto-*propositions parce que dans cette approche ce n'est pas le fait d'être fixé par un contenu conceptuel que posséderait l'expérience qui détermine qu'elles font partie de son contenu. Ces protopropositions qui font partie du contenu représentationnel de l'expérience visuelle ordinaire des êtres humains contiennent des propriétés et relations telles que carré, courbe, parallèle à, équidistant de, de même forme que, et symétrique. On peut représenter ces propriétés et relations comme s'appliquant à des lieux, des lignes ou des régions d'un scénario positionné ou à des objets perçus comme situés en ces lieux (Peacocke, 1992 : 77).

Peacocke souligne l'utilité explicative de ce niveau de contenu. Le contenu protopropositionnel joue, selon lui, un rôle important dans la mémoire perceptive. Il encode l'information perceptive à un niveau plus abstrait que le contenu-scénario et facilite la mémorisation et la reconnaissance des formes visuelles. Il permet également de décrire de manière satisfaisante l'expérience d'objets ou de figures impossibles tels qu'on les

rencontre par exemple dans les dessins d'Escher. Le contenu protopropositionnel d'une telle expérience pourrait par exemple inclure que x est au-
dessus de y, que y est au-dessus de z et que z est au-dessus de x. C'est également à ce niveau que l'on peut, selon Peacocke, rendre compte de la
différence entre l'expérience d'un objet comme un carré et l'expérience de
ce même objet comme un losange régulier. Le contenu représentationnel
de la première expérience comprend la protoproposition que la figure est
symétrique par rapport aux bissectrices des côtés, celui de la seconde expérience la proposition que la figure est symétrique par rapport aux bissectrices des angles. La différence entre les deux expériences apparaît ainsi
comme une différence au niveau de leur contenu protopropositionnel.
Enfin, Peacocke suggère que le contenu protopropositionnel constitue
une base pour l'ancrage des concepts observationnels qui permet de rendre compte de manière non circulaire de leur maîtrise.

La caractérisation que propose Peacocke des contenus protopropositionnels est beaucoup plus schématique que celle qu'il donne des
contenus scénarios. En particulier, il n'explique pas en quoi consiste le
fait de représenter non conceptuellement des objets, propriétés et relations, quel est le mode précis de structuration qui caractérise ces contenus
protopropositionnels et comment ils s'articulent aux contenus-scénarios.
Ainsi que lui-même l'admet, une théorie substantielle des contenus protopropositionnels et de la manière dont ils sont représentés mentalement
est encore à venir. Des travaux empiriques récents sur la structuration des
scènes visuelles et sur l'attention perceptive suggèrent un certain nombre
de pistes quant à la manière dont les contenus protopropositionnels s'élaborent et sont structurés. Je consacrerai la dernière partie de cet article à
l'exploration de certaines de ces pistes. Je me concentrerai plus particulièrement sur la question de la perception des objets et de leur représentation perceptive non conceptuelle.

LE DÉFI DES OBJETS

Selon une conception classique, longtemps dominante tant chez les
philosophes que chez les psychologues, l'organisation d'une scène visuelle
en objets dotés de propriétés spécifiques ou entretenant les uns avec les
autres des relations données fait nécessairement intervenir des processus
de conceptualisation. Ainsi, cette position était encore soutenue récemment par la psychologue Elizabeth Spelke, qui affirmait que :

> Les systèmes perceptifs n'organisent pas le monde en unités... Le décou-
> page du monde en choses nous renvoie à ce qui pourrait être l'essence de

la pensée et ce qui la distingue essentiellement de la perception. Les systèmes perceptifs nous livrent la connaissance d'un arrangement continu de surfaces (Spelke, 1988 : 229).

Comment est-il possible de soutenir, contre cette conception, que la perception comporte une couche de contenu protopropositionnel, non conceptuel, mettant en jeu des objets ainsi que leurs propriétés et relations ? Des travaux récents, portant sur la segmentation des scènes visuelles et sur l'attention visuelle, ont conduit à remettre en cause la conception traditionnelle des relations entre perception et pensée conceptuelle, et ont permis de préciser en quel sens nous pouvons percevoir une scène comme organisée en objets sans que cette perception présuppose l'intervention de processus de conceptualisation. Dans la littérature sur l'attention visuelle, la question de la nature des unités de sélection attentionnelle a occupé une place centrale au cours de la dernière décennie. L'importance de cette question pour l'élucidation des relations entre perception et conception tient à ce que les unités élémentaires de sélection attentionnelle sont, par définition, des unités qui ont été constituées préattentionnellement. Cette organisation préattentionnelle du champ visuel est le fait de mécanismes qui sont modulaires, ascendants et qui opèrent automatiquement. L'étude des unités de sélection attentionnelle permet donc de mettre en évidence certains aspects de l'organisation pré-conceptuelle du champ visuel. Les théories classiques caractérisent l'attention en termes spatiaux et considèrent que les unités de sélection sont des régions spatiales du champ visuel (Treisman et Gelade, 1980 ; Johnston et Dark, 1986). Des modèles plus récents suggèrent que, dans certains cas au moins, les unités de sélection sont des objets discrets. L'attention visuelle ne serait donc pas nécessairement spatiale, mais pourrait être objectale. Si l'attention objectale existe, il existe des « objets » visuels préattentionnels, et la segmentation d'une scène en objets ne fait pas nécessairement intervenir de processus de conceptualisation. Je voudrais brièvement présenter quelques-unes des données récentes en faveur de l'attention objectale, et tenter de préciser ce à quoi correspond la notion d'objet ou de proto-objet visuel[4].

Premièrement, un certain nombre d'études sur l'attention divisée — où des sujets doivent prêter simultanément attention à au moins deux aspects ou propriétés d'une scène visuelle — ont montré que les performances de ceux-ci sont meilleures lorsqu'il s'agit de propriétés d'un même objet et suggèrent de fait que les objets peuvent constituer des

---

4. Pour une revue détaillée de ces données, voir Scholl (2001).

unités de sélection attentionnelle. Ainsi, dans l'étude pionnière de Duncan (1984), on présentait brièvement à des sujets des stimuli composés d'une boîte à laquelle était superposée une ligne. La boîte pouvait être carrée ou rectangulaire, et comporter une ouverture sur la droite ou sur la gauche. La ligne pouvait être formée de points ou de tirets, et était légèrement oblique par rapport à la verticale, penchant soit vers la droite, soit vers la gauche (voir figure 1).

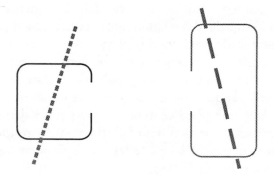

Figure 1 – *Exemples de stimuli utilisés par Duncan (1984).*

À chaque présentation, on demandait aux sujets de juger deux de ces propriétés. Certains étaient interrogés sur deux propriétés du même objet (par exemple, forme et côté d'ouverture de la boîte) ; d'autres sur une propriété de chaque objet (par exemple, forme de la boîte et orientation de la ligne). On observe de meilleures performances chez les sujets interrogés sur deux propriétés du même objet. Il paraît difficile de rendre compte de ces résultats dans le cadre d'une théorie de l'attention spatiale dans la mesure où les deux objets sont superposés. Deuxièmement, des études sur la diffusion automatique de l'attention montrent que cette diffusion est souvent moins efficace entre deux objets qu'à l'intérieur d'un même objet, même lorsque la séparation spatiale est la même (Duncan, 1993a, 1993b ; Baylis et Driver, 1993 ; Egly, Driver et Rafal, 1994). Ainsi, dans l'expérience d'Egly, Driver et Rafal (1994), on présente à un sujet deux barres verticales (voir figure 2a). Il doit détecter une diminution de luminance à une extrémité de l'une des deux barres présentées. On lui donne sur l'extrémité en question un indice valide dans 75 % des cas. On observe que, lorsque l'indice n'est pas valide, les sujets détectent le changement de luminance plus rapidement quand il est situé à l'autre extrémité de la même barre plutôt que sur une extrémité équidistante de l'autre barre. En outre, on a pu montrer à partir de ce paradigme expérimental (Moore, Yantis et Vaughan, 1998) que les unités de sélection prennent en compte l'occlusion, le même effet étant présent avec des stimuli tels que celui de la figure 2b.

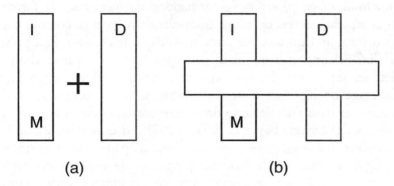

I : Indice
M : Cible sur la même barre
D : Cible équidistante sur xxxx

Figure 2 – *Exemples de stimuli utilisés dans les expériences sur la diffusion automatique de l'attention ; (a) Egly, Driver et Rafal (1994) ; (b) Moore, Yantis et Vaughan (1998).*

Certaines des données les plus pertinentes pour notre propos sont issues de travaux sur les pathologies de l'attention, notamment l'héminégligence et le syndrome de Balint. L'héminégligence est un déficit attentionnel caractérisé par une incapacité pour un sujet, à la suite d'une lésion unilatérale du cortex pariétal postérieur, à détecter des signaux ou à percevoir des objets ou parties d'objets situés dans la partie contralésionnelle du champ visuel, le plus souvent l'hémichamp gauche. L'héminégligence est souvent définie comme un trouble de l'attention spatiale. Toutefois, des données récentes montrent que ce déficit ne concerne pas toujours la partie gauche de l'espace visuel définie relativement à un référentiel égocentrique, mais peut concerner aussi la partie gauche d'objets ou de groupements d'objets. On peut en donner une première illustration dans une tâche de reproduction de dessins par des sujets héminégligents. Lorsque le dessin à reproduire comporte un seul objet, ces sujets n'en reproduisent que la partie gauche. En revanche, lorsque le dessin comporte deux objets côte à côte, les sujets ne dessinent pas l'objet de droite en négligeant celui de gauche, mais reproduisent la partie droite de chacun des deux objets.

En outre, comme le montrent plusieurs études, l'héminégligence peut être largement affectée par des processus préattentionnels de segmentation et de ségrégation entre figure et fond. Ainsi, Driver, Baylis et Rafal (1992) ont montré à un patient héminégligent des figures vert vif sur un fond rouge pâle. On lui demandait de mémoriser la forme du contour séparant le vert du rouge et ensuite de juger si ce contour correspondait ou non à un contour témoin. Lorsque le contour était présenté dans l'hémichamp gauche mais correspondant à la partie droite de l'objet, les jugements du sujet étaient corrects à 95 % ; cependant le pourcentage de réponses correctes tombait à 50 % lorsque le contour était présenté dans l'hémichamp droit mais correspondait à la partie gauche de l'objet. Driver, Baylis et Rafal (1992) ont également montré que des patients héminégligents sont capables d'opérer une segmentation entre figure et fond sur la base des propriétés de symétrie des régions, alors même qu'ils ne perçoivent pas consciemment cette symétrie. D'autres études réalisées sur des patients héminégligents montrent de manière particulièrement frappante que l'attention exploite des cadres de référence intrinsèques centrés sur des objets. Behrmann et Tipper (1994) ont mesuré le temps nécessaire à des patients héminégligents pour détecter des cibles apparaissant soit sur la partie droite, soit sur la partie gauche d'un objet en forme d'haltère (figure 3). De manière prévisible, il leur faut plus de temps pour détecter les cibles apparaissant sur la gauche. Toutefois, lorsque les expérimentateurs font subir à l'haltère, sous les yeux des sujets, une rotation à 180 degrés qui inverse ses deux côtés, les temps de réaction s'inversent, les patients mettant alors plus de temps à détecter les cibles présentées sur la partie située à droite.

Il est crucial de noter que ce résultat n'est obtenu que lorsque l'on a affaire à un objet unique. Si la barre centrale connectant les deux disques est supprimée, l'inversion des performances n'a plus lieu. Cette expérience suggère qu'un cadre de référence intrinsèque centré sur l'haltère est défini automatiquement et que, lorsque l'objet subit une rotation, ce cadre se déplace avec lui. Les mêmes chercheurs ont réalisé récemment une expérience encore plus étonnante (Behrmann et Tipper, 1999) montrant que l'attention peut utiliser simultanément plusieurs cadres de référence. Cette expérience reprend le dispositif précédent, mais ajoute à l'haltère deux carrés stationnaires, l'un positionné sur la droite, l'autre sur la gauche. Les cibles à détecter peuvent maintenant apparaître dans l'un des carrés ou dans l'un des disques de l'haltère. Avant la rotation de l'haltère, les cibles qui apparaissent dans le carré ou le disque de droite sont détectées plus rapidement que les autres. Toutefois, après rotation à 180 degrés de l'haltère, ce sont les cibles présentées dans le disque main-

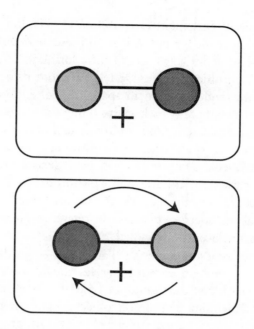

Figure 3 – *Avant rotation, les sujets détectent les cibles lumineuses présentées dans le disque vert* (ici gris foncé) *situé à droite plus rapidement que celles qui sont présentées dans le disque rouge* (ici gris clair) *sur la gauche ; après rotation, ce sont toujours les cibles présentées sur le disque vert* (gris foncé) *maintenant à gauche qui sont détectées le plus rapidement. (D'après Behrmann et Tipper, 1994.)*

tenant situé à gauche et celles présentées dans le carré de droite qui sont détectées le plus rapidement. L'attention peut donc non seulement exploiter plusieurs cadres de référence, mais elle peut encore les exploiter simultanément.

Le syndrome de Balint fournit également des données en faveur de l'attention objectale. Ce syndrome est consécutif à des lésions bilatérales du cortex pariétal supérieur. Il est caractérisé par l'apraxie oculaire — incapacité à déplacer la fixation d'un objet sur un autre —, la simultanagnosie — incapacité à percevoir plus d'un objet à la fois —, la désorientation spatiale — incapacité à localiser correctement les objets et à s'orienter vers eux — et par l'ataxie optique — incapacité à atteindre un objet dans l'espace et à s'en saisir. Un sujet souffrant de ce syndrome sera incapable de percevoir plus d'un objet à la fois, même lorsque les objets sont superposés. Ainsi, Driver et Baylis (1998) rapportent le cas d'un patient qui pouvait voir les yeux du médecin mais non ses lunettes ou bien, inversement, voir ses lunettes mais non ses yeux. En outre, comme le rapportent également Driver *et al.* (1997), des patients qui ne peuvent voir qu'un cercle lorsqu'on leur en présente deux simultanément deviennent capables de les voir l'un et l'autre lorsqu'ils sont reliés par une barre et forment un objet unique. De tels faits sont difficiles à expliquer dans le cadre d'un modèle purement spatial de l'attention, mais on peut aisément en rendre compte dans le cadre d'une théorie objectale. Le syndrome de Balint a également pour intérêt de démontrer l'existence d'une dissociation entre la capacité à percevoir un objet et la capacité à le localiser dans l'espace, et à agir sur lui. On peut décrire cette situation en disant que les patients souffrant de ce syndrome restent capables de construire un cadre de référence centré sur un objet, mais qu'ils ont perdu la capacité de mettre ce cadre de référence en relation avec un cadre de référence égocentrique global.

Ces données expérimentales sur l'attention et ses déficits dans certaines pathologies tendent à corroborer les thèses suivantes. Premièrement, l'attention n'est pas toujours spatiale mais peut aussi être objectale. Deuxièmement, l'attention objectale fait intervenir un cadre de référence intrinsèque, centré sur un objet (ou un groupe d'objets) et solidaire de ses déplacements. Troisièmement, la segmentation d'une scène en proto-objets et la ségrégation entre figure et fond peuvent être réalisées par des processus préattentionnels, l'attention intervenant à des étapes ultérieures et opérant sur les proto-objets générés par ces processus. Quatrièmement, les données sur l'attention objectale dans l'héminégligence suggèrent également que l'attention joue un rôle essentiel non pas tant dans la segmentation d'une scène en objets que dans la perception consciente de ces objets. Enfin, les données sur le syndrome de Balint suggèrent que l'attention pourrait aussi jouer un rôle dans le liage des cadres de référence.

Ces données posent aussi la question de la nature des proto-objets préattentionnels et des principes qui gouvernent la segmentation préattentionnelle des scènes visuelles. Selon le modèle développé par Palmer et Rock (Palmer et Rock 1994 ; Palmer, 1977, 1978, 1982, 1999 ; Rock, 1995), le principe fondamental de segmentation des scènes visuelles est un principe de connectivité uniforme, autrement dit, la tendance à percevoir des régions connectées de propriétés uniformes (luminance, couleur, texture, mouvement, disparité) comme des unités de base de l'organisation perceptive. Une fois opérée cette première analyse en régions, des principes d'organisation supplémentaires peuvent s'appliquer. Une deuxième étape fait intervenir les principes d'organisation figure/fond qui opèrent une classification des régions segmentées en figures et fond sur la base de critères tels que l'inclusion spatiale (*surrounded-*

ness), la taille, l'orientation, le contraste, la symétrie, la convexité et le parallélisme. Selon Palmer, les régions désignées comme figures vont ensuite constituer les premières unités d'organisation perceptive et les unités d'entrée pour des opérations supplémentaires de groupement qui organiseront ces éléments en unités d'ordre supérieur ainsi que pour des opérations d'analyse en parties qui, inversement, les subdiviseront en unités subordonnées. Palmer et Rock insistent également sur le rôle des cadres de référence dans la structuration des objets et de leurs parties comme dans celle des groupes d'objets. Ils soulignent que, de toutes les propriétés perceptives des objets, la forme est de loin la plus importante car la plus informative. Ils soutiennent que la perception des formes fait intervenir des cadres de référence perceptifs au sens où la forme est une description relativement à un cadre de référence donné. En outre, ils affirment que le système perceptif n'utilise pas un cadre de référence général unique pour décrire la forme des objets. Au contraire, chaque objet est décrit à partir d'un cadre de référence spécifique choisi sur la base des propriétés intrinsèques de l'objet. Les facteurs importants pour la détermination d'un cadre de référence comprennent les axes de symétrie réflexive, les axes d'élongation, l'orientation des contours, l'orientation de la texture, l'orientation contextuelle, l'orientation gravitationnelle et la direction du mouvement. Certains de ces facteurs correspondent à des propriétés intrinsèques de l'objet, tandis que d'autres, telles l'orientation contextuelle et l'orientation gravitationnelle, sont extrinsèques. Palmer et Rock suggèrent que les propriétés extrinsèques jouent un rôle important lorsque la structure interne de l'objet est faible, comme dans les objets informes, ou ambiguë, comme dans les triangles équilatéraux. On notera en outre un large recoupement entre les propriétés exploitées pour définir l'organisation figure/fond et les propriétés utilisées pour la définition d'un cadre de référence intrinsèque, ce qui suggère que les deux opérations sont étroitement liées. Les données sur l'héminégligence montrent que les opérations de segmentation en régions, d'organisation figure/fond et de définition de cadres de référence intrinsèques peuvent être le fait de processus préattentionnels de type ascendant.

L'objectif de cette brève excursion dans le domaine de la psychologie de la perception et de la psychologie de l'attention était de nous permettre de préciser la manière dont les contenus protopropositionnels s'élaborent et sont structurés, et ainsi d'en mieux cerner l'utilité explicative. Ces travaux montrent l'existence d'un niveau d'organisation perceptive où la scène visuelle est segmentée en proto-objets. Ces proto-objets sont définis sur la base de propriétés telles que la connectivité uniforme, la convexité ou la symétrie. Cette segmentation résulte de l'opération de processus de segmentation préattentionnels et préconceptuels. Les proto-objets ainsi définis sont structurés par des cadres de référence intrinsè-ques, exploitant leurs propriétés (axes, symétries). Les divers traits et pro-priétés de l'objet sont ensuite encodés relativement à ce cadre de référence. Ce mode de structuration peut opérer récursivement, soit au niveau subordonné par une analyse d'un objet en ses parties, soit au niveau surordonné par des groupements. Les données sur l'attention objectale mettent en outre en évidence la possibilité de dissociations entre la perception d'un objet et sa localisation spatiale (héminégligence et syndrome de Balint), et donc, d'une part, une relative indépendance des modes de structuration qui font intervenir cadres de référence égocentri-ques et cadres de référence intrinsèques, et, d'autre part, l'existence d'un problème de liage des cadres de référence. Dans l'expérience perceptive normale, contenu-scénario et contenu protopropositionnel sont articulés ; autrement dit, les cadres de référence centrés sur les objets sont eux-mêmes positionnés relativement à un cadre de référence égocentrique global. C'est précisément cette articulation qui confère à l'expérience per-ceptive son unité. Toutefois, comme en témoigne le syndrome de Balint, les mécanismes qui assurent ce liage des cadres de référence objectaux peuvent être défaillants ; les sujets devenant alors incapables de percevoir simultanément plusieurs objets, de les localiser dans l'espace et d'appré-cier leurs relations spatiales.

Je voudrais pour terminer revenir une dernière fois sur les critères de Bermúdez et sur les avantages explicatifs que présente ce niveau de contenu. Tout d'abord, une expérience perceptive dotée de contenu pro-topropositionnel nous présente une scène visuelle structurée en objets dotés chacun d'une forme spécifique caractérisée relativement à un cadre de référence intrinsèque. Ce processus d'organisation opère en outre de manière récursive, les unités élémentaires que sont les objets étant orga-nisées dans des structures plus importantes (groupements) ou analysées en leurs parties. Une expérience dotée de ce type de contenu a donc des conditions de correction qui vont au-delà des conditions attachées aux contenus-scénarios. Le contenu protopropositionnel d'une expérience est correct si et seulement si la disposition des objets dans la scène visuelle aux temps et lieu assignés est compatible avec le mode de segmentation entre figures et fond que présente le contenu, si les objets dans la scène ont les propriétés et ont entre eux les relations spatiales que le contenu les présente comme possédant.

Ce niveau de contenu a également pour caractéristique de manifes-ter une forme d'intensionnalité qui n'est pas encore présente dans les scé-narios. Cette forme d'intensionnalité est illustrée par l'exemple de la forme que l'on peut percevoir comme un carré ou comme un losange. Selon Peacocke, le contenu représentationnel de la première expérience comprend la protoproposition que la figure est symétrique par rapport aux bissectrices des côtés, celui de la seconde expérience, la protoproposition que la figure est symétrique par rapport aux bissectrices des angles. Nous pouvons reformuler l'idée de Peacocke en disant que cette forme admet deux descriptions structurelles faisant intervenir des cadres de référence différents : l'une utilise un cadre de référence intrinsèque prenant pour axes les bissectrices des côtés, l'autre un cadre de référence intrinsèque prenant pour axes les bissectrices des angles. L'avantage de cette formulation qui fait intervenir la notion de cadre de référence est d'avoir une portée plus large, puisqu'elle s'applique à tous les objets ou groupements d'objets qui sont structurellement ambigus.

Sur le plan de l'utilité explicative, ce niveau de contenu qui fait intervenir un mode de structuration plus élaboré de l'expérience perceptive permet des formes d'intégration cognitive et des proto-inférences nouvelles par rapport à celles qu'autorisent les contenus-scénarios. L'intégration cognitive consiste pour une part en la capacité d'une créature à détecter des similitudes partielles entre les situations qu'elle rencontre. Nous avons vu que l'exploitation de la structure des scénarios rend possible la détection de certaines de ces similitudes. Toutefois, la détection de similitudes par l'exploitation de la structure des scénarios est soumise à de sévères restrictions. Les similitudes détectées sont pour l'essentiel des similitudes relativement globales qui dépendent d'opérations de rotation et/ou de translation du système de coordonnées. Lorsque plusieurs cadres de référence égocentriques et intrinsèques, et pour certains éventuellement enchâssés, sont utilisés pour structurer une expérience perceptive, de nouvelles similitudes peuvent être détectées. Par exemple, l'utilisation de cadres de référence centrés sur les objets permet la détection d'équivalences de formes qui ne seraient pas détectables sur la seule base des contenus-scénarios. Plus généralement, l'utilisation de ces cadres de références permet la reconnaissance de similitudes indépendamment du point de vue, et leur enchâssement, la détection de similitudes à des échelles différentes. On peut, par exemple, voir que l'organisation générale de deux scènes est la même en dépit du fait que les unités ainsi organisées sont différentes.

Un autre aspect de l'intégration cognitive concerne les interactions des états perceptifs avec d'autres types d'états représentationnels. Là encore, l'enrichissement structurel qu'apporte l'utilisation simultanée de plusieurs cadres de référence permet d'aller au-delà de ce qui est possible sur la base des contenus-scénarios. En premier lieu, la construction de contenus amodaux beaucoup plus riches devient possible. Par exemple, à supposer que d'autres modalités que la modalité visuelle fassent également intervenir des cadres de références intrinsèques, les objets présentés sous une modalité peuvent être comparés avec des objets présentés sous une autre modalité, et leur identité de forme éventuellement détectée. Ainsi, on devrait être capable de détecter l'équivalence entre un cube vu et un cube exploré par le toucher qui n'occupent pas la même position dans l'espace — ce qui n'est pas possible pour les contenus amodaux fondés sur les contenus-scénarios. Cette structuration par des cadres de références non égocentriques permet également la construction de cartes allocentriques de l'environnement, autrement dit de cartes qui définissent les relations spatiales entre objets et traits de l'environnement indépendamment de la position de l'observateur en exploitant des cadres de référence centrés sur des objets ou des traits de l'environnement. De telles cartes ont une stabilité qui fait défaut aux représentations égocentriques : elles n'ont pas à être mises à jour chaque fois que l'observateur se déplace. Elles permettent ainsi d'accroître les capacités de navigation et de repérage de l'agent dans son environnement. Une autre conséquence de cette structuration de la scène visuelle en objets est d'autoriser des proto-inférences sur le comportement des objets et non simplement des proto-inférences sur les conséquences de notre propre comportement sur le contenu de notre expérience perceptive. Il est bien sûr trivial de dire que l'expérience perceptive ne nous permettrait pas de faire des inférences sur le comportement des objets si elle ne nous présentait pas des objets. Il est en revanche intéressant de remarquer que les principes que le système visuel utilise pour la segmentation d'une scène en objets, pour le groupement d'objets ou pour l'analyse de leurs parties peuvent aussi être exploités pour faire des proto-inférences sur leur comportement. Ainsi, nous nous attendons à ce que les objets qui ont été définis en utilisant le principe de connectivité uniforme se déplacent « en bloc ». Cette attente est également présente dans une certaine mesure pour les objets qui ont été groupés ensemble même si le principe qui a présidé à leur groupement n'est pas le principe de mouvement commun. On doit encore souligner le fait que ce mode de structuration permet un encodage mnésique plus efficace et plus économique de l'information visuelle qu'un encodage fondé sur la structure des scénarios. Enfin, l'information perceptive ainsi structurée peut être exploitée par le système moteur pour des comportements plus complexes que les comportements d'atteinte ou de navigation. Une grande partie de nos comportements moteurs font intervenir la manipulation d'objets, et les manipulations auxquelles un objet peut être soumis dépendent en grande partie de sa forme intrinsèque.

Mon objectif était d'apporter une contribution à la défense de la thèse selon laquelle l'expérience perceptive est en partie non conceptuelle. Après avoir rappelé un certain nombre d'arguments négatifs visant à montrer que le contenu de la perception ne saurait être purement conceptuel, j'ai tenté de prolonger l'essai de caractérisation positive du contenu non conceptuel de la perception qu'a proposé Peacocke, et en particulier de préciser la notion de contenu protopropositionnel qu'il a introduite. Dans sa discussion du contenu protopropositionnel, Peacocke met surtout l'accent sur les éléments de ce contenu : individus, propriétés et relations. J'ai essayé de proposer une perspective complémentaire en mettant l'accent sur le mode de structuration qui rend possible que l'expérience perceptive ait ce contenu. J'ai insisté tout particulièrement sur le fait que cette structuration met en jeu des cadres de référence intrinsèques et fait intervenir simultanément plusieurs cadres de référence. J'ai souligné que cette structuration peut être le résultat de processus de traitement ascendants préattentionnels et qu'ainsi la structuration d'une scène en objets n'implique pas nécessairement de processus de conceptualisation. J'ai également essayé de montrer que ce niveau de contenu est bien représentationnel et satisfait aux critères de Bermúdez.

RÉFÉRENCES

– Baylis, G. C. et Driver, J. (1993), « Visual attention and objects », *Journal of Experimental Psychology : Human Perception and Performance*, 3, 451-470.
– Behrmann, M. et Tipper, S. P. (1994), « Object-based attentional mechanisms », *in* C. Umiltà et M. Moscovitch (éds.), *Attention and Performance XV*, Cambridge, Mass., The MIT Press.
– Behrmann, M. et Tipper, S. P. (1999), « Attention accesses multiple reference frames : evidence from unilateral neglect », *Journal of Experimental Psychology : Human Perception and Performance*, 25, 83-101.
– Bermúdez, J. L. (1998), *The Paradox of Self-Consciousness*, Cambridge, Mass., The MIT Press.
– Brewer, B. (1999), *Perception and Reason*, Oxford, Oxford University Press.
– Burns, E. M. et Ward, W. D. (1977), « Categorical perception — phenomenon or epiphenomenon : evidence from experiments in the perception of musical intervals », *Journal of the Acoustical Society of America*, 63 : 456-468.
– Crane, T. (1992), « The non-conceptual content of experience », *in* T. Crane (éd.), *The Contents of Experience*, Cambridge, Cambridge University Press, 136-157.
– Dokic, J. et Pacherie, É. (2001), « Shades and concepts », *Analysis*, 61, 3, 193-202.
– Dretske, F. (1969), *Seeing and Knowing*, Chicago, The University of Chicago Press.

– Dretske, F. (1981), *Knowledge and the Flow of Information*, Cambridge, Mass., The MIT Press.
– Dretske, F. (1995), *Naturalizing the Mind — The Jean Nicod Lectures — 1994*, Paris, Éditions du CNRS et Cambridge, Mass., The MIT Press.
– Driver, J. et Baylis, G. C. (1998), « Attention and visual object segmentation », *in* R. Parasuman (éd.), *The Attentive Brain*, Cambridge, Mass., The MIT Press, 299-325.
– Driver, J., Baylis, G. C. et Rafal, R. D. (1992), « Preserved figure-ground segregation and symmetry perception in visual neglect », *Nature*, 360, 73-75.
– Driver, J., Mattingley, J. B., Rorden, C., et Davis, G. (1997), « Extinction as a paradigm measure of attentional bias and restricted capacity, following brain injury », *in* R. Thier et H.-O. Karanth (éds.), *Parietal Lobe Contributions to Orientation in 3D Space*, Berlin, Springer Verlag, 401-429.
– Duncan, J. (1984), « Selective attention and the organization of visual information », *Journal of Experimental Psychology : General*, 113, 501-517.
– Duncan, J. (1993a), « Coordination of what and where in visual attention », *Perception*, 22, 1261-1270.
– Duncan, J. (1993b), « Similarity between concurrent visual discriminations : dimensions and objects », *Perception and Psychophysics*, 54, 425-430.
– Egly, R., Driver, J. et Rafal, R. (1994), « Shifting visual attention between objects and locations : normality and pathology », *Journal of Experimental Psychology : General*, 123, 161-177.
– Evans, G. (1982), *The Varieties of Reference*, Oxford, Clarendon Press.
– Fodor, J. A. (1983), *The Modularity of Mind*, Cambridge, Mass., The MIT Press.
– Halsey, R. M. et Chapanis, A. (1951), « Number of absolute identifiable hues », *Journal of the Optical Society of America*, 41 : 1057-1058.
– Hardin, C. L. (1988), *Color for Philosophers*, Indianapolis, Hackett.
– Hurvich, L. M. (1981), *Color Vision*, Sunderland, Mass., Sinauer Associates.
– Johnston, W. A. et Dark, V. J. (1986), « Selective attention », *Annual Review of Psychology*, 37, 43-75.
– McDowell, J. (1994), *Mind and World*, Cambridge, Mass., Harvard University Press.
– Moore, C., Yantis, S. et Vanghan, B. (1998), « Object-based visual selection : evidence from perceptual completion », *Psychological Science*, 9, 104-110.
– Palmer, S. E. et Rock, I. (1994), « Rethinking perceptual organization : the role of uniform connectedness », *Psychonomic Bulletin and Review*, 1, 29-55.
– Palmer, S. E. (1977), « Hierarchical structure in perceptual representation », *Cognitive Psychology*, 9, 441-474.
– Palmer, S. E. (1978), « Structural aspects of visual similarity », *Memory and Cognition*, 6, 91-97.
– Palmer, S. E. (1982), « Symmetry, transformation, and the structure of perceptual systems », *in* J. Beck (éd.), *Organization and Representation in Perception*, Hillsdale, NJ, Erlbaum.
– Palmer, S. E. (1999), *Vision Science*, Cambridge, Mass., The MIT Press.

– Peacocke, C. (1992), *A Study of Concepts*, Cambridge, Mass., The MIT Press.
– Peacocke, C. (1998), « Nonconceptual content defended », *Philosophy and Phenomenological Research*, LVIII, 2, 381-388.
– Peacocke, C. (2001) « Does perception have a nonconceptual content ? », *The Journal of Philosophy*, 98, 5, 239-264.
– Rock, I. (1995), *Perception*, New York, Scientific American Library.
– Scholl, B. J. (2001), « Objects and attention : the state of the art », *Cognition*, 80, 1-46.
– Sedivy, S. (1996), « Must conceptually informed perceptual experience involve non-conceptual content ? », *Canadian Journal of Philosophy*, 26, 3, 413-431.
– Spelke, E. (1988), « Where perceiving ends and thinking begins : the apprehension of objects in infancy », *in* A. Yonas (éd.), *Perceptual Development in Infancy*, Hillsdale, NJ, Erlbaum, 197-234.
– Treisman, A. et Gelade, G. (1980), « A feature integration theory of attention », *Cognitive Psychology*, 12, 97-136.

La perception est-elle une représentation ?

par Sandra Laugier

Perception, représentation, contenu

Après qu'on a, à plusieurs reprises, annoncé au siècle dernier la fin de l'ère de la représentation, il semble que le concept de représentation revienne en force aujourd'hui, comme cela a régulièrement été le cas dans l'histoire de la philosophie classique, et certainement grâce à sa plasticité — ou à ce qu'on pourrait appeler, en reprenant une expression de Waismann, la « texture ouverte » du terme « représentation » : la représentation peut être une relation (quelque chose est représenté à quelqu'un), mais aussi le véhicule même de la représentation, une entité (contenu, énoncé, état, perception) qui représente. On pourrait ainsi définir désormais la représentation dans des termes minimalistes, et souvent non métaphysiques, voire non mentalistes. Il y aurait alors dans le champ de la théorie de la connaissance et des sciences cognitives, un consensus sur un concept « minimal » de la représentation, illustré par un certain nombre des contributions à ce volume.

Mais la question de la représentation n'est peut-être pas si aisément réglée. Notre but n'est pas ici de donner un nouveau sens au terme, ou de le redéfinir d'une façon ou d'une autre, mais de tenter d'explorer quelques pistes en direction de ce que pourrait être une véritable critique de la représentation. Or une approche de la perception est avant tout un moyen de repenser le concept de représentation, car le concept « minimal » de la représentation est, on va le voir, étroitement lié à un concept « minimal » de la perception. D'où notre question : la perception est-elle une représentation ? Notre idée directrice est que même des conceptions minimales et « directes » de la perception sont tributaires d'un concept

ou, comme dit Charles Travis dans *Unshadowed Thought*[1], d'une
« ombre » de représentation. La question, peut-être déroutante ou mal
formulée, consiste d'abord à demander si la perception nous représente
quoi que ce soit, ou si les sens nous représentent quoi que ce soit dans/
par la perception.

C'est une question dont on peut se dire qu'elle a une réponse évidente, par définition en quelque sorte : percevoir (voir, entendre, etc.)
consiste bien au moins à avoir une représentation, ou une présentation,
du monde comme étant tel ou tel. Les discours contemporains sur la perception, même s'ils rejettent beaucoup d'interprétations ou de formes de
cette définition (par exemple de type kantien ou postkantien), renfer-
ment cependant un concept de représentation, même si ce n'est pas
explicite. Percevoir, c'est, semble-t-il, avoir une représentation, avoir le
monde présenté à soi comme étant tel ou tel. Une telle définition paraît
« neutre » — dès lors qu'on ne met pas dans « représentation » l'idée
d'une conceptualisation ou d'une théorisation d'un contenu. La majorité
des théoriciens de la perception se méfient à juste titre de l'idée que la
perception serait un jugement appliqué à un donné, ou une inférence à
partir de données : c'est la critique de ce qui a été appelé à la suite de
Wilfrid Sellars le *mythe du donné*, menée par exemple chez John
McDowell dans *Mind and World*, Hilary Putnam dans ses textes récents
(notamment les textes repris dans *The Threefold Cord*) et dans le livre de
Jacques Bouveresse, *Langage, perception et réalité*[2].

Il ne s'agit pas d'entrer ici dans le débat sur le donné, et sur la question de savoir si le donné est conceptualisé ou non (le fameux débat sur
le caractère conceptuel ou non conceptuel du contenu, dont traitent Élisabeth Pacherie et Pascal Engel dans le présent volume). Ce débat semble
en effet porter sur l'alternative suivante : y a-t-il un pur donné non
conceptuel qui va être défini et retravaillé par des concepts, ou le donné
est-il d'emblée en tant que tel conceptualisé ou (comme on préférera dire
aujourd'hui) structuré ? À la première suggestion, McDowell, à la suite
de Davidson, a objecté à juste titre qu'elle était (dans son empirisme
même) tributaire de l'idéalisme, et d'une dualité schème/contenu ; mais,
à la seconde, on pourrait objecter (comme Bouveresse et Travis) qu'elle
est tout aussi problématique et idéaliste dans sa volonté de mettre dans le

---

1. Charles Travis, *Unshadowed Thought*, Cambridge, Mass., Harvard University Press,
2001.
2. John McDowell, *Mind and World*, Cambridge, Mass., Harvard University Press,
1994 ; Hilary Putnam, *The Threefold Cord, Mind, Body and World*, New York, Columbia University Press, 2000 ; Jacques Bouveresse, *Langage, perception et réalité*. Tome 1 :
La Perception et le Jugement, Nîmes, Jacqueline Chambon, 1995.

donné plus que… quoi ? du donné ? Car c'est bien le problème, celui de la définition du contenu ou du donné, et d'une définition qui évite tout représentationnalisme. De ce point de vue, le débat sur le contenu non conceptuel est fourvoyant : il semble présenter une alternative entre l'idée d'un pur contenu empirique qui serait à conceptualiser et l'idée que la réceptivité est d'emblée conceptualisée.

On peut citer à ce sujet McDowell :

> Nous devrions comprendre que ce que Kant appelle « intuition » (la saisie expérientielle) non pas comme pure obtention d'un Donné extra-conceptuel, mais comme une espèce d'occurrent ou d'état qui a déjà un contenu conceptuel. Dans l'expérience, on se rend compte, par exemple on voit, que les choses sont telles ou telles. C'est le genre de choses que l'on peut aussi, par exemple, juger[3].

Est-ce que percevoir, c'est voir que « les choses sont telles ou telles » ? Il n'y a là rien qui ne paraisse évident ou trivial. Pourtant, une telle façon de présenter les choses, déjà, nous engage : comme le notait Wittgenstein,

> le premier pas est celui qui passe entièrement inaperçu. […] Mais par là même, nous nous sommes engagés dans une façon déterminée de traiter le sujet. (Le pas décisif du tour de passe-passe a déjà été fait, et c'est justement celui qui nous a paru innocent[4].)

Une façon de sortir du débat sur le contenu non conceptuel est ainsi de poser la question du *contenu* même. La question n'est pas de savoir si le contenu est non conceptuel ou conceptuel, mais peut-être de savoir s'il y a contenu (et, donc, représentation). Car c'est bien la définition de l'expérience comme « ayant déjà un contenu » qui conduit McDowell à interpréter ou à dépasser le kantisme en posant une conceptualisation de l'expérience *dans sa passivité même* :

> Les capacités conceptuelles qui sont mises en jeu passivement dans l'expérience appartiennent à un réseau de capacités à la pensée active, un réseau qui gouverne rationnellement des réponses à visée compréhensive (*comprehension-seeking responses*) aux impacts du monde sur la sensibilité[5].

---

3. John McDowell, *op. cit.*, p. 9.
4. Ludwig Wittgenstein, *Philosophische Untersuchungen*, G. E. M. Anscombe, G. H. von Wright & R. Rhees (éds.), Oxford, Basil Blackwell, 1953, seconde édition 1958 ; *Werkausgabe*, Band 1, Frankfurt, Suhrkamp, 1989, § 308.
5. John McDowell, *op. cit.*, p. 12.

Je ne propose pas une défaite facile du Donné, qu'on obtiendrait en exploitant le fait que l'expérience est passive de façon à la mettre hors de portée de la spontanéité. L'idée que je propose est que même si l'expérience est passive, elle fait intervenir des capacités qui appartiennent proprement à la spontanéité[6].

Pour McDowell, notre sensibilité est, selon sa propre formule, « elle-même conceptuellement informée ». La perception met donc en œuvre une forme de réceptivité proprement humaine.

Nous n'avons pas besoin de dire que nous avons ce que les simples animaux ont, un contenu non conceptuel, et que nous avons aussi quelque chose d'autre, puisque nous pouvons conceptualiser ce contenu alors qu'ils ne le peuvent pas. Mais nous pouvons dire plutôt que nous avons ce qu'ont les simples animaux, une sensibilité perceptuelle aux traits de notre environnement, mais que nous l'avons sous une *forme spéciale*. Notre sensibilité perceptuelle à notre environnement est intégrée dans la faculté de spontanéité, qui est ce qui nous distingue d'eux[7].

Direct et indirect

Beaucoup de philosophes dont le rôle a été déterminant dans le débat, dont McDowell et Putnam (mais aussi avant eux Davidson), résolvent la question de la perception par le terme, lui aussi à texture ouverte, de « direct ». Il faut ménager un accès « direct » de l'esprit au monde, qui éviterait toute « interface », conceptuelle ou linguistique, entre eux. Un tel projet est inséparable à la fois de l'héritage de la philosophie du langage et de son dépassement : comme le montre la critique davidsonienne du schème conceptuel, ou la critique par Bouveresse de « la perception comme inférence » ou de certains usages du « voir comme » wittgensteinien, il s'agit de se débarrasser de l'idée d'une « interprétation » du donné par le langage ou le concept. Ces philosophes ont en vue la définition d'une perception « directe » : voir, c'est voir, rien de plus, comme dit Wittgenstein. Ce qu'on perçoit, ce ne sont donc pas des représentations (par exemple, un concept + un donné), mais directement des objets : je vois un arbre, un triangle, point. Une telle position s'appelle le « réalisme

---

6. *Ibid.*, p. 13.
7. *Ibid.*, p. 16.

direct ». Or il est plus difficile qu'on n'imagine d'être « réaliste direct », et peut-être que, à une ou deux exceptions près, personne ne l'est (alors que nombreux sont ceux qui revendiquent cette appellation). Pour une raison simple : la voie royale vers ce « réalisme » semble être celle d'un refus, ou d'un dépassement, de la philosophie du *langage* (en partie justifiés, à cause de formes d'idéalisme linguistique qui ont pu être un temps dominantes), vers une philosophie de l'esprit ou de la perception ; mais cette voie est peut-être un fourvoiement, et une certaine approche (différente) du langage — celle d'Austin, négligée pendant longtemps — peut nous éclairer.

Austin part du langage ordinaire, et s'intéresse aux usages de « certains mots anglais » comme « réalité », « avoir l'air » (*look*), « sembler » (*seem*), qui sont à la fois « glissants » (*slippery*) et intéressants. Cela le conduit à une position nette sur ce que c'est que « voir », comme le montre un de ses passages les plus surprenants, et les plus contestés :

> Quand l'homme ordinaire voit sur une scène de music-hall « la femme sans tête », ce qu'il voit (et c'*est* là ce qu'il voit, qu'il le sache ou non) n'est pas quelque chose d'« irréel » ou d'« immatériel », mais une femme sur un fond noir, avec la tête dans un sac noir[8].

Les philosophes, même d'obédience réaliste, sont généralement perplexes devant cette position : en effet, peut-on voir sans savoir qu'on voit ? Et n'y a-t-il pas tout de même quelque chose qui est une « représentation » de « la femme sans tête », quelque chose qui dans ce cas *est vu* et n'est pas « une femme sur un fond noir, avec la tête dans un sac noir », ou du moins, diraient des wittgensteiniens, un usage ou un sens de voir où je peux dire que ce que je *vois* est « la femme sans tête » (chez l'ophtalmologiste, je peux savoir que ce que je vois est la lettre E, et pourtant dire, puisque c'est ce qui est requis dans cette situation, que je ne la vois pas ou vois autre chose). Or on ne peut saisir la radicalité de la position d'Austin, mais aussi sa validité, si on n'accepte pas ce passage. Le fait que bien des partisans dudit « réalisme direct » récuseraient une telle affirmation montre bien qu'il reste encore du chemin à faire sur la voie d'un réalisme direct authentique. C'est ce que remarque Hilary Putnam : il ne suffit pas d'une réforme linguistique, ou de dire que nous ne percevons pas des « représentations » mais que nous les « avons », ou de dire que nous percevons directement les objets et non des intermédiaires représentationnels, pour être « réaliste ».

---

8. John L. Austin, *Sense and Sensibilia*, Oxford, Clarendon Press, 1962 [*Le Langage de la perception*, traduction par P. Gochet, Paris, Armand Colin, 1971], p. 14.

Au début de *Sense and Sensibilia*, Austin tourne en ridicule la prétention au réalisme :

> Je ne soutiendrai pas — et c'est un point sur lequel il faut s'accorder depuis le début — que nous devons être « réalistes », c'est-à-dire adopter la doctrine selon laquelle nous percevons vraiment (*do perceive*) des choses (ou des objets) matériels. Cette doctrine ne serait pas moins scolastique et erronée que son antithèse. La question « percevons-nous des choses matérielles ou des données sensibles ? » paraît sans doute très simple — trop simple — mais elle est entièrement trompeuse. (*Cf.* la question vaste et simplifiée de Thalès : de quoi le monde est-il fait ?) Une des choses les plus importantes à saisir est que ces deux termes, « *sense-data* » et « choses matérielles » vivent aux dépens l'un de l'autre (*live by taking in each others's washing*) ; ce qui est bidon, ce n'est pas un des deux termes, c'est l'antithèse elle-même[9].

Reprenons la question classique de Strawson : quels sont les objets de la perception ? *Que* percevons-nous ? Cette question est constamment posée dans la philosophie de la perception, mais, pour Austin, elle est oiseuse (*spurious*). Il serait faux en ce sens de dire qu'Austin défend une forme de réalisme naïf, parce qu'il n'y a guère de sens à parler selon lui de *réalisme* (doctrine aussi erronée que son contraire). La doctrine attaquée par Austin dans *Sense and Sensibilia* est, dit-il, celle selon laquelle « jamais nous ne voyons ou ne percevons (sentons), en tout cas *directement*, des objets matériels, mais seulement des *sense-data* ». Mais il n'y substitue pas l'idée que nous voyons ou percevons « directement » les objets. Austin affirme d'emblée :

> Donc nous n'allons *pas* chercher une réponse à la question : quelle sorte de choses percevons-nous[10] ?

Il est important de comprendre cela, car les doctrines actuelles prônent toujours un réalisme, voire un réalisme direct, sans pour autant tenir compte des critiques d'Austin. Elles considèrent en effet que ces critiques portent sur une forme désuète de théories de la perception, la théorie des *sense-data*, et que les théories actuelles échappent à ces critiques, qui, du coup, sont elles-mêmes rendues obsolètes par les progrès des sciences de la cognition. Ces sciences, semble-t-il, peuvent mettre en évidence de façon expérimentale « ce que nous voyons » : par exemple déterminer par des

---

9. *Ibid.*, p. 3-4 [tr. fr., p. 24].
10. *Ibid.*, p. 2 [tr. fr., p. 22].

tests triviaux les formes que nous percevons, etc. On peut donc, aujourd'hui, demander « quelles sortes de choses nous percevons ».

Nous voudrions suggérer ici que ces critiques austiniennes portent encore, et même peut-être plus pertinemment, contre les théories actuelles de la perception et, généralement, de l'esprit que contre l'empirisme classique et les théories du début du siècle visées dans *Sense and Sensibilia*.

L'interface

Putnam montre pour sa part, dans *The Threefold Cord*, comment les doctrines actuelles de la perception sont dans le prolongement exact de l'idée classique d'interface ; il dénonce ainsi

> l'idée désastreuse qui a hanté la philosophie occidentale depuis le XVIIᵉ siè-cle, l'idée que la perception implique une interface entre l'esprit et les objets « extérieurs » que nous percevons. Dans les versions dualistes de la métaphysique et de la théorie de la connaissance modernes, cette interface était censée consister en « impressions » (ou « sensations », « expériences », « *sense-data* », « *qualia* ») et ceux-ci étaient conçus comme immatériels. Dans les versions matérialistes, cette interface a longtemps été considérée comme consistant en processus cérébraux[11].

En croyant en avoir fini avec *les sense-data*, la philosophie actuelle s'avère incapable de poser réellement les problèmes que les *sense-data* (qu'elle pense avoir dépassés) étaient censés régler : on s'est persuadé, de toute façon, qu'il n'y a qu'un seul moyen de parler de la perception : par l'élaboration d'une interface cognitive propre à la perception et à « ses objets ».

Mais la question véritable est-elle bien celle de l'interface ? Si l'on considère la question à la Strawson « qu'est-ce qui est perçu ? », on est certes inévitablement entraîné dans une telle problématique. Si je réponds que je perçois « directement » ou tout court tel ou tel objet, on peut objecter que cet objet peut ne pas être présent, ou n'être pas tel que je le perçois. C'est l'argument de l'illusion. L'expérience percep-tuelle peut être véridique ou trompeuse (fausse, illusoire, voire halluci-natoire, il y a beaucoup de possibilités) : elle peut me représenter les

---

11. Hilary Putnam, *op. cit.*, p. 23.

choses telles qu'elles sont, ou non. Le rapport, et la recherche d'un « élément commun », entre la perception trompeuse, ou (comme on lit souvent) « l'expérience perceptuelle » trompeuse, et l'expérience perceptuelle véridique est au centre de la problématique de la perception. La question de « ce qui est perçu » dans ce cas était au centre des discussions au début du siècle sur les *sense-data*, et le *sense-datum* a même constitué une réponse à celle-ci. Aujourd'hui, on ne parle plus de *sense-data* ; mais l'ensemble du discours cognitiviste en reprend la problématique : l'idée est qu'il y a un « objet » de la perception, ou quelque chose qui n'est pas (exactement, au sens strict) la chose perçue, mais... une représentation. Le discours philosophique sur la perception a donc systématiquement recours à quelque chose qui n'est pas forcément intentionnel, ni mental, ni ontologiquement déterminé, ni une entité intermédiaire entre le sujet et l'objet, mais qui est ce sens minimal de la représentation : le contenu.

Le meilleur moyen de mettre cela en évidence est de prendre l'argument de l'« illusion » ou de la représentation trompeuse (fausse). C'est ce que Putnam appelle, à la suite de McDowell, l'argument du « *highest common factor* » (*HCF*, ou en français PGCD[12]). C'est ainsi qu'on définissait le *sense-datum* au début du siècle dernier : ce qui est commun à la perception véridique et à la perception fausse. Je vois un lapin ; je crois voir un lapin, mais c'est une fleur (ou je rêve que je vois un lapin, ou j'ai une vision halllucinatoire de lapin sous l'effet d'une drogue) : dans un cas, je perçois ; dans l'autre, je crois percevoir (on a une expression anglaise plus adéquate qui n'existe pas en français : « *I seem to be perceiving* »). Il y a bien quelque chose, a-t-on envie de dire, de commun à ces deux représentations, qui ne peut être l'objet réel. La position de Putnam et de McDowell consiste à nier l'existence d'un élément (facteur) commun. À l'appui de cette « conception disjonctive » de la perception, Putnam renvoie à Austin.

La première chose que fait remarquer Austin est en effet que les arguments fondés sur l'illusion sont confus et mettent sur le même plan toutes sortes de phénomènes différents : ce n'est pas la même chose de voir quelque chose de travers (voir une chose telle qu'elle n'est pas) et de (croire) voir quelque chose qui n'est pas là. On confond alors *illusion* et ce qui se nomme en anglais *delusion* (l'hallucination).

---

12. *Ibid.*, p. 129.

Austin note (c'est dans ce contexte qu'apparaît « la femme sans tête ») :

> Regarder le diagramme de Müller-Lyer ou un village au loin par temps clair à travers une vallée n'est pas du tout du même tonneau que de voir un fantôme ou voir des rats roses dans une crise de *delirium tremens*. Et quand l'homme ordinaire voit sur une scène de music-hall « la femme sans tête »[13][…].

Ce n'est pas du tout la même chose de « mal » voir quelque chose et d'avoir une hallucination. Il n'y a pas lieu, dans le second cas, de parler d'« erreur ». Beaucoup de théories de la perception sont fondées sur le fait de rabattre le cas de l'illusion sur celui de la *delusion*. « Être trompé » (par un truc d'illusionniste, ou par sa jauge d'essence) ne veut pas dire « percevoir *quelque chose* de non réel ». C'est, tout simplement, se tromper. Celui qui a de véritables hallucinations n'est pas dans l'erreur au sens ordinaire.

Ce glissement serait anodin s'il ne conduisait à introduire une dimension de véridicité dans la perception ordinaire : en voyant mon voisin bien présent, je suis *dans le vrai* puisqu'en « voyant » un ami imaginaire je suis dans le faux. Cette introduction — apparemment évidente — du vrai et du faux dans la perception est peut-être l'erreur la plus profonde et la plus inaperçue des philosophies de la perception.

La véridicité de la perception

Le problème n'est alors pas tant de confondre *illusion* et *delusion* que de considérer qu'il y a dans la perception du vrai et du faux. Ce que reproche Austin aux théories de la perception fondées sur l'illusion, ce n'est pas seulement de faire du *sense-datum l'objet* de la perception (immatériel, mental, neuronal etc.) — cela, c'est facile à critiquer, et peu de théories actuelles entreprennent explicitement de dégager des *sense-data* comme objets —, mais de faire de la perception une *représentation* qui peut être vraie ou fausse, et donc un problème de connaissance. C'est cette idée qui est à la source de « l'argument de l'illusion », mais elle va au-delà.

C'est bien la notion de *représentation* dans « l'expérience perceptuelle » qui est à interroger. On connaît les critiques très judicieuses qui ont été faites à l'idée de la perception comme jugement, et comme

---

13. John L. Austin, *op. cit.*, p. 14.

conceptualisation. On croit ainsi se débarrasser d'un certain kantisme en se débarrassant de l'idée que l'expérience est un « donné » sur lequel vient s'appliquer le concept. Mais cela ne résout pas tout, comme le montre la position inconfortable de McDowell. Si on rejette l'idée de contenu non conceptuel, et qu'on en vient à conceptualiser « les impressions » et la réceptivité pour préserver le caractère « direct » du rapport au monde, on n'est pas pour autant débarrassé de l'idée de perception comme jugement ou « verdict ». On a juste affirmé le caractère direct, sans interface, du rapport avec ce contenu-déjà-conceptualisé.

> Dans l'expérience, on se rend compte, par exemple on voit, que les choses sont telles ou telles[14].

Charles Travis a peut-être vu juste en remarquant que, chez McDowell, à l'influence d'Austin et de l'idée d'une perception directe (sans intermédiaire) se superpose une autre influence : celle de Davidson, qui l'empêche d'aller aussi loin qu'Austin dans la critique de la représentation.

Pour s'en rendre compte, il faut revenir à l'examen des conceptions de la perception et au lien systématique qu'elles opèrent entre perception et véridicité. Quand on parle de perception en philosophie de l'esprit, on considère, non plus forcément que la perception implique un jugement, ou aurait des objets spécifiques comme des *sense-data*, mais que percevoir veut dire avoir une représentation, en un sens minimal — c'est-à-dire une représentation du monde ou des choses comme étant comme ceci ou comme cela. C'est une « expérience perceptuelle ». Or l'idée même d'expérience perceptuelle pose le problème de la véracité de l'expérience, laquelle serait de deux sortes : véridique ou non. Pour qu'une expérience soit véridique, il faut que les choses soient telles que l'expérience les *représente* : l'idée de représentation par l'expérience est ainsi inséparable de l'idée de véridicité de l'expérience.

Dans cette approche, il y a un lien fort entre expérience perceptuelle et vérité : l'expérience perceptuelle représente de façon à connecter à la vérité. C'est ce qui définit le contenu de l'expérience : un contenu représentationnel, véridique ou non. On voit ici que l'expression d'« expérience perceptuelle », apparemment neutre, introduit l'idée de représentation. Représentation ici, de nouveau, au sens de relation : l'expérience représente, et elle représente le monde au *sujet* de l'expérience. Cette représentation peut être correcte ou incorrecte, elle a une valeur de vérité.

---

14. John McDowell, *op. cit.*, p. 9.

Il est amusant de remarquer la proximité de la présentation du problème par McDowell au début de *Mind and World* avec celle d'autres présentations de la perception :

> Les expériences d'un sujet lui représentent le monde comme étant tel ou tel. Ces expériences peuvent être correctes ou incorrectes. [...] Bref, les expériences ont des propriétés représentationnelles ou sémantiques ; elles ont un contenu[15].

Mais le problème est bien : une expérience peut-elle être correcte ? C'est la question que pose Travis dans le prolongement d'Austin. On peut se tromper, et cela arrive souvent ; mais on ne voit pas comment transférer ces cas ordinaires d'erreur — le concept ordinaire de correction et de non-correction — à *l'expérience*.

> Si j'attends une heure un bus qui n'arrive jamais (parce que je me suis trompé d'arrêt), j'ai une expérience que j'aurais préféré ne pas avoir. Si je n'étais pas au bon arrêt, alors peut-être j'étais dans l'erreur (*I was mistaken or incorrect*). Mais pas l'expérience. Dans la conception de Davies, lorsque je vois un cochon devant moi, j'ai l'expérience correcte ; et je peux avoir la même expérience dans un cas où l'absence porcine la rend incorrecte[16].

Travis met en évidence la difficulté qu'il y a à parler de *correction* de l'expérience. Or tout un pan de la théorie de la perception actuelle est fondé sur une telle idée : si l'on envisage une expérience « réelle », mais incorrecte, on met en évidence le *contenu* de l'expérience. Bref, c'est par l'idée de contenu qu'on pose la question d'une correction de l'expérience.

On peut citer aussi, à propos de l'expérience perceptuelle, le début du chapitre sur la perception du fameux livre de Christopher Peacocke, *A Study of Concepts* :

> Une expérience perceptuelle représente le monde comme étant tel ou tel. Quelle est la nature du contenu qu'elle représente comme ce qu'elle inclut ? [...] Il est important de donner pour les expériences une idée de leur contenu représentationnel qui soit clairement évaluable comme correcte ou incorrecte[17].

---

15. Martin Davies, « Perceptual content and local supervenience », *Proceedings of the Aristotelian Society*, 1992, p. 22.
16. Charles Travis, « The silence of the senses », inédit.
17. Christopher Peacocke, *A Study of Concepts*, Cambridge, Mass., The MIT Press, 1992, p. 61 et 64.

Là encore, Peacocke nous dit qu'une expérience représente le monde d'une certaine façon à un sujet, et qu'elle a donc un *contenu*. C'est ce contenu qui est à évaluer, qui peut être correct ou incorrect. « Toute expérience perceptuelle a une condition de correction », selon Peacocke. Mais pourquoi l'expérience serait-elle correcte ou incorrecte ? Cette idée, qui est devenue une sorte d'évidence en philosophie de l'esprit, avait déjà été dénoncée par Austin. Elle revient à donner un « sens » à l'expérience, comme si elle nous *disait* quelque chose qui serait alors vrai ou faux.

« Senses are dumb »

On pourrait opposer à cette conception dominante ce qu'Austin opposait déjà aux théories du siècle dernier : les sens sont muets, et ne nous *disent* rien.

> Bien que l'expression « trompés par nos sens » soit une métaphore commune, elle n'en est pas moins une métaphore. Ce fait vaut la peine d'être noté, car la même métaphore est fréquemment reprise et continuée par l'expression « véridique » et prise très au sérieux. Il est évident qu'en réalité, nos sens sont muets (*our senses are dumb*). Quoique Descartes et d'autres parlent de « témoignage des sens », nos sens ne nous *disent* (*tell*) rien, ni de vrai ni de faux[18].

On peut noter l'injustice relative qu'il y a à se moquer de Descartes, qui a bien remarqué que la perception ne pouvait nous tromper et que les sens étaient innocents (encore qu'il soit tout aussi problématique, pour Austin, de dire qu'ils sont toujours dans le vrai). Mais ce qui compte, c'est l'idée d'Austin ici : si les sens sont muets (*dumb*), c'est qu'ils ne disent rien, qu'on ne peut appliquer l'idée de correction ou d'incorrection à l'expérience, et qu'on ne peut parler de contenu représentationnel pour l'expérience.

Cela n'exclut pas, évidemment, la possibilité de l'erreur. Il arrive que je prenne un objet pour un autre, que je sois trompé par les apparences, etc. Mais ce n'est pas la perception qui se trompe, c'est moi. Peut-être la chose que je vois ressemble-t-elle à un cochon et même en est-elle une excellente imitation : peut-être tout le monde serait-il trompé comme je le suis. Mais il n'y a pas de raison de dire qu'elle crée la représentation d'un cochon. Comme le dit Travis,

18. John L. Austin, *op. cit.*, p. 11.

je peux prendre ce que je vois pour un cochon alors que ce n'en est pas un : cela avait seulement l'air d'en être un. Je suis alors dans l'erreur. Mais la perception ne l'est pas. Que quelque chose ait l'air d'un cochon ne veut pas dire pour autant qu'il m'est représenté comme étant un cochon, par la perception ou quoi que ce soit d'autre — ni de façon erronée, ni correcte[19].

La question n'est plus celle de l'existence d'entités intermédiaires, ou d'une interface entre le monde et le sujet, telles qu'elles sont critiquées par Putnam et McDowell. Lorsque Austin critique l'idée d'intermédiaire, sa critique est inséparable de l'idée, bien plus forte, et centrale chez lui, que « les sens sont muets ».

L'argument de l'illusion revisité

La question n'est pas ontologique, elle est, précisément, ordinaire : il y a des cas où on se trompe, où l'on est trompé (*misled, mistaken*) ; mais ce n'est pas la perception qui est incorrecte, ni les sens qui se trompent. Ce n'est pas non plus (et encore moins) une mauvaise interprétation ou un jugement erroné qui seraient appliqués à l'expérience « neutre ». Pour comprendre un peu la nature de la perception, il faut d'abord savoir ce que c'est que « se tromper ».

C'est sur ce point qu'apparaît le sens de l'argument de l'illusion et de la « conception disjonctive de la perception[20] ». Selon cette conception, il n'y a *rien* de commun entre la perception véridique et la perception trompeuse ; et les arguments fondés sur le scepticisme et l'illusion pour définir la nature de la perception sont trompeurs, voire pervers.

Cette critique de l'argument de l'illusion a été formulée par McDowell, qui la tire non pas d'Austin, mais de la notion de critère de Wittgenstein. Il n'y a pas de critère de la réalité de l'expérience : devant cette déception fondamentale (cette « défaisabilité »), au lieu de renoncer à l'idée de critère et au projet de faire de la réalité une question épistémologique, on se rabat sur l'idée de contenu de l'expérience : on va établir une équivalence entre le contenu des cas trompeurs et des cas véridiques (puisqu'ils sont indistinguables par l'expérience). C'est le PGCD :

---

19. Charles Travis, « The silence of the senses », *op, cit.*
20. H. Putnam, *op. cit.*, p. 152.

le plus grand facteur commun entre ce qui est donné à l'expérience dans les cas où il y a tromperie et ce qui est donné dans les cas où il n'y a pas tromperie[21].

McDowell utilise la conception disjonctive de façon positive pour construire l'idée d'une « ouverture sans médiation du sujet de l'expérience » à la *réalité*[22]. Il mentionne dans le même article la différence entre les deux sens d'apparaître, celle qui est inscrite dans l'usage de la langue grecque entre « *phainetai sophos ôn* » et « *phainetai sophos einai* », la première expression désignant une manifestation, et la seconde une simple apparence[23]. L'important pour lui est d'arriver à rendre compte de cette différence, à rendre compte de l'apparaître sans faire usage des apparences comme intervenant en général *entre* le sujet et le monde. D'où l'insistance chez McDowell sur le caractère *direct* de la perception : les choses m'apparaissent directement, sans interface conceptuelle pour les traiter. Il ne semble pas voir qu'en prônant ainsi une perception directe (d'un contenu conceptuel) il retombe dans le piège dénoncé par Austin (« direct » et « indirect » vivent aux dépens l'un de l'autre). Travis, pour sa part, veut aller au bout de l'idée que « les sens sont muets ».

On pourrait se demander pourquoi McDowell, comme d'autres penseurs du « direct », est obsédé par ces éléments intermédiaires — ces tiers venant troubler la relation intime, directement vérificationniste, entre le sujet et le monde, qui était revendiquée déjà par Davidson à la fin de son essai sur « L'idée même de schème conceptuel ». Comme le rappelle Putnam, on peut avoir une conception des *qualia* ou des *sense-data* qui les définisse de façon purement matérielle, ou sans qu'ils soient conçus comme des éléments « séparés ». Certaines approches présentes de la perception évitent toute ontologie des états intermédiaires et revendiquent un réalisme direct. La question n'est donc peut-être pas l'« intermédiaire ».

Revenons au passage où Austin affirme, contre Ayer, que les sens sont muets :

> Nos sens ne nous *disent* rien, ni de vrai ni de faux. Le cas est encore aggravé ici par l'introduction sans explication d'une toute nouvelle création, nos « perceptions sensibles ». Ces entités qui, bien entendu, ne figurent nulle part dans le langage de l'homme ordinaire, ni au sein de ses croyances, sont introduites avec l'implication que, chaque fois que nous

---

21. « Criteria, defeasibility, and knowledge », *in* John McDowell, *Meaning, Knowledge and Reality*, Cambridge, Mass., Harvard University Press, 1998, p. 386.
22. *Ibid.*, p. 392.
23. *Ibid.*, p. 387.

« percevons » quelque chose, il y a une entité *intermédiaire* toujours *présente* qui nous *informe* de quelque chose d'autre qu'elle-même. La question qui se pose alors est : pouvons-nous, oui ou non, nous fier à ce qu'elle nous apprend ? Est-elle « véridique »[24] ?

Plus que l'idée d'intermédiaire (propre aux philosophes, et qu'Ayer attribue arbitrairement à l'homme ordinaire), Austin critique la démarche même qui consiste à donner à cette entité intermédiaire le pouvoir de nous *indiquer* et de nous *informer,* de donner une « véridicité » à la perception.

Il ne suffit donc pas de prôner une perception directe, il faut d'abord se débarrasser de l'idée de véridicité. Cela implique une mise en cause de l'idée de la perception comme preuve ou « *evidence* ». La question est celle — épistémologique — du rapport entre perception et connaissance, comme le montre ce passage d'Austin qui dénonce « un grave écart par rapport à l'emploi correct de la notion d'*evidence* » :

> La situation dans laquelle on pourrait, sans impropriété, dire que j'ai une preuve (*evidence)* à l'appui de l'énoncé que quelque animal est un cochon serait celle où, par exemple, la bête elle-même n'est pas réellement visible (*in view*), mais où je puis voir nombre de traces analogues à celles que laisse derrière lui un cochon sur le sol et autour de sa retraite. Si je découvre quelques seaux de nourriture pour cochon, c'est un indice (*evidence)* de plus, et les bruits et l'odeur peuvent fournir des indices supplémentaires. Mais si l'animal émerge alors et se tient là juste devant moi (*plainly in view*), ce n'est plus affaire d'indices (*collecting evidence*) : son apparition ne me fournit pas un indice de plus que c'est un cochon, à présent je puis simplement *voir* que c'en est un et la question est réglée[25].

Encore une fois, le défi qui se présente au « réalisme direct » est de prendre cet exemple au sérieux : *voir* le cochon dans des conditions normales n'est pas affaire de preuve ni d'indices.

Look

Ce qu'oublient les argumentations sur l'illusion, le contenu, etc., c'est que la tromperie est induite par quelque chose et la façon dont il se présente (*looks*), ce dont il a l'air au sens très ordinaire. Austin dit ainsi :

24. John L. Austin, *op. cit.*, p. 11.
25. *Ibid.*, p. 115.

> Si une église était habilement camouflée de façon à apparaître comme une grange, comment pourrait-on demander sérieusement ce que nous voyons quand nous la regardons ? Nous voyons, bien entendu, une église qui a l'air d'une grange[26].

Ce que veut dire Austin, comme dans le passage sur la femme sans tête, c'est que c'est *cela* qu'on voit — on peut prendre cela pour autre chose, mais on ne voit de fait rien d'autre. Les choses ont l'air de ce dont elles ont l'air, et ce dont elles ont l'air, leur « air », est exactement ce qui est vu. Le bâton dans l'eau a l'air d'un bâton dans l'eau, et les choses ont exactement l'air de ce qu'elles sont. La signification de ce que dit ici Austin a été mise en évidence par Travis, à travers une analyse précise de ce mot : « *look* ». Chaque chose a l'air exactement de ce qu'elle est (*everything looks precisely like what it is*). Si je déguise un mouton de façon qu'il ait l'air d'une chèvre, fait remarquer Travis, il a l'air exactement d'un mouton déguisé en chèvre.

Pour bien comprendre la portée de ce que disent ici Austin et Travis, il faut revenir à l'un des premiers articles d'Austin, « The meaning of a word », où l'on trouve une récusation de la signification (*meaning*) qui s'étend à la référence ; toute cette tendance à chercher des significations, selon Austin, relève d'un mal philosophique qu'il ne cesse de dénoncer, celui qui consiste à trop demander à l'analyse et à demander : de quoi parlons-nous ?

> Après avoir analysé une phrase contenant le mot ou l'expression « x », nous avons souvent tendance à demander, à partir de notre analyse, « qu'est-ce, dans cela, que "x" ? » Ou encore, après avoir analysé l'affirmation « les arbres peuvent exister sans qu'on les perçoive » en affirmations concernant la réception des données sensorielles, nous ne nous sentons pas à l'aise tant que nous ne pouvons pas dire que quelque chose « existe vraiment » « sans être perçu », d'où les théories sur les *sensibilia* et Dieu sait quoi encore[27].

Austin critique ainsi notre tendance à chercher toujours (qu'il s'agisse de signification ou de référence) des *entités* dont parleraient nos phrases, qui seraient leur véritable *objet*. C'est le cas du discours philosophique sur la perception. La façon dont Austin rapproche les deux problèmes (celui du sens et celui de la perception) n'est pas seulement

---

26. *Ibid.*, p. 30.
27. John L. Austin, *Philosophical Papers*, Oxford, Clarendon Press, 1962 [*Écrits philosophiques*, traduction par L. Aubert et A. L. Hacker, Paris, Seuil, 1994], p. 61.

motivée par une critique du sens ou par le refus des entités intermédiaires. Austin critique l'idée que voir, ou percevoir en général, ait quoi que ce soit à voir avec un *sens*, ce qui va au-delà de la critique des notions de *sense-datum* ou d'entité intermédiaire. Pour lui, il n'y a pas plus de sens à demander « de quoi nous parlons » en général qu'à demander *ce que* nous percevons en général.

Pour Austin, il n'y a qu'*un* sens de « voir », même si nous voyons différentes choses, et même si ce sens de « voir » est lui-même soumis à certaines variations et à des usages qui peuvent être différents. Si je regarde dans un télescope et que vous me demandez ce que je vois, je peux répondre, de façon entièrement correcte : 1) une tache brillante ; 2) une étoile ; 3) Sirius ; 4) l'image qui est dans le quatorzième miroir du télescope.

> De n'importe laquelle de ces choses, je peux dire, correctement et sans la moindre ambiguïté, que je la vois[28].

Le contexte (les circonstances, dit Austin) est ce qui me permet de dire « je vois », de façon pertinente, pour chaque cas.

On pourrait rapprocher ce point austinien (et le lire comme une critique, implicite) de Frege, qui utilise un exemple similaire, en supposant, à l'inverse de la démarche d'Austin, une différence entre voir (*avoir une représentation subjective*), voir une image (objective) et voir l'objet même, instituant ainsi une entité qui serait commune aux différentes représentations :

> On peut observer la Lune au moyen d'un télescope. Je compare la Lune elle-même à la dénotation ; c'est l'objet de l'observation dont dépendent l'image réelle produite dans la lunette par l'objectif et l'image rétinienne de l'observateur. Je compare la première image au sens, et la seconde à la représentation ou intuition. L'image dans la lunette est partielle sans doute, elle dépend du point de vue de l'observation, mais elle est objective dans la mesure où elle est offerte à plusieurs observateurs[29].

En confrontant la conception d'Austin et celle de Frege, on voit que l'enjeu ici est bien le rapport entre *sens* et perception. Voir n'est pas donner un sens, et la perception n'est pas une représentation de quelque

---

28. John L. Austin, *Sense and Sensibilia*, op. cit., p. 99.
29. Gottlob Frege, « Über Sinn und Bedeutung », *in Logische Untersuchungen*, Göttingen, her. G. Patzig, Vandenhoeck & Ruprecht, 1993, trad. fr. C. Imbert, *Écrits logiques et philosophiques*, Paris, Seuil, 1971.

chose comme étant tel ou tel : voir, c'est voir, et il n'y a pas plusieurs sens de voir, même si le mot « voir » s'applique dans des circonstances diverses. Il n'y a pas un sens de voir où je vois un bâton comme brisé et un autre où je vois un bâton dans l'eau. Comme le dit Austin :

> « J'ai vu un homme insignifiant en pantalon noir. » « J'ai vu Hitler. » Deux sens différents de « voir » ? Bien sûr que non[30].

C'est le même sens de « voir » : ce que je vois, c'est exactement *de quoi Hitler a l'air*. L'insignifiance n'est pas une caractéristique que ma représentation lui attribue, ou le sens que je donne à cette perception : c'est exactement ce que je vois (*insignificant-looking*) — sans, comme le spécifie Austin plus loin, qu'il y soit question de « voir comme » wittgensteinien. De même, voir la femme sans tête, c'est voir une femme sur un fond noir, etc. C'est *cela* que je vois.

Je peux me tromper, mais c'est alors *moi* qui me trompe. Il arrive en effet que les choses n'aient pas leur air habituel : c'est un phénomène familier, presque aussi familier que la vision ordinaire des objets. Que les choses nous apparaissent (*look like*) de telle ou telle façon, même surprenante, est un fait *ordinaire* ; c'est également le cas des exemples classiques d'illusion qui n'ont rien à voir avec des hallucinations ou des objets inexistants. Le bâton dans l'eau n'apparaît *pas* comme plié, il faudrait qu'il ait un tout autre aspect pour que nous le croyions plié[31]. Il est parfaitement normal qu'il apparaisse (*looks like*) ainsi.

> Il se présente exactement comme nous attendons qu'il le fasse ; [...] nous serions sérieusement déconcertés si ce n'était pas le cas[32].

Sens, signes et perception

On comprend mieux l'affirmation d'Austin : les sens sont muets, ils ne nous *disent* rien. Ils ne nous indiquent rien, ne font pas *signe*. La philosophie d'Austin (du langage et de la perception) est une antisémiotique. Dans « Other minds », à propos de l'idée formulée par Wisdom et qua-

---

30. John L. Austin, *Sense and Sensibilia, op. cit.*, p. 99.
31. *Ibid.*, p. 30.
32. *Ibid.*, p. 26.

lifiée par Austin dans « Truth » d'*inepte*, selon laquelle nous avons affaire à « des signes du pain » quand nous regardons dans le garde-manger et le voyons, le goûtons, etc., Austin remarque :

> Faire tout cela, ce n'est absolument pas trouver des signes de la présence du pain : le goût ou le contact du pain ne sont absolument pas des signes ou des symptômes du pain. On ne verrait pas très bien ce que je veux dire si j'annonçais avoir trouvé des signes de pain dans le garde-manger, puisque le pain n'est habituellement pas enfermé dans un coffret, et n'étant pas un événement éphémère (du pain imminent, etc.) il n'y a pas, pour le pain, de « signes » normalement acceptés. S'il s'avère finalement que ce n'était pas du tout du pain, nous pouvons alors dire : « ça avait le goût du pain, mais en fait ce n'était qu'un succédané de pain » ou bien « ça présentait toutes les caractéristiques du pain, avec toutefois des différences : ce n'était qu'une imitation synthétique »[33].

Nos sens sont muets, et, à la base de l'idée de représentation, il y a l'idée que *les sens parlent, ou signifient* (ont un sens). C'est exactement cela que rejette Austin : l'idée que les sens disent quelque chose, et que c'est ce qu'ils nous *disent* qui nous donne accès au réel. Austin décrit dans « Other minds » cette illusion, dont il est particulièrement difficile de se défaire, que

> les choses senties (*sensa*), c'est-à-dire les choses, les couleurs, les bruits et le reste, parlent ou sont étiquetées par nature, de sorte que je peux littéralement *dire* ce que (*ce* que) je vois : ça se fait entendre, ou je le lis à livre ouvert. Comme si les *sensa*, littéralement, « s'annonçaient eux-mêmes » ou « s'identifiaient eux-mêmes », à la façon dont nous l'indiquons quand nous disons : « il a été identifié à l'instant comme étant un rhinocéros blanc de toute beauté ». Mais ce n'est là pour sûr qu'une façon de parler, une forme d'expression réflexive à laquelle les Français, par exemple, se laissent plus aisément aller que les Anglais. Les *sensa* sont muets (*dumb*) et seule notre expérience passée *nous* permet de les identifier[34].

Cela ne signifie pas que nous ne nous trompons jamais : mais c'est *nous* qui identifions les choses, non par des concepts et jugements, mais parce que cela fait partie de notre activité ordinaire, tout comme le fait d'être induits en erreur. Nous sommes *misled*, induits en erreur, non par nos sens ou notre perception, mais par le réel ou les faits, dont nous savons par l'expérience qu'ils sont parfois trompeurs. Nos perceptions ne sont pas correctes ni incorrectes, elles ne nous *disent* rien. Par contre,

---

33. John L. Austin, *Philosophical Papers, op. cit.*, p. 106-107.
34. *Ibid.*, p. 97.

nous nous trompons souvent, et, comme les autres échecs qui fascinent Austin à propos des actes de langage (*misfires, slips* etc.), ces ratages nous apprennent quelque chose — et peut-être tout ce qu'il y a à savoir — sur la perception.

Se tromper

Les faits peuvent nous induire en erreur. Cela ne signifie pas qu'ils représentent. Ils peuvent, éventuellement, signifier ou *indiquer* quelque chose. La présence de seaux de nourriture pour cochon indique la présence d'un cochon. Mais ces seaux (ou leur présence) ne représentent pas un cochon. Les faits « indiquent » et peuvent nous induire en erreur, mais ce n'est pas pour cela qu'ils représentent quoi que ce soit. Ils indiquent juste ce qui s'ensuit usuellement de leur présence. Et ils peuvent être trompeurs (*misleading*). Les cas concrets où je suis trompé (*misled*, terme qu'on peut préférer à celui de *deceived*, plus en faveur auprès des philosophes) sont beaucoup plus intéressants que ceux où je suis « trompé » par les apparences. Indiquer, dit Travis, n'est pas représenter. Des déjections de cochon autour de la maison peuvent indiquer qu'il y a eu ici des cochons,

> mais des déjections de cochon ne *représentent* pas (sauf si quelqu'un en fait un usage particulièrement créatif)[35].

Quand sommes-nous induits en erreur ? Quand les choses se présentent sous une forme inhabituelle ou inattendue. Il s'agit moins d'illusion que d'erreur. Dans le cas où je suis *misled*, je vois très bien ce qui se passe, mais j'en tire des conclusions erronées. Ce n'est pas la faute de la perception : c'est juste la situation qui est inhabituelle. Là encore, on voit le lien chez Austin entre perception et habitude. Mais, pour ainsi dire, une situation inhabituelle n'a rien d'extra-ordinaire. Travis donne un exemple tiré d'un roman de Posy Simmonds : si Sid voit Zoé violemment enserrée dans les bras de Max, il en conclut qu'ils sont en pleine étreinte amoureuse. Mais il peut se tromper : en l'occurrence, Max est en train d'appliquer la manœuvre de Heimlich[36] sur Zoé. Il n'y a pas d'erreur de

---

35. Charles Travis, « The silence of the senses », *op. cit.*
36. Technique consistant à éjecter un objet coincé dans la gorge de quelqu'un en le saisissant à bras-le-corps et par derrière et en lui donnant un coup de poing sur le sternum.

la perception : j'ai vu exactement ce qui se passait. Il n'y a pas de « représentation » erronée de la réalité.

> Une manière importante d'être trompé par ce qu'on voit ou par ce à quoi vos sens vous confrontent, est de l'être par ce qui est (ou serait normalement, usuellement) indiqué. L'exemple suivant illustre le phénomène. Sid entre dans la cuisine et voit Zoé dans les bras de Max. Il en conclut (ou tient pour acquis, ou considère) qu'ils sont en pleine étreinte amoureuse. Erreur. Max est en train de faire la manœuvre de Heimlich. Zoé s'est étouffée en avalant son croissant[37].

Il y a une bonne raison pour cette erreur : ce genre de position « indique » bien, en principe (usuellement, etc.), une relation amoureuse. Pas question ici d'interprétation, ou de jugement appliqué à un donné, ou de voir comme : je me trompe, c'est tout. Ma perception n'est pas en cause, ce sont simplement les habitudes. Si les manœuvres de Heimlich étaient pratique quotidienne, si les gens passaient leur temps à s'étouffer sur des croissants et qu'il fût banal de les secourir, Sid n'aurait peut-être pas tiré ces conclusions extrêmes. Il y a bien, de sa part, une erreur d'inférence : mais cela ne fait pas de sa *perception* une inférence. Ce qu'il a *vu*, c'est Max faisant la manœuvre de Heimlich.

Ces cas ordinaires d'erreurs ne sont pas des « erreurs sensorielles », ni des cas de « voir comme ». Ils sont, pour Austin, intégrables dans une plus vaste classification de ce qui ne marche pas, « *go wrong* » :

> Mais assurément même l'homme le plus naïf voudrait distinguer : a) les cas où l'organe des sens est dérangé, ou anormal, ou incapable de fonctionner normalement d'une façon ou d'une autre ; b) les cas où les intermédiaires, ou plus généralement les conditions de la perception, sont d'une certaine façon anormales ou bizarres (*off-colour*) ; c) les cas où une inférence non valide a été faite, où les choses ont été mal construites (*a wrong construction is put on things*) (bien sûr ces cas ne sont pas exclusifs). Et puis encore il y a les cas courants de mauvaise lecture et de mauvaise audition (*misreadings, mishearings*), oublis freudiens, etc. C'est-à-dire qu'une fois de plus, il n'y a pas de dichotomie nette et simple entre les cas où les choses vont bien à ceux où elles vont mal (*things going right and things going wrong*). Il y a, comme nous le savons tous, des tas de façons dont les choses peuvent aller de travers (*things may go wrong, as we really all know quite well, in lots of different ways*)[38].

---

37. *Ibid.*
38. John L. Austin, *Sense and Sensibilia, op. cit.*, p. 13.

L'exemple de Zoé et Max est plus proche qu'on ne l'imagine des exemples types des philosophes, comme le bâton brisé : ce qui m'induirait en ce cas en erreur serait non pas la façon dont le bâton se présente, mais mon incompétence. L'erreur, dans ce cas, n'est pas dans une représentation trompeuse ou dans le fait que quelque chose me soit représenté de façon non véridique. Les cas où je me trompe sont des cas où les choses se présentent (*look like*) normalement, mais inhabituellement.

Conclusions provisoires

1) Austin et Travis ne nient pas qu'il y ait des cas d'erreur : ils récusent seulement l'extension de notre concept ordinaire d'erreur (et donc de correction) à la perception en général. Tout le problème pour eux — et celui d'une véritable critique de la représentation — consiste à détacher la notion de perception non seulement de celle de jugement ou de concept, mais aussi de celle de contenu et de représentation du monde comme étant tel ou tel.

2) Cela devrait nous conduire à repenser le rapport entre philosophie du langage et philosophie de la perception, et de l'esprit en général : on a renoncé, à juste titre, à l'idée d'une influence du langage sur la perception, ou d'une perception linguisticisée — mais on en a conclu un peu vite que l'analyse du langage ne pouvait rien apporter à celle de la perception (c'est ce que dit Peacocke au début de *A Study of Concepts*). Nous espérons au moins avoir montré que c'est loin d'être le cas.

3) En disant que *les sens sont muets*, Austin, puis Travis dépassent le cadre de la philosophie du langage *et* de la philosophie de la perception, pour affirmer une thèse radicale. On peut l'entendre dans le passage où Austin dit que, lorsqu'on a le cochon là, devant soi, ce n'est pas une preuve de plus ou un élément d'*evidence*, et, dans un autre, tout à la fin de *Sense and Sensibilia*, où il signale « combien il est absurde de suggérer que j'émets un verdict quand je dis ce qui se passe juste sous mon nez[39] ». Par nos sens, nous savons qu'il y a un cochon (et il n'y a certes pas d'autre moyen d'entrer en rapport avec le monde), mais ce n'est pas là un élément de preuve qui peut conduire à un jugement ou à un verdict de connaissance. Penser adéquatement la perception implique peut-être de défaire le lien épistémologique classique entre perception et connaissance.

---

39. *Ibid.*, p. 141.

Les idées apparemment innocentes de contenu, de représentation ou d'« expérience perceptuelle » sont tout aussi philosophiquement chargées que celle de perception comme inférence (ou jugement). Ceux qui prônent le réalisme direct et refusent l'idée d'une conceptualisation de la perception, mais ne peuvent pour autant renoncer à l'idée de *contenu* de l'expérience, ni au mythe épistémologique du lien entre perception et connaissance, ont encore du chemin à faire pour être « réalistes ».

RÉFÉRENCES

— Austin J. L., *Sense and Sensibilia*, Oxford, Clarendon Press, 1962, tr. fr. par P. Gochet, *Le Langage de la perception*, Paris, Armand Colin, 1971.

— Austin J. L., *Philosophical Papers*, Oxford, Clarendon Press, 1962, p. 61, tr. fr. par L. Aubert et A. L. Hacker, *Écrits Philosophiques*, Paris, Seuil, 1994.

— Bouveresse J., *Langage, perception et réalité*. Tome 1 : *La Perception et le Jugement*, Nîmes, Jacqueline Chambon, 1995.

— Frege G., « Der Gedanke » (1918), *in Logische Untersuchungen*, Göttingen, her. G. Patzig, Vandenhoeck & Ruprecht, 1993, trad. fr. C. Imbert, *Écrits logiques et philosophiques*, Paris, Seuil, 1971.

— McDowell J., *Mind and World*, Cambridge, Mass., Harvard University Press, 1994.

— Putnam H., *The Threefold Cord, Mind, Body and World*, New York, Columbia University Press, 2000

— Peacocke C., *A Study of Concepts*, Cambridge, Mass., The MIT Press, 1992.

— McDowell J., *Meaning, Knowledge and Reality*, Cambridge, Mass., Harvard University Press, 1998.

— Travis C., *The Uses of Sense*, Oxford, Clarendon Press, 1989.

— Travis C., *Unshadowed Thought*, Cambridge, Mass., Harvard University Press, 2001.

— Travis C., « The silence of the senses », inédit.

— Travis C., *Les Liaisons ordinaires. Wittgenstein sur la pensée et le monde*, texte français édité par Bruno Ambroise, Paris, Vrin, 2003.

— Wittgenstein L., *Philosophische Untersuchungen*, G. E. M. Anscombe, G. H. von Wright & R. Rhees (éds.), Oxford, Basil Blackwell, 1953, seconde édition 1958, *Werkausgabe*, Band 1, Frankfurt, Suhrkamp, 1989.

Présentation des auteurs

Louis Allix est maître de conférences en logique et épistémologie à l'université de Reims-Champagne-Ardenne. Ses travaux portent sur la théorie de la connaissance et du raisonnement, la perception et les couleurs, les émotions, la métaphysique et l'esthétique.

Jocelyn Benoist est chercheur au CNRS et membre des Archives Husserl. Ses travaux portent notamment sur la phénoménologie, la philosophie analytique, la philosophie du langage et de la connaissance, l'ontologie et la métaphysique. Il a publié récemment *L'Idée de phénoménologie* (Beauchesne, 2001), *Intentionalité et langage dans les* Recherches logiques *de Husserl* (PUF, 2001), *Représentations sans objet : aux origines de la phénoménologie et de la philosophie analytique* (PUF, 2001) et *Entre acte et sens* (Vrin, 2002).

Alain Berthoz est, depuis 1993, professeur au Collège de France où il occupe la chaire de physiologie de la perception et de l'action, et dirige le laboratoire du même nom (LPPA). Ses cours ont porté ces dernières années sur « Unité de la perception et conscience du corps », « Les bases neurales de la décision dans la perception et le contrôle de l'action » et « Espace des sens et sens de l'espace ». Il a publié *Le Sens du mouvement* (Odile Jacob, 1997) et plus récemment *La Décision* (Odile Jacob, 2003). Il a dirigé la publication de *Leçons sur le corps, le cerveau et l'esprit* (Odile Jacob, 1999).

Jacques Bouveresse est, depuis 1995, professeur au Collège de France (chaire de philosophie du langage et de la connaissance). Ses cours ont porté ces dernières années sur « Ludwig Boltzmann, la mécanique, l'irréversibilité et le temps », sur « La perception, la réalité et les apparences » et sur « Kurt Gödel : mathématiques, logique et philosophie ». Il a récemment publié *Essais III. Wittgenstein et les sortilèges du langage* (Agone, 2003) et *La Voix de l'âme et les chemins de l'esprit. Dix études sur Robet Musil* (Seuil, 2001).

Christiane Chauviré est professeur de philosophie à l'université Paris-I (Panthéon-Sorbonne) où elle dirige le Centre d'études sur le pragmatisme et la philosophie analytique (CEPPA). Ses travaux portent notamment sur la philosophie du langage et de la connaisance, le pragmatisme et Wittgenstein. Elle a publié récemment *La Philosophie dans la boîte noire. Cinq pièces faciles sur Wittgenstein* (Kimé, 2000) et *Voir le visible*, (PUF, 2003).

François Clementz est professeur de philosophie de la connaissance à l'université de Provence (Aix-Marseille) et membre du Centre d'épistémologie et d'ergonomie comparatives (CEPERC). Ses travaux portent sur l'œuvre de Bertrand Russell, la philosophie du langage, l'épistémologie, la philosophie de l'esprit et la métaphysique analytique.

Jérôme Dokic est directeur d'études à l'EHESS et membre de l'Institut Jean Nicod où il codirige le séminaire « Langage et Esprit ». Ses domaines de recherche sont la philosophie de l'esprit, les sciences cognitives, la philosophie du langage et l'épistémologie. Il est l'auteur de *L'Esprit en mouvement* (Stanford, 2000), *La Philosophie du son* (Jacqueline Chambon, 1993, avec R. Casati) et *Ramsey : vérité et succès* (PUF, 2001, avec P. Engel).

Pascal Engel est professeur de philosophie de la logique et de la connaissance à l'université de Paris-IV-Sorbonne et membre de l'Institut Jean Nicod. Ses travaux portent principalement sur la philosophie de la logique, la philosophie du langage et la philosophie de l'esprit. Il a publié récemment *Philosophie et Psychologie* (Gallimard, 1996), *Truth* (Acumen, 2002) et *Ramsey : vérité et succès* (PUF, 2001). Il a dirigé un *Précis de philosophie analytique* (PUF, 2000) et *Believing and Accepting* (Kluwer, 2000).

Sandra Laugier est professeur de philosophie à l'université de Picardie (Amiens) et membre de l'Institut d'histoire et de philosophie des sciences et des techniques (IHPST). Ses travaux portent sur l'épistémologie, la philosophie du langage et de l'esprit, et la philosophie morale. Elle a récemment publié *Du réel à l'ordinaire. La philosophie américaine aujourd'hui* (Vrin, 1999) et *Recommencer la philosophie* (PUF, 2000). Elle a dirigé *Carnap et la construction logique du monde* (Vrin, 2001) et *Wittgenstein, métaphysique et jeux de langage* (PUF, 2001).

Jean-Maurice Monnoyer est professeur de philosophie à l'université de Provence (Aix-Marseille-I). Ses travaux portent principalement sur la philosophie de la perception. Il a notamment publié *Walter Benjamin, Carl Einstein et les Arts primitifs* (Pau, 2000) et dirigé *La Structure du monde : objets, propriétés, états de choses* (Vrin, 2003).

Élisabeth Pacherie est chargée de recherche au CNRS et membre de l'Institut Jean Nicod où elle codirige le séminaire « Langage et Esprit ». Ses travaux portent principalement sur la perception et sur l'action, avec le souci d'intégrer dans la réflexion philosophique les apports des sciences de la cognition. Elle est l'auteur de *Naturaliser l'intentionnalité* (PUF, 1993).

Jean Petitot est directeur d'études à l'École des hautes études en sciences sociales (EHESS) et directeur du Centre de recherche en épistémologie appliquée (CREA). Ses travaux portent principalement sur les modèles dynamiques en sciences cognitives et sur l'épistémologie des modèles mathématiques. Il est notamment l'auteur de *Physique du sens* (Éditions du CNRS, 1992). Il a codirigé *Au nom du sens* (sur l'œuvre d'Umberto Eco, Grasset, 1999) et *Naturaliser la phénoménologie* (CNRS Éditions, 2002).

Jean-Jacques Rosat exerce les fonctions de maître de conférences au Collège de France (philosophie du langage et de la connaissance) et il est membre de l'Institut d'histoire des sciences et des techniques (IHPST). Ses travaux portent principalement sur la philosophie de la psychologie de Wittgenstein. Il a codirigé *Les Mots de l'esprit* (Vrin, 2001) et *Wittgenstein, dernières pensées* (Agone, 2002).

Table

_____

Cet ouvrage a été transcodé et mis en pages
chez Nord Compo (Villeneuve-d'Ascq)
et achevé d'imprimer sur Roto-Page
par l'Imprimerie Floch à Mayenne
en novembre 2003

N° d'impression : 58506.
N° d'édition : 7381-1352-X.
Dépôt légal : novembre 2003.

Imprimé en France